KB152123

Rod J. Rohrich • James M. Stuzin • Erez Dayan • E. Victor Ross

FACIAL DANGER ZONES
얼굴위험구역

Facial Danger Zones : Staying safe with surgery, fillers, and non-invasive devices

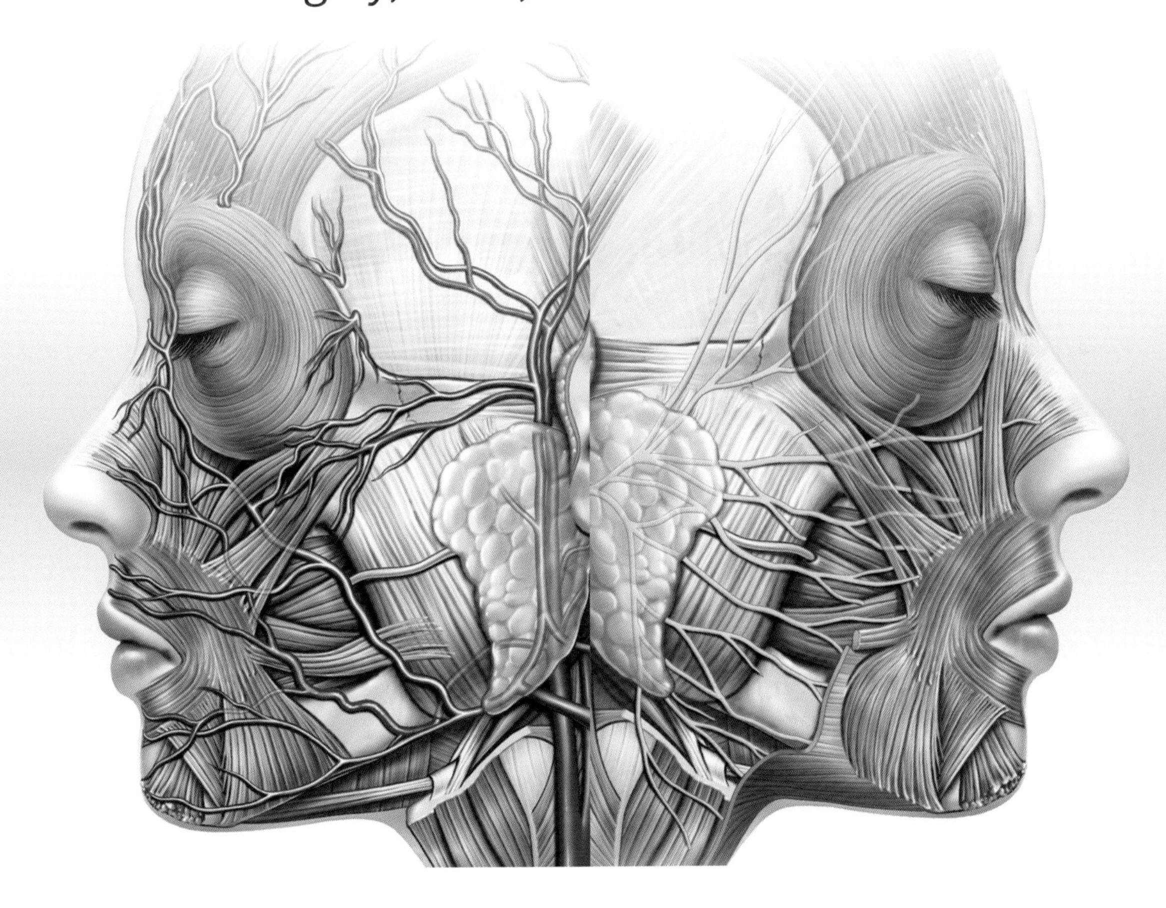

옮긴이
성낙관 허준 박동권 윤원영

Facial Danger Zones

얼굴위험구역

첫째판 1쇄 인쇄 | 2022년 12월 19일
첫째판 1쇄 발행 | 2023년 1월 2일

지 은 이 Rod J.Rohrich, James M. Stuzin, Erez Dayan, E. Victor Ross
옮 긴 이 성낙관, 허준, 박동권, 윤원영
발 행 인 장주연
출 판 기 획 최준호
책 임 편 집 이다영
표지디자인 김재욱
편집디자인 강미란
발 행 처 군자출판사(주)
등록 제4-139호(1991. 6. 24)
본사(10881) **파주출판단지** 경기도 파주시 회동길 338(서패동 474-1)
전화(031) 943-1888 팩스(031) 955-9545
홈페이지 | www.koonja.co.kr

* 파본은 교환하여 드립니다.
* 검인은 저자와의 합의 하에 생략합니다.

ISBN 979-11-5955-939-6
정가 90,000원

역자 소개

1 성낙관 성형외과전문의, 의학박사
성낙관성형외과의원 원장
대한성형외과학회 보툴리눔 · 필러 · 실리프팅연구회 회장(2012~2016)
대한성형외과학회 지방성형 · 지방줄기세포연구회 회장(2020~2022)

2 허 준 성형외과전문의
잇츠미성형외과의원 원장
대한성형외과학회 보툴리눔 · 필러 · 실리프팅연구회 학술위원(2015~2016)

3 박동권 성형외과전문의
아몬드성형외과의원 원장
대한성형외과학회 지방성형 · 지방줄기세포연구회 총무(2019~2021)

4 윤원영 성형외과전문의
멘드의원 원장
대한성형외과의사회 레이저성형연구회 학술위원(2020-2022)
대한성형외과학회 학술간사(2013~2014)

저자 소개

Erez Dayan, MD
Harvard Trained Plastic Surgeon Dallas Plastic Surgery Institute Dallas, Texas

Raja Mohan, MD
Accent on You Plastic Surgery Arlington, Texas

Rod J Rohrich, MD, FACS
Founding Professor and Chair Department of Plastic Surgery Distinguished Teaching Professor UT Southwestern Medical Center Founding Partner
Dallas Plastic Surgery Institute Dallas, Texas

E Victor Ross, MD
Director
Scripps Clinic Laser and Cosmetic Dermatology Center Scripps Clinic Carmel Valley
San Diego, California

James M Stuzin, MD
Plastic Surgeon
Institute of Aesthetic Medicine
Chair of the Baker-Gordon Cosmetic Surgery Meeting Professor of Plastic Surgery (Voluntary)
University of Miami School of Medicine Miami, Florida

David Dwayne Weir, MNS, APRN, NP-C
Dallas Plastic Surgery Institute Dallas, Texas

Dinah Wan, MD
Southlake Plastic Surgery Southlake, Texas

Contents

PART I: 얼굴신경(Facial Nerves)

PART II: 필러 및 신경조절제(Fillers and Neuromodulators)

Video Contents

Video 111 Danger Zone 2: Temporal Region
Rod J Rohrich

Video 112 Filler Injection in the Temporal Region
Rod J Rohrich

Video 121 Facial Danger Zone 3: Oral Commissure and Lips
Rod J Rohrich

Video 122 Filler Injection: Lips
Rod J Rohrich

Video 123 Filler Injection: Oral Commissure
Rod J Rohrich

Video 131 Facial Danger Zone 4: Nasolabial Fold
Rod J Rohrich

Video 132 Filler Injection: Nasolabial Fold
Rod J Rohrich

Video 141 Filler Injection: Nose
Rod J Rohrich

Video 142 Facial Danger Zone 5: Nose
Rod J Rohrich

Video 151 Filler Injection: Infraorbital region
Rod J Rohrich

Video 152 Facial Danger Zone 6: Infraorbital Region
Rod J Rohrich

Video 181 TCA Peel
Rod J Rohrich

Video 191 Radiofrequency: Microneedling with Bipolar Radiofrequency
Erez Dayan

Video 211 Microneedling
Erez Dayan

역자 서문

성형외과 의사로서 안전하면서 만족할 만한 수술 및 시술 결과를 얻기 위해서는 해박한 얼굴해부학은 필수입니다. 또한 얼굴해부학에 따른 노화 과정을 철저히 이해해야만 보다 자연스러운 결과를 만들 수 있습니다. 그러므로 수많은 성형외과술기가 발전해왔지만 얼굴해부학의 중요성은 아무리 강조해도 지나치지 않습니다. 또한 필러주사 등 비수술적인 시술이나 레이저 장비사용 시에도 안전에 대한 고려사항을 충분히 이해하도록 해야 합니다.

비침습적인 시술은 외과적인 수술이 아니므로 간단하다고 생각하여 매우 쉽게 접근하나, 필러주사의 경우 얼굴의 중요구조물을 직접 눈으로 보지 못하고 피부밑부터 얼굴뼈 근처까지 깊게 주사하게 되므로 정확한 해부학적 지식은 안전과 결과에 매우 중대한 전제조건이라 할 수 있습니다. 즉 언제라도 알 수 있게 얼굴의 중요한 구조물들의 위치들을 미리 공부하고 반복적으로 익혀 철저히 파악하고 있어야 합니다. 최근 얼굴해부학의 연구가 빠르게 발전하고 있어 부단히 노력하지 않으면 뒤처져 변화된 얼굴해부학 지식을 따라가기가 쉽지 않은 상황입니다.

이 책은 최근 발전된 얼굴해부학을 공부하는 의사에게도 성형외과수술부터 비침습적인 시술에까지 안전하고 좋은 결과를 얻을 수 있도록 매우 유익한 정보를 제공하는 의학도서가 될 것으로 생각됩니다.

이 책에서 사용되는 용어들은 "새 의학용어(영어용어)"를 함께 나란히 적었습니다. 새 의학용어는 2020년에 발간된 의학용어집 제6판을 참고하였으며, 아직 수록되지 않은 용어들은 의학용어위원회의 의학용어 원칙에 따라 최대한 우리말로 옮기고자 노력하였습니다. 특히 모든 그림과 사진에는 새 의학용어와 영어용어를 함께 빠짐없이 적어 이해가 쉽고 찾아보기도 편리하도록 하였습니다.

영어용어와 옛 의학용어로 공부했던 분들은 새 의학용어가 어색할 수 있지만, 책장을 넘기다 보면 계속 반복해서 자주 언급되므로 익숙해지는 데 큰 어려움은 없을 것으로 생각됩니다.

부디 이 책이 앞으로 임상에 두루 유익한 도움이 되기를 바랍니다.

마지막으로 그동안 같이 고생한 허준 선생님, 박동권 선생님, 윤원영 선생님에게 감사드리고, 항상 건강하기를 바랍니다.

2022년 11월

역자들을 대표하여 성낙관

저자 서문

왜 '얼굴위험구역'(FACIAL DANGER ZONES)에 대한 새로운 책인가? 우리는 왜 우리가 이 주제에 대한 새로운 책을 출간하는 것이 시기에 적절했다고 느꼈는지 우리의 생각을 공유하고자 합니다.

이 책을 내는데 기초가 된 교과서는 20년 전 Dr. Brooke Seckel에 의해 쓰였는데, 그는 특이하게도 신경과전문의였고 또한 성형외과전문의였습니다. Dr. Seckel은 그가 이 책의 초판본을 쓰게 된 동기는 1990년대 초반에 묘사된 보다 공격적인 얼굴널힘줄계밑 얼굴당김술(sub-SMAS face lift)이 얼굴신경(facial nerve)의 손상을 일으킬 가능성이 있다는 그의 염려에서 비롯되었다고 언급 하였습니다. 그의 교과서는 그 당시 재건성형 뿐만 아니라 미용성형을 하는 외과 의사들 사이에서 참고도서가 되었으며 2010년에 그 다음 세대의 성형외과 의사들을 위해 재출판 되었습니다.

지난 10년 동안 성형수술과 미용의학의 세계에 많은 변화가 있었습니다. 미용시술에 대한 세계적인 수요 증가의 속도는 빨랐으며 이 같은 시장의 성장과 함께 환자의 안전에 대한 의무도 증가하고 있습니다. 최근의 미용 시술은 수술적인 치료와 비수술적인 치료를 아우르고 있으며 다양한 분야의 의사들에 의해 시술되고 있습니다. 우리는 미용시술 수요의 증가가 기존에 경험하지 못했던 새롭고 고통스러운 부작용들을 야기한다는 것을 알아차리게 되었습니다. 필러 시술 이후에 발생하는 시력 손상은 Dr. Seckel이 '얼굴위험구역' 교과서를 집필하던 시대에는 없는 부작용이었으나, 지금은 불행하게도 빈도수가 증가하고 있습니다. 성형외과 의사의 수련은 재건 수술에 집중되어 있는 반면, 얼굴의 해부학은 일부 피상적으로 다뤄지고 얼굴 미용수술의 미묘한 차이점이나 술기를 배울 시간은 적게 할애하게 됩니다. 우리는 우리의 전공의들이 복잡한 미세혈관 재건수술을 얼굴당김술보다 더욱 편안하게 받아들이며, 많은 의사들이 그들의 수련기간 동안 제대로 배우지 못한 술기들을 환자들에게 제공하고 있다는 점을 파악하게 되었습니다. 이 교과서의 초판본이 발간된 지 20년이 지난 지금 환자의 안전에 대한 요구는 여전히 가장 중요하며, 그리하여 '얼굴위험구역'에 대한 최신의 지식을 재정비하는 데 우리의 관심을 집중하게 되었습니다.

많은 술기가 변화하고 미용시술을 하는 많은 전문 분야들 사이에서 의료의 전달 방법이 발전했지만, 해부학만은 변화없이 유지되고 있습니다. 우리의 관점에서, 얼굴 연조직과 혈관의 해부학에 대한 3차원적인 이해야 말로 운동신경의 손상이나 시력손상, 조직허혈과 같은 부작용을 피할 수 있는 유일한 방법입니다. 비수술적인 시술이나 레이저 장비의 증가 또한 안전 고려사항과 사용상의 한계에 대한 이해를 필수적으로 요구하게 됩니다.

이 책의 목표는 크게 3가지입니다.

- 얼굴 해부학에 대한 최적의 지식은 얼굴 미용수술에서 최선이자 안전한 결과를 얻는 데 밀접한 관련이 있습니다. 이것은 특히 Dr. James Stuzin에 의해 논의된 얼굴당김술에서의 얼굴신경의 복잡한 해부학의 내용에 해당됩니다.

- 얼굴혈관해부학에 대한 여러분의 지식을 다듬고 정의하여 얼굴의 필러시술 시 시력 손상이나 피부 괴사를 포함하는 다양한 두려운 부작용으로부터 안전해지십시오 이 부분은 Dr. Rod Rohrich에 의해 논의될 내용입니다.
- 레이저와 고주파, 초음파에 이르기까지 최소 침습적인 장비들의 한계와 안전 영역에 대해 정의하여 얼굴과 목부위 시술 시 최적의 결과를 얻고 안전성을 극대화하는 방법은 Dr. Erez Dayan과 Dr. Vic Ross에 의해 숱기될 것입니다.

'얼굴위험구역'을 집필하는 동안 우리는 책에서 제시하는 해부학적 구조가 정확하고 얼굴연조직해부학의 복잡성을 해소하는데 도움이 되기 위해 해부실습실로 돌아갔습니다. 우리는 독자들이 우리가 과거의 문헌에서 지나치게 복잡하게 만들어졌다고 느끼는 주제들을 쉽게 이해할 수 있기를 희망하면서, 전문가의 일러스트와 짧은 동영상들을 결합시켜 해부학을 명확히 하는 데 필요한 중요한 해부 사진을 포함시켰습니다. 이 책의 형식은 동영상과 디지털 전자책을 첨가하여 이 같은 지식을 간소화하기 위한 목적입니다. 우리는 의사들이 이 교과서로부터 수술실이나 치료실로 가기까지 더 큰 자신감과 안전성을 가지고 미용시술을 할 수 있게 되기를 진심으로 바랍니다.

미용시술을 하는 의사의 책임은 술 후 결과와 환자 안전의 정확성에 있습니다. 미용의학에서의 예술성이 시각적이고 직관적인 반면, 일관성에 대한 분석적 기초는 해부학 그리고 얼굴 모양과 해부학의 관계에 대한 기초적이고 철저한 지식입니다. 이 교과서가 독자들에게 얼굴 연조직 해부학에 대한 확실한 3차원적 이해와 시술 시 위험구역에 대한 인식의 기초를 제공하여, 환자와 의사 모두에게 안전하고 만족스러운 결과를 가져다 줄 수 있기를 진심으로 희망합니다.

Rod J Rohrich, MD
James M Stuzin, MD
Erez Dayan, MD
E Victor Ross, MD

헌정/감사의 말

우리는 이 책을 우리의 모든 환자들의 안전을 위해 바칩니다. 우리는 이 책이 임상의사들이 수술 혹은 시술의 안전에 집중하는 데에 도움이 되기를 바랍니다. 환자들에게는 이 책이, 우리가 제시하는 기본 원칙들에 의거하여 최선의 의료를 제공하는 최고의 성형외과전문의, 피부과전문의, 얼굴성형외과 의사와 안성형외과 의사에게로 인도하는데 도움이 되었으면 합니다.

성형수술은 환자와 환자의 안전과 결과를 최우선으로 생각해야 합니다. 이 책은 이 같은 목적에 주안점을 두고 있으며 의사로서 환자에게 해를 끼쳐서는 안 된다는 책임감을 요구합니다.

우리는 또한 의술을 통해 우리 각자가 더 좋고 더 세심한 의사가 될 수 있도록 도와준 우리의 모든 환자분들께 감사의 마음을 전하고 싶습니다.

특별히, 우리는 나의 오랜 조수이자 행정비서 Diane Sinn, 훌륭한 Thieme사의 직원 Judith Tomat, 출판인 Sue Hodgon, 그리고 이 책의 각 페이지에 전문지식성을 담아낸 삽화가 Amanda Taomaskiewicz를 포함하여 우리가 이 책을 완성하도록 도와준 모든 직원들 개개인에게 감사드립니다.

진심을 담아,

Rod J Rohrich, MD

James M Stuzin, MD

Erez Dayan, MD

E Victor Ross, MD

I

얼굴신경

Facial Nerves

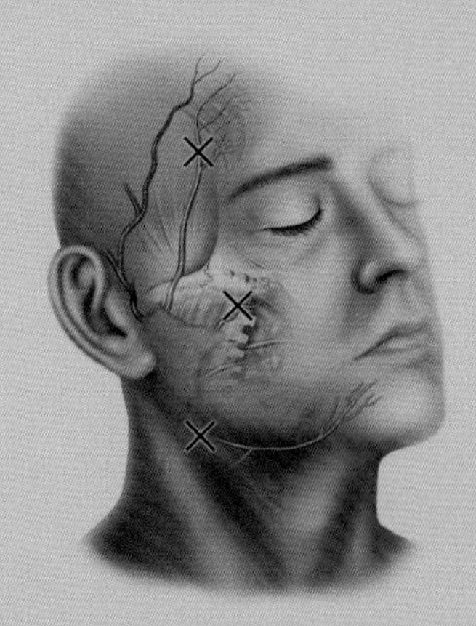

얼굴위험구역

Facial Danger Zones

1. 얼굴조직 해부학 개요(Overview of Facial Tissue Anatomy)

- *James M. Stuzin* / 성낙관 역

초록

얼굴의 외과적 박리에서 안전의 핵심은 연조직 해부학의 정확한 이해이다. 얼굴신경의 2차원 가지내기 양상(branching patterns)은 다양하지만 얼굴신경의 위치면(the plane of the facial nerve)은 얼굴 연조직 구조 내에서 일정하다. 외과적 절개면과 얼굴신경의 위치면과의 관계를 인식하면 외과 의사는 미용과 재건의 얼굴수술 모두에서 안전하고 일관된 결과를 제공할 수 있다.

키워드: 얼굴 연조직 해부학(facial soft tissue anatomy), **얼굴신경**(facial nerve)

이 교과서의 주요 초점은 얼굴을 수술하는 의사들이 얼굴 해부학의 미묘한 차이를 더 잘 이해하도록 도와 수술결과의 일관성과 환자 안전성을 향상시키는 것이다. 얼굴 연조직 해부학의 이해는 재건수술과 미용성형수술 모두에 관련되며, 재건 목적으로 얼굴피판을 박리하거나 머리·얼굴 뼈대(craniofacial skeleton)을 노출하기 위한 술기를 수행할 때 얼굴 연조직의 구조적 배열에 대한 3차원 이해가 필수적이고 미용성형수술에서는 더욱 심도 깊고 명확한 이해가 요구된다.

얼굴신경 손상을 예방하는 것은 얼굴 술기를 할 때 안전과 기능 보존의 가장 중요한 측면이다. 운동신경 가지 손상을 방지하기 위한 중요한 요소는 얼굴 연조직의 3차원 구조를 정확하게 이해하는 것이다.

얼굴신경 해부학에 대해 많은 연구가 이루어졌지만, 대부분은 얼굴신경의 2차원 가지내기 양상에 초점을 맞추고 있다. 환자들 사이에 가지내기 양상의 차이뿐만 아니라 볼의 오른쪽과 왼쪽 사이의 가지내기 양식의 차이도 크기 때문에 불행하게도 얼굴을 해부할 때 2차원 얼굴신경 해부학은 특별히 관련이 없다. 얼굴신경 손상을 피하는 핵심은 얼굴신경의 위치면과 관련하여 수술 절개면을 인식하는 것뿐만 아니라 얼굴의 연조직 평면의 3차원 구조를 이해하는 것이다. 3차원적으로 생각하라(THINK THREE DIMENSIONALLY).

1.1 얼굴 연조직 구조의 배열(The Architectural Arrangement of Facial Soft Tissue)

- 얼굴 연조직은 양파의 동심층과 유사하게 일련의 동심층(a series of concentric layers)으로 배열된다.

1.1.1 얕은 층에서 깊은 층까지의 얼굴 연조직층 (The Layers of Facial Soft Tissue from Superficial to Deep)

- 피부
- 구획화된 피부밑지방
- 얕은얼굴근막(얼굴널힘줄계통[얕은근육널힘줄계통, SMAS])
- 모방근(얼굴널힘줄계통이 싸고 있는 얕은근육)
- 얼굴널힘줄계밑지방
- 깊은얼굴근막(귀밑샘피막[parotid capsule], 깨물근막 혹은 깊은관자근막)
- 얼굴신경, 귀밑샘 및 볼지방덩이(buccal fat pad)의 위치면(그림 1.1 a, b)

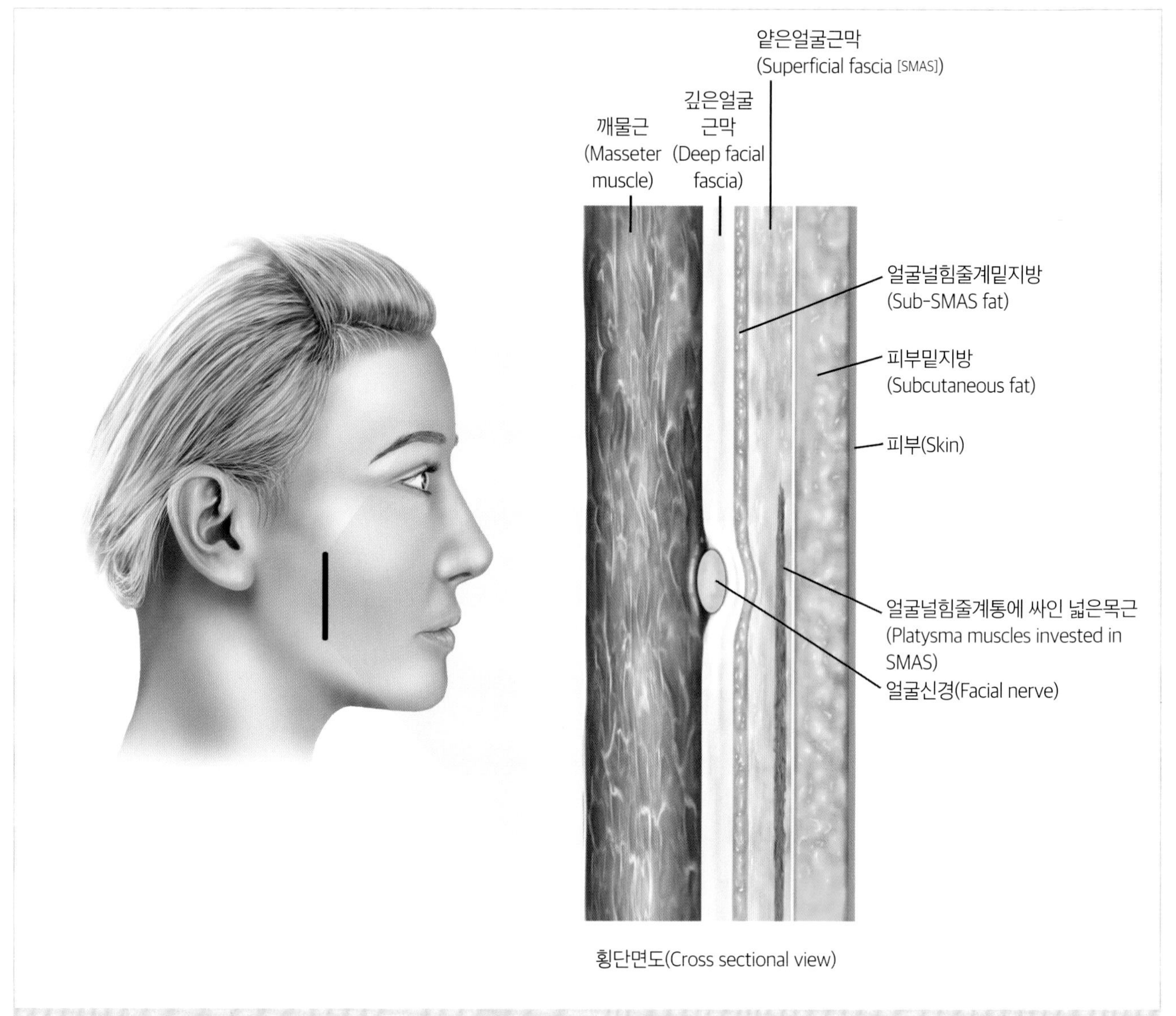

그림 1.1 **(a)** 귀밑샘 바로 앞쪽을 묘사한 가쪽볼의 단면. 볼의 얼굴 연조직의 구조는 3차원이며 일련의 동심층으로 배열되어 있다. 얕은 곳에서 깊은 곳까지, 이 층들은 1) 피부 2) 피부밑지방(구획화) 3) 얕은얼굴-얼굴널힘줄계통 4) 얕은 모방근(얼굴널힘줄계통에 의해 싸여짐) 5) 얼굴널힘줄계통밑지방 6) 깊은얼굴근막(귀밑샘피막[parotid capsule], 깨물근막 혹은 깊은관자근막) 7) 얼굴신경, 귀밑샘, 깨물근 및 볼지방덩이의 위치면. 얼굴을 수술할 때 안전의 핵심은 수술 박리면과 얼굴신경의 위치면과의 관계를 정확하게 인식하는 것이다.

1.1.2 얼굴신경의 위치면(The Plane of the Facial Nerve)

- 2차원 얼굴신경 가지내기 양상의 측면에서는 상당한 차이가 존재하지만, 얼굴의 다른 근막층과 관련된 얼굴신경의 위치면은 해부학적으로 일정하다.
- 얼굴신경 손상을 피하기 위한 중요한 단계는 수술할 때 박리면을 정확하게 식별하는 것이다. 얼굴신경의 위치면보다 얕거나 또는 깊게 박리할 경우 운동신경가지의 손상을 방지할 수 있다.
- 얼굴신경의 위치면은 환자마다 일정하지만, 각 해부학적 층의 두께와 모양은 크게 다르기 때문에 위치면 식별의 미묘한 차이가 안전한 박리의 핵심이 된다.
- 환자마다 피부 두께가 다르듯이 피부밑지방과 얼굴널힘줄계통의 두께도 다르다. 마찬가지로, 얼굴널힘줄계통밑지방의 유무와 밑에 위치한 반짝이는 깊은얼굴근막의 두께도 많은 환자에서 다르게

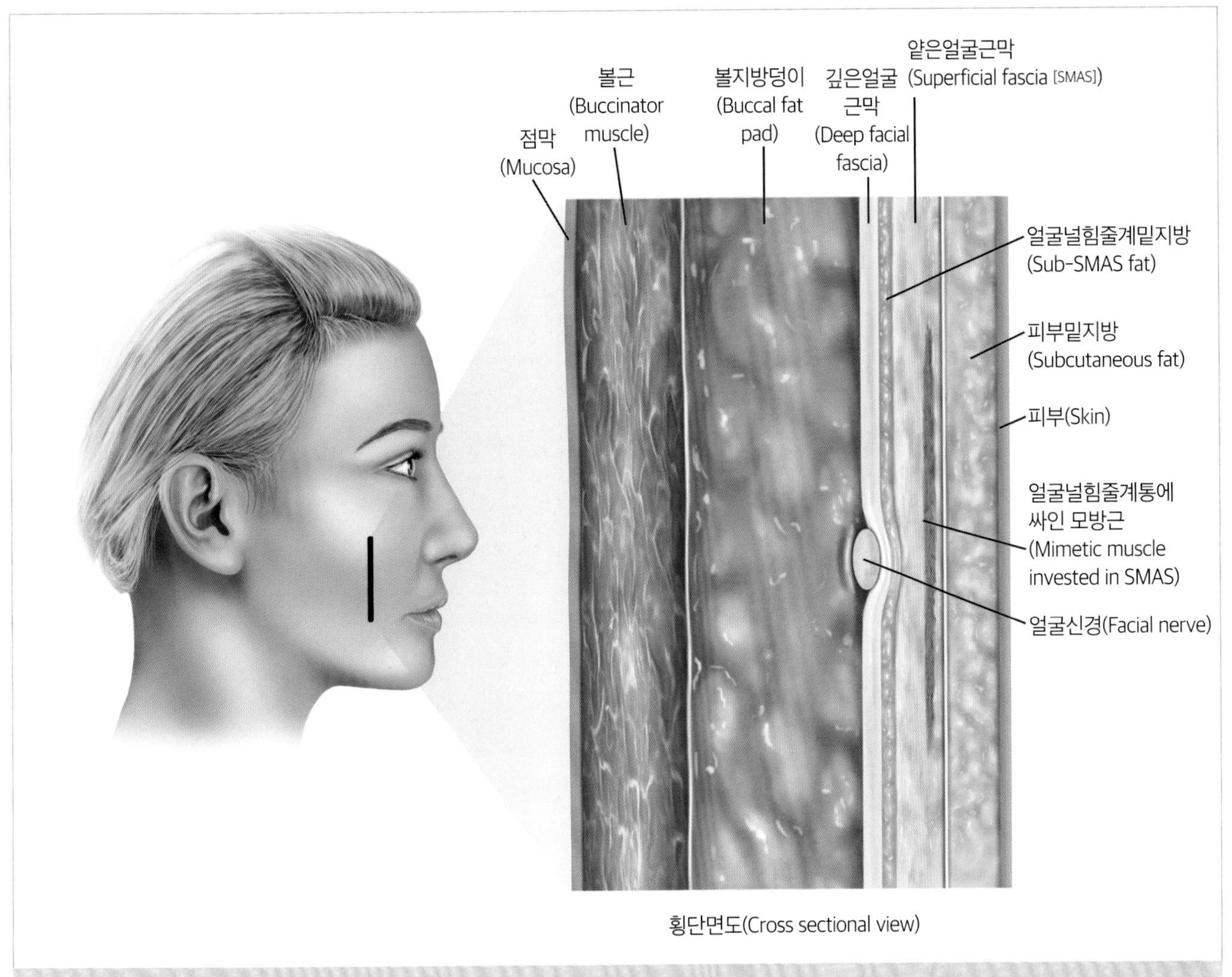

그림 1.1 **(b)** 깨물근 바로 앞쪽과 볼지방덩이 위에 있는 중간볼의 연조직 단면. 연조직의 동심 구조는 가쪽볼과 유사하지만 얼굴신경가지가 신경이 지배하는 근육 쪽으로 이동함에 따라 더 얕게 위치하는 경향이 있다. 볼의 이 영역에서는 볼지방덩이와 얼굴신경가지는 깊은근막보다 깊게 있으므로 둘다 같은 평면에 위치한다. 더 앞쪽에서는 얼굴신경가지는 깊은근막을 관통하고 모방근의 깊은 표면을 따라 모방근육을 지배한다.

나타날 것이다.

- 일반적으로 이러한 층은 나이 든 환자보다 젊은 환자에서 더 잘 정의되고 두껍다. 유사하게, 재수술이나 외상에 따른 재건수술은 근막면의 모양을 왜곡시킬 수 있다. 그럼에도 불구하고, 구조적 배열은 일정하게 유지되고 모든 환자에게 존재하며, 외과 의사의 안전의 핵심은 얼굴을 수술할 때 어떤 평면이 박리되고 있는지를 인식하는 것이다(**동영상 1.1**).

동영상 1.1

1.1.3 얼굴 연조직층(Layers of Facial Soft Tissue)

피부(Skin)

- 피부의 두께와 혈관분포(vascularity)는 환자마다 다르다.
- 얼굴당김술 또는 얼굴 재건을 위해 목·얼굴피판(cervicofacial flap)을 들 때, 안전의 핵심은 얼굴널힘줄계통 위에 있는 피부밑지방 내에서 박리를 하는 것이다.
- 피부밑지방과 얕은근막 사이의 경계면을 정의하기 위해 투과조명(transillumination)을 사용하면 정

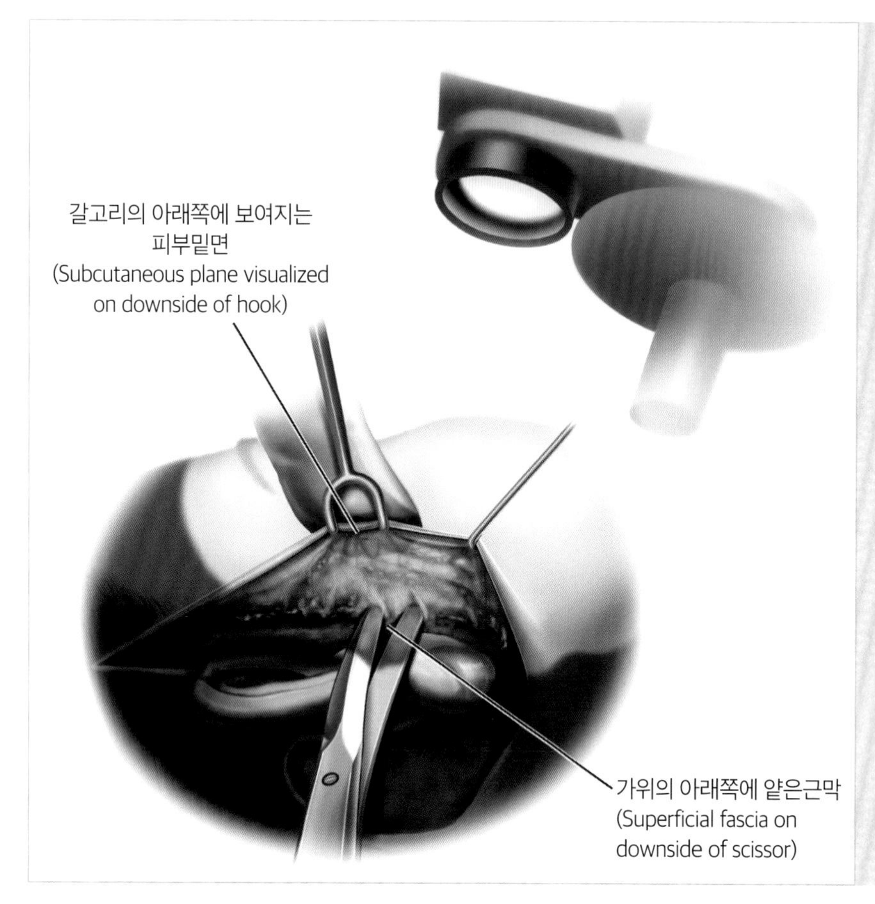

그림 1.2 피부밑지방과 얼굴널힘줄계통 사이의 경계면을 정의하는데 환자의 반대쪽에서 빛을 이용한 투과조명(transillumination)이 유용하고 피부피판 두께(skin-flap thickness)의 조절에서 피부밑박리의 정확도가 높아진다. 일반적으로 둔탁한 피부밑박리(blunt subcutaneous dissection)는 안전하지만 피부밑지방이 거의 없는 마른 환자나 재수술의 경우에서 투광조명을 활용하는 것이 정확한 박리면을 유지하는데 도움이 된다(동영상 참조).

확한 박리면을 정의하는데 도움이 된다(그림 1.2, **동영상 1.2**).

피부밑지방(Subcutaneous Fat)

- 피부밑지방의 위치면은 일반적으로 재건 및 미용얼굴수술에 사용되는 박리면이며 해부학적으로 피부와 그 밑에 위치한 얕은근막(얼굴널힘줄계통) 사이의 개입층(interposition)으로 존재한다.
- 얼굴 피부밑지방은 균질한 구조가 아니라 일련의 "얼굴지방구획"으로 분리된다.
- 피부밑지방을 구획으로 분리하는 섬유성 사이막(fibrous septa)은 유지인대의 원위부 가지형성(distal ramifications)를 나타내며, 귀밑샘과 같은 깊은 고정 구조로부터 나와 얼굴널힘줄계통을 관통하고 피부에 삽입된다.
- 혈관 관통가지(Vascular perforators)들도 이와 유사하게 유지인대와 인접한 깊은 곳에서 얕은 곳으로 이동하므로 박리가 한 구획에서 인접한 다른 지방구획으로 진행될 때 이러한 혈관 관통가지들에서 출혈이 관찰된다.
- 각 구획 내 지방의 두께와 근막의 일관성(consistency)은 귓바퀴앞 가쪽에서부터 앞쪽의 코입술주름으로 볼부위가 박리됨에 따라 변한다.
  - 귓바퀴앞 가쪽지방구획은 얇고 촘촘하며 혈관이 있는 경향이 있는 반면, 중간지방구획 내의 지방은 두껍고 푹신하며(fluffy) 혈관이 없고 박리하기 쉬운 경향이 있다.
  - 중간지방구획에서 광대지방구획으로 이동하면서 광대인대(zygomatic ligament)와 가로얼굴동맥(transverse facial artery)의 관통가지가 마주치게 되어 가쪽광대융기(lateral malar eminence)를 따라 박리 시 섬유질이면서 출혈이 되는 경향이 있다.

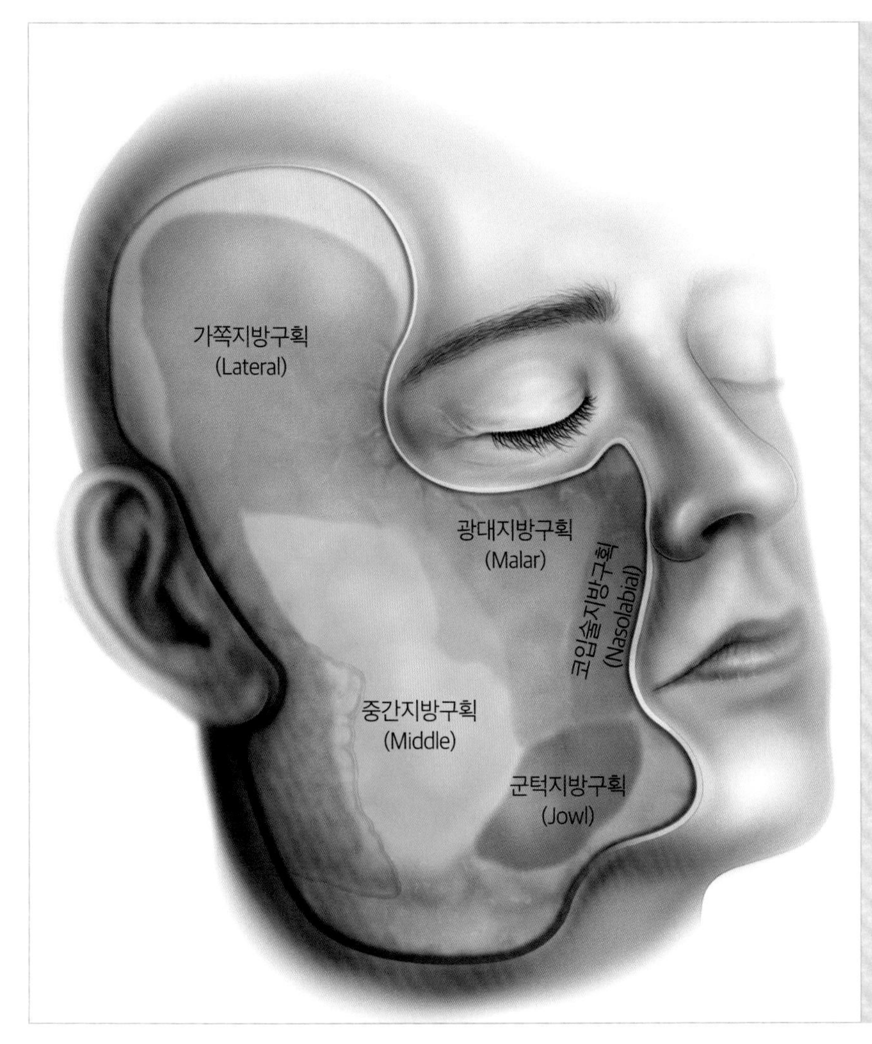

그림 1.3 얼굴 피부밑지방은 균질한 층이 아니며, 이는 신체의 다른 부위의 피부밑지방과는 다르다. 볼의 피부밑지방은 유지인대가 깊은 고정 구조에서 피부지지띠(retinacula cutis)로서 피부에 삽입될 때 원위부 파생 결과(distal ramification)에 의해 섬유성 구획으로 나뉜다. 볼의 얕은지방구획(가쪽에서 안쪽까지)들은 가쪽지방구획, 중간지방구획, 광대지방구획, 군턱지방구획(jowl compartment), 코입술지방구획이다. 각 지방 구획은 뚜렷한 근막의 일관성, 두께, 그리고 나이가 들면서 다른 수축 경향이 있다.

- 얼굴지방구획마다 수축 경향이 있는데, 가쪽지방구획은 40~50세 환자에서 수축 증거를 보이는 반면, 광대수축(malar deflation)은 더 10년 후에 발생하는 경향이 있다. 수축의 해부학적 특성(구획별로 다름[compartment-specific])은 얼굴 노화 시 볼을 가로질러 균질하게 발생하는 것이 아니라 부위별로 발생하는 경향이 있는 이유를 설명한다(2장 얼굴지방구획 참조)(그림 1.3).

얕은얼굴근막(Superficial Facial Fascia, SMAS)

- 얼굴널힘줄계통(SMAS)은 얕은얼굴근막을 나타내며 신체의 다른 부위의 얕은근막과 유사하다. 이것은 목의 얕은목근막과 연속적이며 머리쪽 두피로 뻗어나가 머리와 목에서 연속적인 근막층을 형성한다.
- 얕은근막은 피부지지띠(retinacula cutis)로 알려진 유지인대의 원위부 가지형성을 통해 얼굴 피부밑지방 및 피부와 밀접하게 연관되어 있다. 얼굴널힘줄계통, 피부밑지방, 피부는 얼굴 연조직의 이동단위(mobile unit)를 나타낸다(얼굴의 깊은 고정 구조에 반하여).
- 얼굴 형상의 많은 형태적 변화는 얼굴 연조직의 이동 단위가 노화에 따른 얼굴지방 처짐(facial fat descent)과 방사상 팽창(radial expansion)을 설명하는 깊게 고정된 얼굴구조(deeply fixed facial structures)와의 관계를 변경하는 깊은유지인대(deep retaining ligaments)의 지지 소실에서 비롯된다.

모방근(Mimetic Muscles)

- 얼굴 피부의 움직임을 만들어내는 얼굴 표정의 근육은 얕은근막과 밀접하게 연관되어 있으며, 얕은 근막은 근육과 피부 사이의 섬유 연결 역할을 한다.
- 얼굴널힘줄계통과 모방근들 사이의 해부학적 관계는 감싸개(investiture)라 하며 모방근육의 얕은 면과 깊은 면 모두 감싸는 얕은근막(얼굴널힘줄계통)으로 정의된다. 얼굴널힘줄계통이 감싼 모방근들은 피부지지띠(retinacula cutis)의 미세섬유로 피부와 연결돼 근육수축을 통해 연조직과 피부 움직임을 만들어낸다.
- 외과적 관점에서, 대부분의 모방근들은 얼굴신경의 위치면보다 얕게 위치한다. 이 근육들이 얼굴신경의 위치면보다 얕게 위치함으로써, 그 근육들은 깊은 면을 따라 신경지배를 받는다.
- 단 3개의 모방 근육만이 얼굴 연조직의 3차원 구조 내에서 얼굴신경의 위치면보다 깊게 위치하고 있다. 이 깊숙이 위치한 근육은 입꼬리올림근(levator anguli oris), 턱끝근(mentalis), 볼근(buccinator)을 포함한다. 이 3개의 근육이 얼굴신경의 위치면보다 깊게 위치하기 때문에, 신경지배가 얕은 면을 따라 일어난다(그림 1.4).
- 모방근의 깊이와 신경 사이의 해부학적 관계의 수술적 중요성은 얼굴신경 손상의 예방과 관련이 있

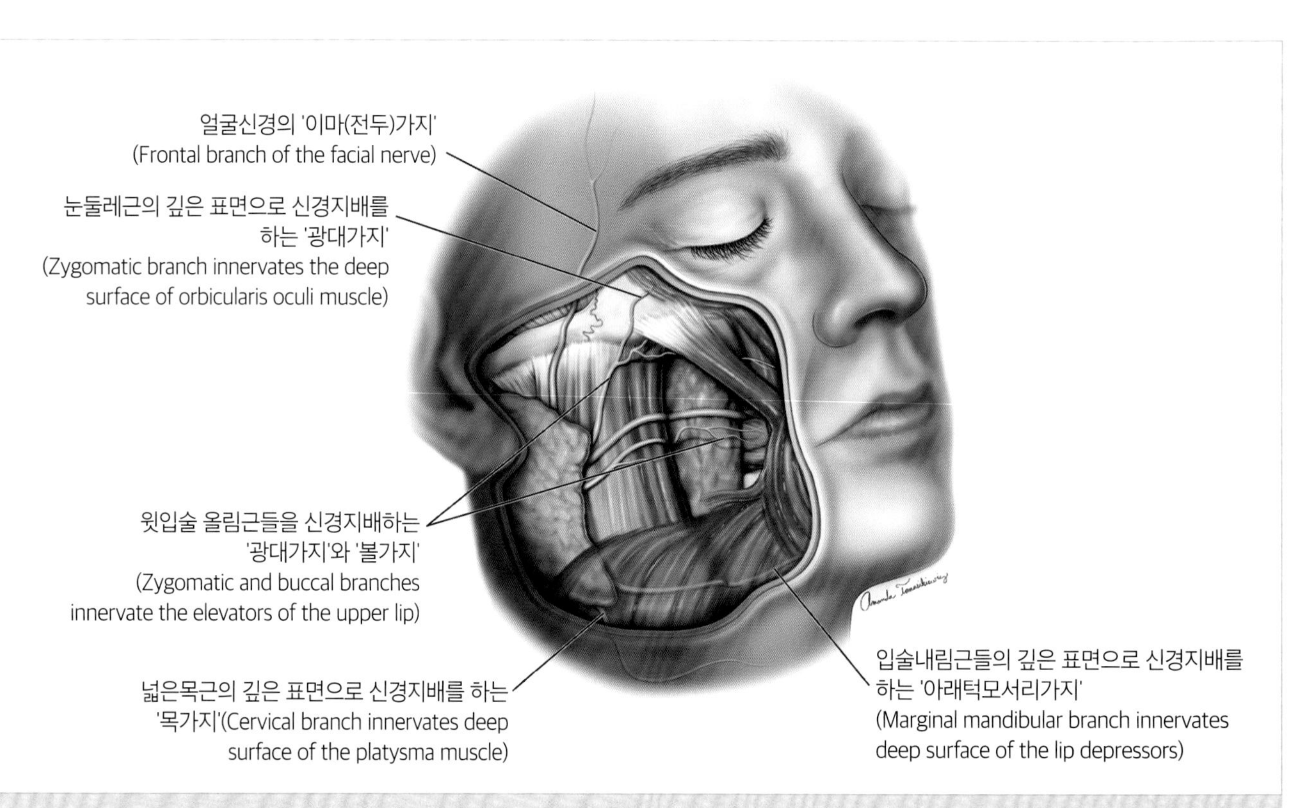

그림 1.4 모방근들은 얼굴 연조직 내에서 다양한 층에 위치하며, 눈둘레근(노화에 따라 까마귀 발을 생성)과 같은 근육들은 피부 바로 아래에 위치하며, 볼근과 같이 깊숙이 위치한 근육은 구강 점막 위에 위치한다. 대부분의 모방근들은 얼굴신경의 위치면보다 얕게 있기 때문에, 그 근육들은 깊은 면을 따라 신경지배를 받는다. 이러한 이유때문에 모방근의 얕은 면을 따라 박리를 한다면(즉, 볼과 목에서 넓은목근보다 얕게), 운동신경가지의 손상을 방지할 수 있다.
일반적으로 얼굴신경가지는 지배하는 근육에 도달할 때까지 깊은근막보다 깊게 위치한다. 그리고 나서 그 신경가지들은 깊은근막을 뚫고 근육의 깊은 면을 따라 신경지배를 한다. 이에 대한 예외는 이마가지(frontal branch)와 목가지(cervical branch)이다. 이 그림에서 깊은근막은 신경지배를 받는 근육과 관련된 신경가지들의 깊이를 보여주기 위해 제거되었다.
목가지는 전형적으로 깊은근막을 가쪽에서 관통하며, 안쪽에서 넓은목근을 지배하기 전에 얕은근막과 깊은근막 사이면에 위치한다. 이와 유사하게, 이마가지는 머리 쪽으로 광대활(zygomatic arch)까지 주행 후 얕은근막과 깊은근막 사이면에 위치한다.

다. 대부분의 모방근들은 깊은 면을 따라 신경지배를 받기 때문에 외과적 박리 과정에서 모방근과 마주칠 때 이 근육의 얕은 면을 따라 박리를 하면 운동신경가지의 손상을 방지할 수 있다.

- 예를 들어, 아래볼(lower cheek)과 목에서 넓은목근(platysma)과 마주쳤을 때 넓은목근보다 얕게 박리하면 이 근육보다 깊이 주행하는 목가지(cervical branch)와 아래턱모서리신경가지(marginal mandibular nerve branch) 모두에 손상을 방지할 수 있다.
- 마찬가지로, 광대부위를 박리할 때, 눈둘레근(orbicularis oculi), 큰광대근(zygomaticus major)과 작은광대근(zygomaticus minor)보다 얕게 박리하면 이들 근육들의 깊은 면을 따라 신경지배를 받기 때문에 근육의 신경지배를 보존할 수 있다(그림 1.5).

깊은얼굴근막(Deep Facial Fascia)

- 얼굴널힘줄계통과 유사하게, 깊은얼굴근막은 깊은목근막의 얼굴로 이어지는 연속을 나타내며, 해부학적으로 신체의 다른 부분의 깊은근막과 유사하다.
- 연속적인 층으로 존재함에도 불구하고, 깊은근막의 부위적 변형은 특정한 명명법이 주어졌다. 귀밑샘 위에 있는 깊은근막은 귀밑샘피막(parotid capsule), 깨물근(masseter) 위에 있는 깊은근막은 깨물근막(masseteric fascia), 그리고 관자부위에서는 일반적으로 깊은관자근막이라고 불린다.
- 기억해야 할 중요한 점은 볼의 모든 얼굴신경가지가 귀밑샘을 빠져나온 후 깊은얼굴근막보다 깊게 놓여 있다는 것이다(THE IMPORTANT POINT TO REMEMBER IS THAT ALL FACIAL NERVE

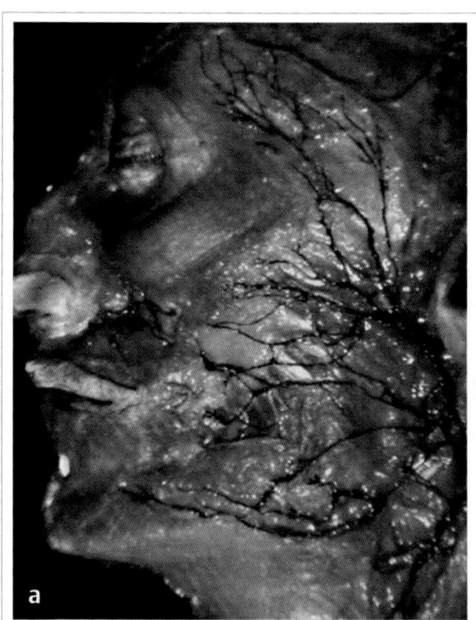

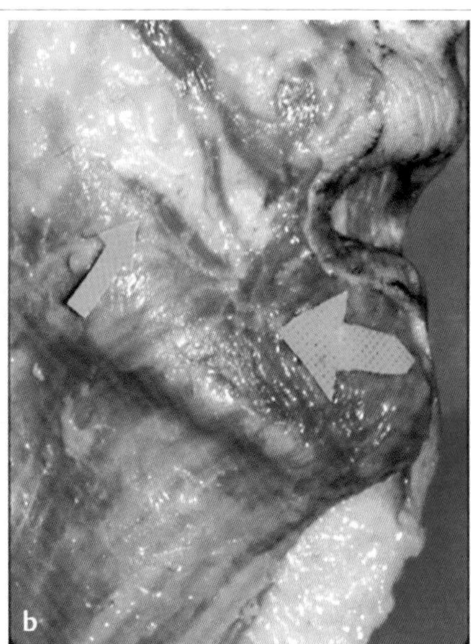

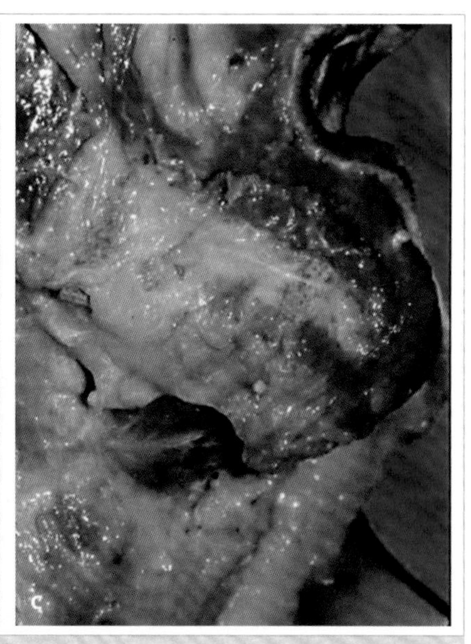

그림 1.5 **(a)** 얼굴신경의 사체 해부(Dr. Julia Terzis 수행). 광대융기(zygomatic eminence) 바로 위에 있는 광대부위는 위쪽으로 이마가지와 아래쪽으로 광대가지(zygomatic branch) 사이의 분수령이므로 광대융기(malar eminence) 바로 위에서 박리는 부주의한 신경손상의 관점에서 안전하다. 또한 윗입술을 올리는 근육들은 근육의 깊은 면을 따라 신경지배를 받으므로 이러한 근육의 얕은 면을 따라 박리하는 것은 마찬가지로 안전하다. (From Surgical Rejuvenation of the Face. Baker, Gordon and Stuzin in 1996 published by Mosby)
(b) 볼에서 박리할 때 만날 수 있는 모방근들이 이 사체 박리에 보여지고 있다. 여기에는 큰광대근(볼굴대(modiolus)에 연결), 입꼬리당김근(risorius)(작은 화살표), 넓은목근(platysma), 입꼬리내림근(depressor anguli oris)(큰 화살표) 및 아랫입술내림근(depressor inferioris)가 포함된다. 아랫입술을 내리는 다른 근육들과 비교하여 넓은목근의 상대적 크기를 확인해보라. 넓은목근은 입술에 직접 삽입되지 않지만 완전 틀니 미소(full denture smile) 및 근육 움직임(animation) 기능에 중요하다.
이 근육들은 목가지과 아래턱모서리신경가지 사이에 존재하는 연결에 의해 기능면에서 상호 연관되어 있다.
(From Lambros, V, Stuzin, JM, The Cross-Cheek Depression: Surgical Cause and Effect in the Development of the "Joker Line" and its Treatment. Plast Reconst Surg. 122:1543, 2008)
(c) 입꼬리내림근과 아랫입술내림근이 젖혀져 보이게되는 아래턱모서리신경은 이 근육들의 깊은 표면으로 신경지배를 한다.

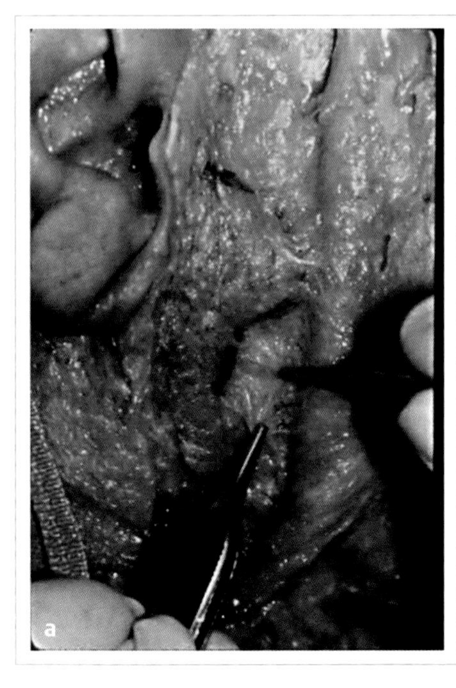

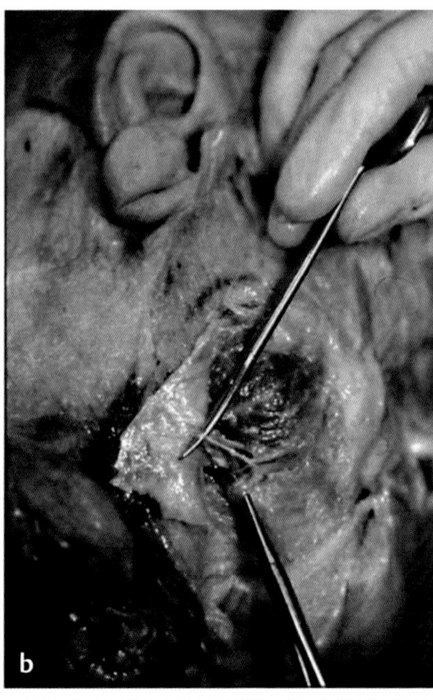

그림 1.6 **(a)** 얕은근막과 깊은근막을 수술적으로 분리하여 귀밑샘피막과 깨물근막의 노출을 보여주고 있다. **(b)** 볼의 얼굴신경가지가 깊은근막보다 깊이 위치하여, 볼의 얼굴널힘줄계밑박리가 깊은근막보다 얕게 진행하는 한 안전함을 보여준다. 박리면과 얼굴신경의 위치면과의 관계를 인지하는 것은 얼굴신경 손상을 방지하는 핵심 요소이다. *(From Stuzin, JM, Baker, TJ, Gordon, HL: The relationship of the superficial and deep facial fascias: relevance to rhytidectomy and aging. Plast Reconstr Surg, 89:441 1992)*

BRANCHES WITHIN THE CHEEK LIE DEEP TO THE DEEP FACIAL FASCIA AFTER THEY EXIT THE PAROTID).

- 따라서, 박리가 깊은근막보다 얕게 유지되는 한, 볼의 대부분의 부분에서 운동가지 손상이 예방될 것이다. 해부학적 관점에서, 깊은근막은 얼굴널힘줄계밑박리와 얼굴신경가지 사이의 개입층(interposition layer) 역할을 하기 때문에 깊은근막의 존재확인은 얼굴널힘줄계밑박리가 안전하게 진행되고 있다는 것을 의미한다(그림 1.6).

얼굴신경, 귀밑샘관, 볼지방덩이(Facial Nerve, Parotid Duct, and Buccal Fat Pad)

- 깊은근막보다 깊게 얼굴신경, 귀밑샘관 및 볼지방덩이가 위치해 있다.
- 분명히, 볼의 연조직 박리 중에 이 구조물들을 피해야 한다.
- 귀밑샘, 깨물근, 깊은지방구획 및 뼈막을 포함한 얼굴의 고정 구조들이 얼굴신경의 위치면보다 깊게 위치해 있다.

1.1.4 유지인대(Retaining Ligaments)

- 볼의 유지인대들은 중력의 변화에 대항하여 얼굴 연조직을 지지하고 특정 위치에 존재한다.
- 이 인대는 깊은근막보다 깊은 곳에서 발원하여 깊은 고정구조로부터 주행하며 얼굴널힘줄계통을 거치고 피부지지띠(retinacula cutis)를 통해 피부로 삽입된다.
- 각각의 일련의 인대는 섬유의 해부학적 위치에 따라 명명된다.
  - 귀밑샘(주엽 및 부엽 모두)에 부착된 인대를 귀밑샘피부인대(parotid cutaneous ligament)라고 하며 가쪽볼의 연조직을 지지한다.
  - 가쪽광대 뼈막에서 기시하는 인대는 광대인대(zygomatic ligament)라고 하며, 위쪽과 가쪽볼을 지지하며, 가쪽광대에 광대지방덩이(malar fat pad)를 고정한다.
  - 깨물근의 앞쪽 경계를 따라 시작되는 인대는 깨물근피부인대(masseteric cutaneous ligament)라

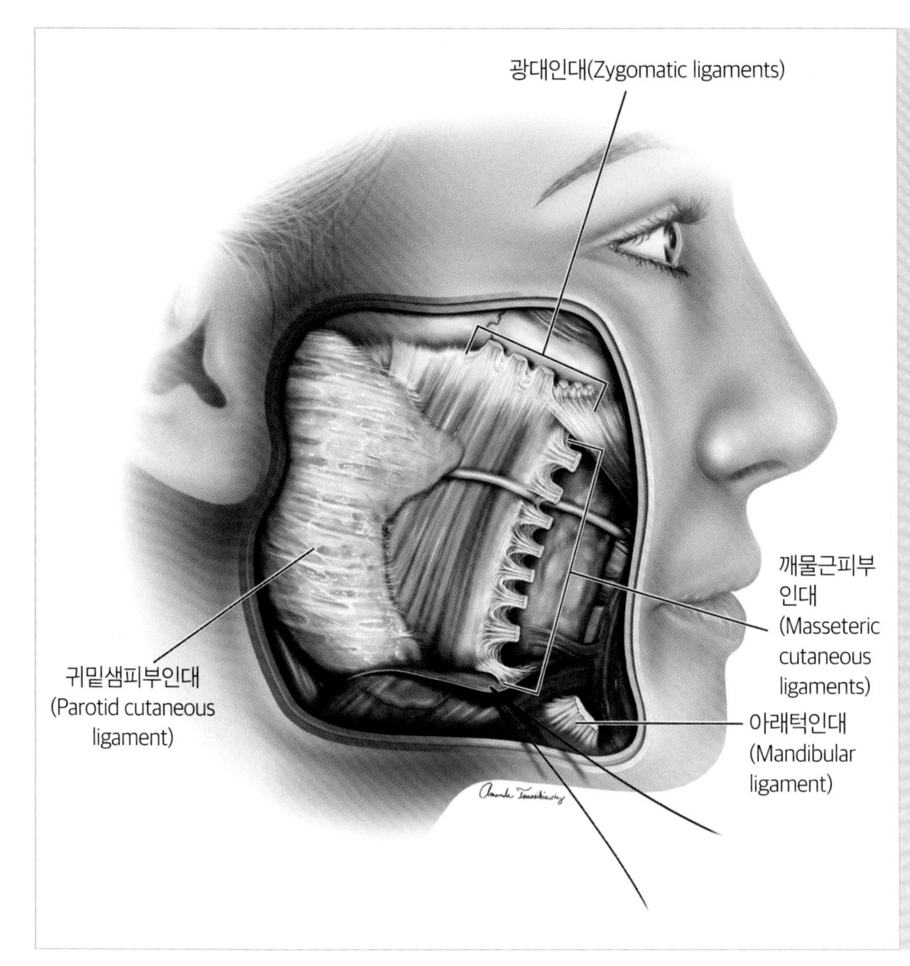

그림 1.7 볼의 유지인대는 깊이 고정된 구조에서 시작하여 얼굴널힘줄계통을 거쳐 피부지지띠(retinacula cutis)로서 피부에 삽입된다. 볼의 인대들은 1) 귀밑샘피부인대 2) 광대인대 3) 깨물근인대 4) 아래턱인대이다. 모든 인대가 같은 밀도를 가지는 것은 아니며, 귀밑샘피부인대(parotidocutaneous ligament), 가쪽광대인대(lateral zygomatic ligament), 위깨물근인대(upper masseteric ligament)들은 볼에서 가장 튼튼한 섬유성 경향을 가진다.

고 하며 중간볼지방과 아래볼지방, 그리고 군턱지방(jowl fat)을 지지한다.

- 아래턱의 결합주위부위(parasymphyseal region)와 결합부위(symphyseal region)의 뼈막에서 기시하는 인대는 아래턱인대(mandibular ligament)라고 하며, 아래턱 결합부위에 연조직 턱끝덩이(soft-tissue chin pad)를 지지한다.

- 수술적 중요성은 피부밑박리와 얼굴널힘줄계밑박리 시 모두 유지인대를 마주치게 된다는 것이다.
  - 일반적으로 이 유지인대의 얼굴널힘줄계밑 모양은 뚜렷한 두꺼운 섬유를 나타내는 경향이 있는 반면 얼굴널힘줄계통보다 얕게 위치한 유지인대는 피부지지띠(retinacula cutis)가 볼 피부에 삽입하기 위해 부채꼴로 펴지기 때문에 더 얇고 더 많다.
  - 피부밑 또는 얼굴널힘줄계 밑으로 박리할 때, 유지인대의 인식뿐만 아니라 그 박리가 유지인대의 통제범위(the restraint of the retaining ligaments)보다 원위부로(볼의 가동부위[mobile area]로)의 진행되었을 때의 확인은 외과 의사에게 피판 재위치(flap repositioning)에 필요한 외과적 박리 정도(the degree of surgical release)를 위한 환자별 특성에 따른 해부학적 목적지(patient-specific anatomic destination)를 제공한다(그림 1.7).

귀밑샘피부인대(Parotid Cutaneous Ligaments)

- 귀밑샘피부인대는 귀밑샘피막에 귓바퀴앞볼(preauricular cheek)과 가쪽볼의 얼굴 피부를 지지하는 조밀한 섬유질 구조이다.

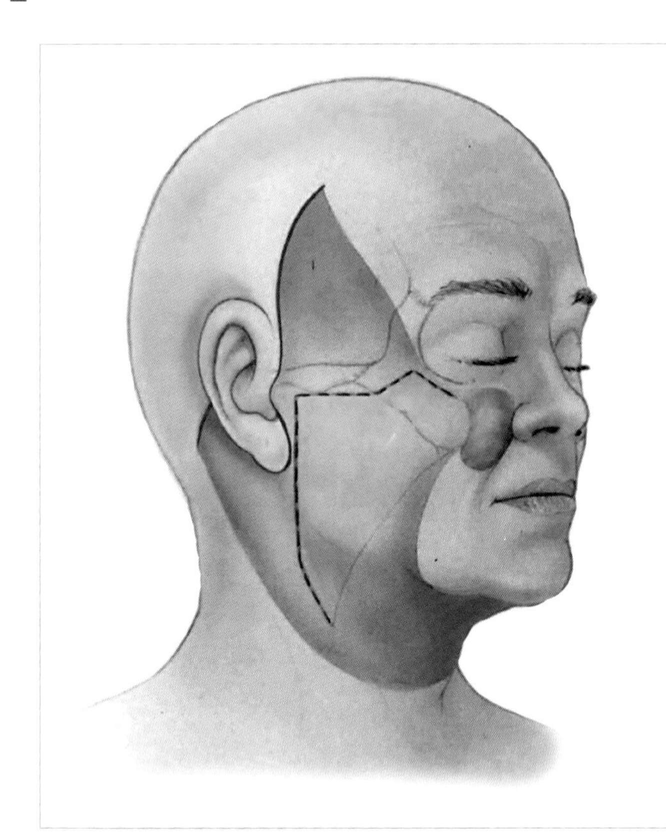

그림 1.8 확대얼굴널힘줄계박리술 또는 높은얼굴널힘줄계박리술은 귀밑샘피부인대, 가쪽광대인대 및 위깨물근인대의 통제범위에서 얼굴널힘줄계통을 해제하여 광대지방덩이(녹색으로 표시)와 볼지방을 위쪽으로 올려서 얼굴당김술 시 얼굴형을 향상시킨다. 모든 얼굴인대가 적절한 피판 이동성을 위해 외과적 박리를 필요로 하는 것은 아니지만, 귀밑샘피부인대, 가쪽광대인대 및 위깨물근인대를 따라 튼튼한 통제으로부터 얼굴널힘줄계통의 박리는 얼굴당김술에서 얼굴지방재배치를 위한 일관성 측면에서 핵심 요소로 남아있다.

- 이 인대는 볼의 귓바퀴앞부위에 있는 가쪽지방구획과 밀접하게 연관되어 있으며 귓바퀴앞부위 내 피부밑박리의 섬유질 및 근막질(the fibrous and fascial quality)을 보여준다.

광대인대(Zygomatic Ligaments)

- 광대인대는 가쪽광대의 뼈막에서 시작되며, 광대활과 가쪽광대융기(lateral malar eminence)가 합류하는 부위에서 조밀하고 잘 정의되며 가쪽광대부위로 확장된다.
- 광대인대는 두껍고 별개의 섬유(thick, discrete fibers)인 경향이 있으며 가쪽광대 위로 박리할 때 피부밑 및 얼굴널힘줄계밑 모두에서 마주친다.
- 외과적 관점에서, 피부밑에서 가쪽광대인대의 박리는 얼굴당김술에서 목·얼굴 피부피판(cervicofacial skin flap)을 움직일 때 피부피판을 당겨 덮는 것을 용이하게 해준다.
- 유사하게, 얼굴널힘줄계밑으로 광대인대의 박리는 가쪽광대 부피의 강조 부위를 복원하기 위한 광대지방덩이의 재배치를 허용하게 한다. 이것은 얼굴 회춘을 위한 확장된 얼굴널힘줄계통 및 높은 얼굴널힘줄계통 수술 술기(extended SMAS and high SMAS techniques)의 기초 역할을 하는 광대지방덩이의 해부학적 재배치이다(그림 1.8).

깨물근인대(Masseteric Ligaments)

- 깨물근인대는 깨물근의 앞쪽 경계 전체를 따라 뻗어 있다. 가장 구별되고 조밀한 섬유는 교근의 위쪽 경계를 따라 위쪽으로 보이며, 아래광대인대(inferior zygomatic ligament)와 섞여진다.
- 깨물근의 중간 경계를 따라 위치하는 인대는 약한 경향이 있는 반면, 꼬리깨물근인대(caudal masseteric ligaments)는 구별되는 섬유질 구조로 아래턱각부위의 꼬리깨물근인대를 넓은목근 및 군턱지방과 결합시킨다.

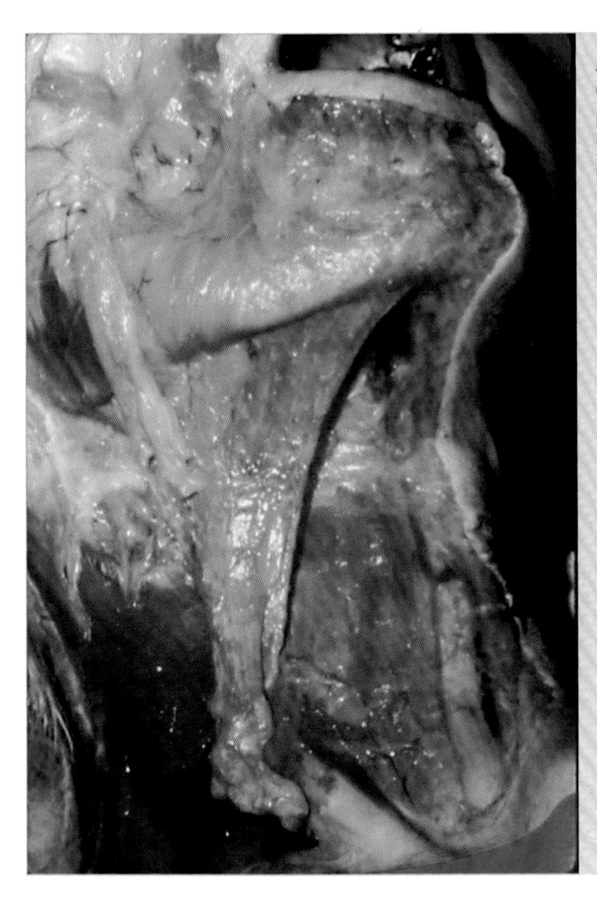

그림 1.9 아래턱의 부결합부위(parasymphaseal region of the mandible)와 아래턱결합(mandibular symphysis)부위 뼈막으로 넓은목근 삽입(platysma insertion)은 젊었을 때의 정상적인 해부학적 위치에서 연조직 턱끝덩이를 지지하는 아래턱인대의 형성에 기여한다. 나이가 듦에 따라 꼬리쪽 아래턱결합 따라 넓은목근의 삽입은 노화된 목에서 노화된 턱끝을 묘사하는 턱끝밑주름(submental crease)의 형성에 기여한다.

아래턱인대(Mandibular Ligmaments)

- 아래턱인대는 아래턱의 부결합부위를 따라 위치되고 연조직 턱끝덩이를 통해 더 안쪽으로 들어가고 턱끝(chin)을 아래턱결합(mandibular symphysis)에 고정한다.
- 아래턱인대는 턱끝덩이(chin pad)를 통해 연장되고 아래턱결합의 꼬리쪽 경계를 따라 삽입하기 위해 꼬리쪽으로 확장되는 조밀한 섬유이다.
- 아래턱인대의 꼬리쪽 삽입은 노화로 인한 턱끝밑주름(submental crease)의 형성에 역할을 한다. 고령 환자의 옆모습에서 턱끝밑주름은 노화된 턱과 노화된 목 사이의 경계를 표시하며 해부학적으로 아래턱인대의 꼬리쪽 삽입부와 나란히 배치된 안쪽 넓은목근(medial platysma)의 삽입부의 합류(merging)에 의해 형성된다(그림 1.9).

유지인대의 수술적 중요성(Surgical Significance of the Retaining Ligaments)

- 유지인대의 수술적 중요성은 노화된 얼굴의 외과적 회춘술에서 피부와 얼굴널힘줄계통을 모두 이동시키는 데 필요한 박리 정도를 나타내는 것이다.
- 피부피판 이동성 측면에서 볼 때, 고정된 가쪽볼에서 볼의 가동부위(the mobile region of the cheek)까지 진행하는 피부밑박리 시 깨물근과 인접한 깨물근인대의 앞쪽뿐만 아니라 광대인대의 통제범위를 넘은 앞쪽까지 피부피판 박리가 필요하다.
- 얼굴널힘줄계밑 가동성(sub-SMAS mobilization)과 관련하여, 볼 가쪽에 위치한 얼굴널힘줄계통은 귀밑샘, 귀밑샘의 보조엽(accessory lobe of the parotid), 가쪽광대 및 위깨물근인대에 단단히 부착되어 있으며 모두 인대 밀도가 높은 영역을 나타낸다.

- 이러한 이유로 얼굴널힘줄계통을 적절하게 박리하려면 귀밑샘, 귀밑샘의 보조엽, 가쪽광대 및 위깨물근인대에서 얼굴널힘줄계통을 박리해야 한다.
- 일단 얼굴널힘줄계통이 이러한 구조에서 박리되면, 앞볼 내 얼굴널힘줄계밑의 가동부위가 식별되고 박리 시 섬유성이 줄어든다(8장 참조).
- 피부 및 얼굴널힘줄계밑박리 모두에서, 일단 박리가 유지인대의 통제범위를 지나 진행되면, 더 이상의 앞쪽으로 박리는 연조직 움직임을 개선하지 않고 술기의 이환율(morbidity)을 높이는 역할만 한다. 유지인대를 통과할 때 필요한 박리의 범위를 인식하면 환자의 특성에 따른 피판 가동에 대한 개별 접근 방식을 제공하여 수술 후 회복 및 결과에 더 큰 정확성과 일관성을 얻게 된다.

1.2 요약(Summary)

신체의 다른 부분은 얼굴만큼 해부학적으로 복잡하지 않을 수 있으며, 외과적 관점에서 얼굴신경 손상의 위험은 연조직 해부학의 미묘한 차이를 인식해야만 개선될 수 있다. 얼굴신경 가지내기 양상이 다양하기 때문에 볼 내에서 수술할 때 안전의 핵심은 얼굴신경의 위치면을 인식하고 외과적 박리면(surgical plane of dissection)이 얼굴신경의 위치면보다 얕거나 또는 깊게 행하도록 한다.

3차원적으로 생각하고 볼 내에서 수술할 때 박리면을 정확하게 인식하라(THINK THREE-DIMENSIONALLY, and RECOGNIZE THE PLANE OF DISSECTION WHEN OPERATING WITHIN THE CHEEK).

Suggested Readings

Baker DC, Conley, J: Avoiding facial nerve injuries in rhytidectomy: anatomic variations and pit-falls; Plast Reconstr Surg; 64:781, 1979.

Freilinger, G, Grube H, Happak W Pechmann, U: Surgical anatomy of the mimic muscle system and the facial nerve: importance for reconstructive and aesthetic surgery. Plast Reconstr Surg; 80:686, 1987.

Bosse JP, Papilloon, J. Sirgoca; anatomy of the SMAS at the malar region. In Maneksha, RJ. Ed. Transactions of the IX International Congress of Plastic and Reconstructive Surgery, New York, McGraw Hill, 1987.

Furnas D: The retaining ligaments of the cheek. Plast Reconstr Surg, 83:11, 1989.

Mendelson, BC, Wong, CH, Surgical Anatomy of the Middle Premasseter Space and its Application in Sub-SMAS Face lift Surgery. Plast Reconst Surg. 132:57, 2013.

Mendelson, BC, Muzaffar, A, Adams, W. Surgical Anatomy of the Midceek and Malar Mounds. Plast Reconstr Surg. 110:885, 2002.

Mendelson, BC, Jacobson, SR. Surgical anatomy of the midcheek: Facial layers, spaces and the midcheek segments. Clin plast Surg 2008:395, 2008

Mitz V, Peyonie, M: The superficial musculoaponeurotic system (SMAS) in the parotid and cheek area. Plast Reconstr Surg, 58:80, 1976.

Roostaeian, J. Rohrich, R. Stuzin, J. Anatomical Considerations to Prevent Facial Nerve Injury. Plast Reconstr. Surg. 135: 1318, 2015.

Seckel, B. Facial Nerve Danger Zones, 2nd edition. CRC Press, Boca Raton, Fl., 2010

Skoog, T: Plastic Surgery- New Methods and Refinements. Philadelphia, WB Saunders, 1974. Stuzin, JM, Baker, TJ, Gordon, HL: The relationship of the superficial and deep facial fascias: rele-vance to rhytidectomy and aging. Plast Reconstr Surg, 89:441 1992..

Terzis, JK, Barmpitsioti, A. Essays on the Facial Nerve: Part I. Microanatomy. Plast Reconstr Surg. 125: 879, 2010.

2. 얼굴지방구획(Facial Fat Compartments)

- *James M. Stuzin* / 성낙관 역

초록

얼굴지방은 구획화되어 있기 때문에 신체의 다른 부위에 있는 지방과 다르다. 각각의 얼굴지방구획은 사이막경계(septal boundaries), 부위별 관통가지 혈액공급 및 노화에 따른 특정 수축 경향을 나타낸다.

얼굴신경가지가 종종 구획 사이의 전환 지점에 얕게 위치하기 때문에 구획 해부학의 인식은 볼의 안전한 피부밑박리를 위한 핵심요소 중 하나이다. 구획별 특성에 따른 수축(compartment-specific deflation)의 인식은 얼굴 회춘술의 부피 복원에 대한 지침을 제공한다.

키워드: 얼굴지방구획(facial fat compartments), **얼굴수축**(facial deflation)

요점

- 피부밑 얼굴지방은 균질하지 않고 특정 섬유질 사이막에 의해 분리된 일련의 구획으로 분할된다.
- 각 얼굴지방구획에는 고유의 혈관 혈액 공급, 두께 및 근막의 일관성이 있다.
- 일부 지방구획은 얇고 섬유질인 반면, 다른 지방구획은 일반적으로 쉽게 박리할 수 있는 많은 양의 지방을 포함하고 있다. 얼굴지방의 구획화는 귓바퀴앞부위에서 앞쪽으로 박리할 때 피부밑면에 나타나는 부위별 변화를 설명한다.
- 얼굴지방구획은 또한 수축의 모형 역할을 하며, 노화의 얼굴수축이 볼 전체에서 균일하게 발생하기 보다는 구획별에 따라 특성적이라는 관찰을 확인시켜준다.
- 얼굴지방구획은 얼굴널힘줄계통보다 얕게 깊게 모두에 존재한다(그림 2.1 a, b, 그림 2.2).
  - 피부밑면 내 얕은지방구획은 얼굴널힘줄계통보다 얕게 위치하며, 이 지방은 얼굴널힘줄계통 얼굴당김술에서 조작될 수 있다.
  - 눈확(orbit), 위턱(maxilla), 광대(zygoma), 조롱박구멍(pyriform aperture)을 따라 앞쪽에 위치한 깊은지방구획은 모방근들보다 깊게 위치하며, 눈확과 중간얼굴의 뼈막 위에 위치한다. 볼의 깊은지방은 아래 눈꺼풀의 지방과 인접해 있다. 앞중간얼굴을 따라 있는 깊은광대지방은 앞볼의 부피를 제공한다.
  - 주목할 만한 것은, 얕은지방구획과 깊은지방구획은 모두 시간이 지남에 따라 수축하고, 이 수축은 노화된 얼굴에서 보이는 많은 형태학적 변화를 야기한다.

2.1 얕은지방구획의 구획화(Compartmentalization of the Superficial Fat Compartments)

- 얕은지방구획은 깊은 유지인대의 말단 연장(terminal extension)에 의해 특정 구획으로 분리되며, 이 인대는 볼에서 깊은 곳으로부터 얕은 곳으로 퍼지면서 피부지지띠(retinacula cutis)로서 피부에 삽입된다.
- 유지인대는 얼굴널힘줄계통 통과 시 확산되지 않고 특정 위치에서 얕은근막을 관통하여 구획 사이에서 섬유 사이막(fibrous septum)을 형성한다.
- 이러한 접합부 경계는 또한 볼 피부에 대한 혈관 관통가지(vascular perforator)가 깊은 곳에서 얕은 곳으로 올라오는 위치이다.
- 이것의 수술적 중요성은 피부밑박리를 하는 동안 수많은 관통가지를 만날 때 해부학적으로 박리가 한쪽 얕은지방구획에서 다른쪽 얕은지방구획으로 이동한다는 것이다.

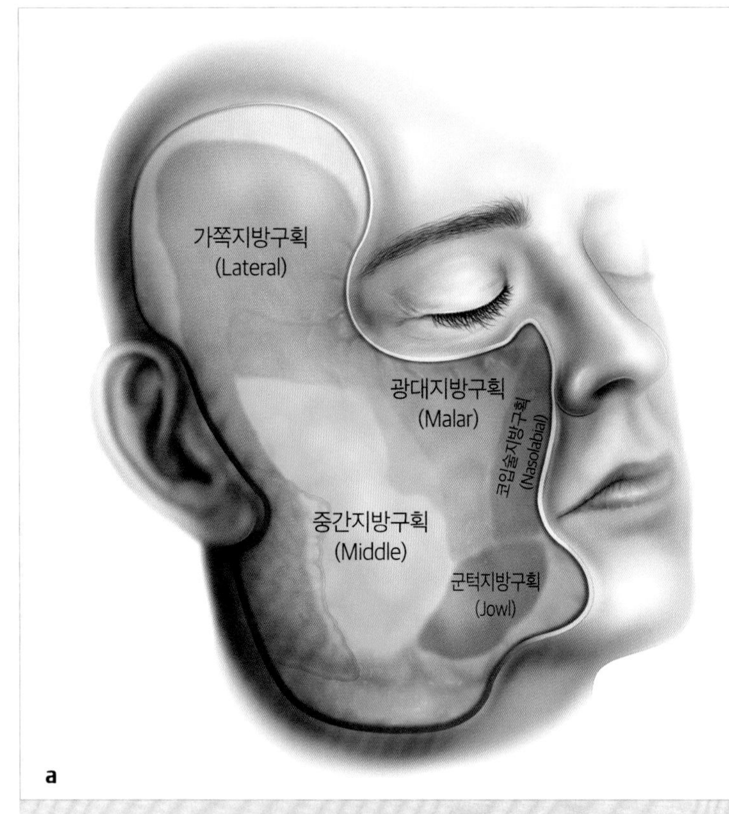

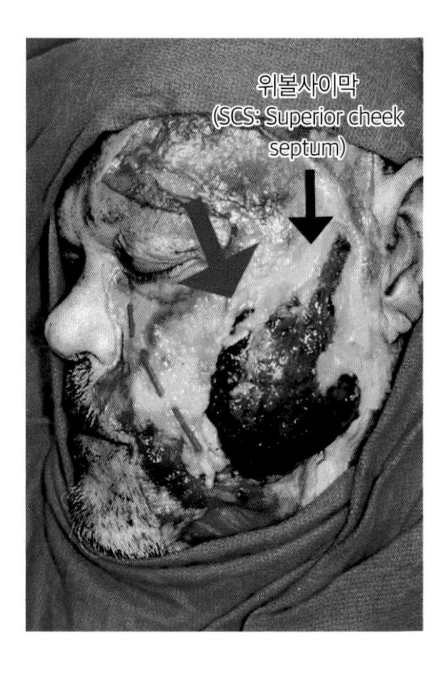

그림 2.1 **(a)** 얕은얼굴지방구획은 유지인대의 말단 연장에 의해 분할된 피부밑면에 위치한다. 가쪽에서 안쪽까지 볼의 5개의 얕은지방구획들은 1) 가쪽지방구획 2) 중간지방구획 3) 광대지방구획 4) 군턱지방구획 5)코입술지방구획이다. 각 구획에는 고유의 사이막 경계, 별도의 관통가지 혈액 공급 및 노화에 따른 자체 특유의 수축 경향이 있다.
(b) 볼의 얼굴지방구획의 시체 해부. 표시된 잉크 구획은 중간지방구획이다. 빨간색 화살표는 가쪽광대를 따라 고밀도의 광대인대에 의해 분리된 중간지방구획과 광대지방구획 사이의 전환부위를 나타낸다.*(Reproduced from Rohrich, R. Pessa, J. The Fat Compartments of the Face: Anatomy and Clinical Implications for Cosmetic Surgery. Plast. Reconstr. Surg. 119: 2219, 2007.)*

- 얕은지방구획이 많지만 얼굴당김술에서 외과 의사가 접하는 5개 지방구획은 가쪽지방구획(lateral compartment), 중간지방구획(middle compartment), 얕은광대지방구획(superficial malar compartment), 코입술지방구획(nasolabial fold compartment) 및 군턱지방구획(jowl compartment)을 포함한다.

동영상 2.1

- 피부밑박리는 귓바퀴앞부위의 가쪽에서 안쪽으로 진행되기 때문에 직접 보면서 박리하면 '어떤 구획이 박리되고 있는지'와 '구획 사이의 전환이 발생하는 시점'을 모두 인식할 수 있다(그림 2.3, 동영상 2.1).

2.1.1 가쪽구획(Lateral Compartment)

- 가쪽구획은 귓바퀴앞부위에 위치하며 관자부위 내에서 얕은관자동맥을 따라 좁고 얇아지는 경향이 있다.
- 전형적으로, 가쪽구획은 폭이 3~5 cm에 불과하며, 조밀하고, 혈관성, 섬유성 지방으로 구성되어 있다.
- 이 구획은 귀밑샘 바로 위에 위치하며, 박리가 귀밑샘의 앞쪽으로 진행됨에 따라 중간구획과 마주치게 되고, 박리 시 섬유성이 덜하게 느껴진다(그림 2.4).

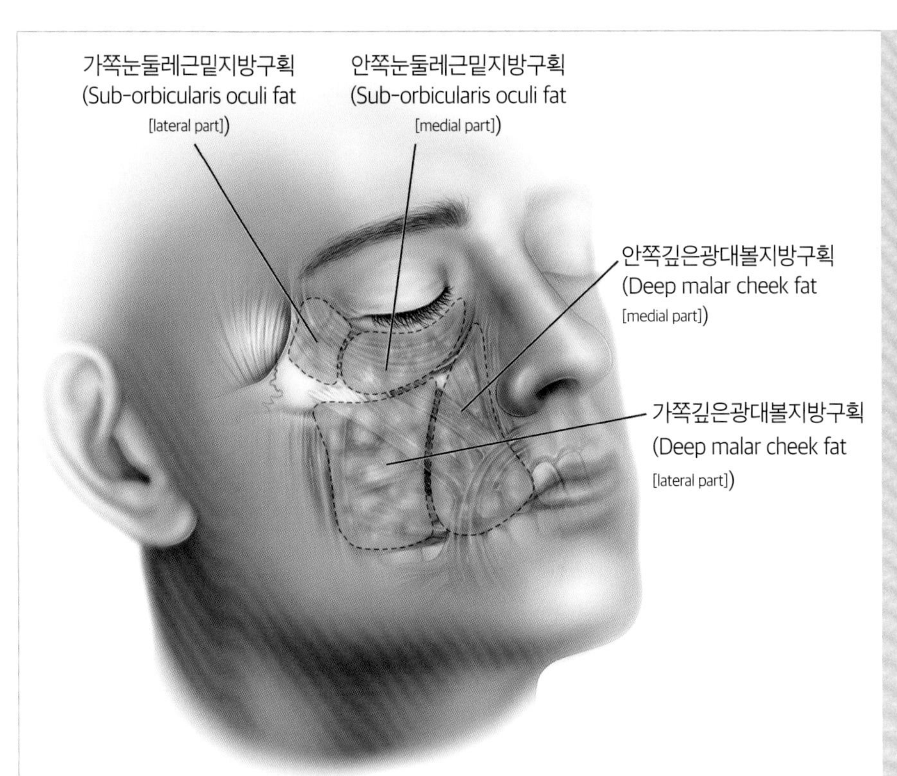

그림 2.2 얼굴의 깊은지방구획은 모방근의 깊숙한 곳에 위치하며 중간얼굴의 뼈막보다 얕게 위치한다. 아래눈꺼풀의 깊은지방은 눈둘레근의 바로 깊은 곳에 위치하며, 안쪽과 가쪽으로 나뉜다. 이와 유사하게, 깊은광대지방(deep malar fat)은 윗입술의 올림근(the elevators of the upper lip)보다 깊게 위치하며, 안쪽과 가쪽으로 분리된다. 젊었을 때, 깊은눈주위지방은 깊은광대지방과 섞여서 아래눈꺼풀과 볼의 부피를 지지한다. 노화 시, 깊은지방의 수축으로 앞볼 부피의 소실과 눈꺼풀-볼 접합부(lid-cheek junction)를 따라 급격한 경계가 나타나며, 이는 눈확아래 V-변형(infraorbital V-deformity)의 형성에 기여한다.

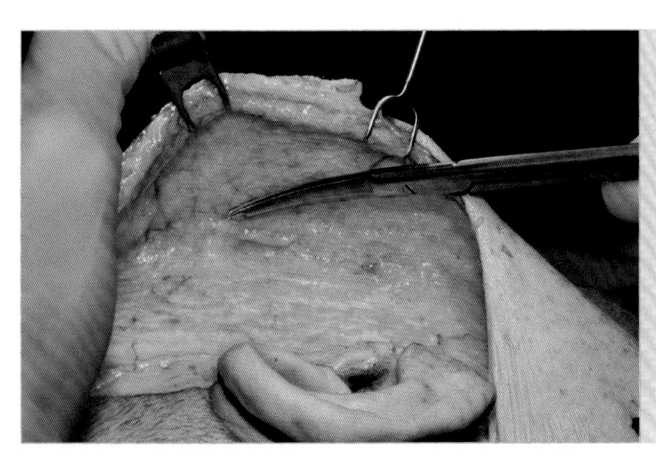

그림 2.3 가쪽광대를 따라 중간구획과 광대구획 사이의 접합부에서 사체 해부. 구획을 넘어갈 때 유지인대와 혈관 관통가지를 마주치게 된다. 이 사진의 가위는 광대인대가 피부에 삽입되는 위치에 있다(위중간구획[upper middle compartment]과 광대구획[malar compartment]을 분리). 이 부위의 인대의 밀도는 적절한 평면 식별을 모호하게 할 수 있으며, 광대운동가지가 이 위치에서 얼굴널힘줄계통 밑에 바로 있기 때문에 중간구획과 광대구획 사이의 전환점을 따라 얕게 박리하는 것이 더 안전하다. 구획 사이의 전환 지점을 따라 위치한 전형적인 혈관 관통가지가 이 위치에 수많이 존재하는 것에 주목하라. 일단 피부밑박리가 중간구획 앞쪽으로 진행되면 볼의 가동부위가 나타난다.

2.1.2 중간지방구획(Middle Fat Pad)

- 중간지방구획은 귀밑샘의 안쪽과 깨물근의 앞쪽 경계선의 가쪽에 있다.
- 이 구획은 일반적으로 가쪽지방구획보다 두껍고 섬유질과 혈관이 적으며, 얼굴당김술 시 피부밑박리의 대부분이 행해지는 구획이다.
- 이 큰 구획은 두껍고 혈관이 없기 때문에 박리하기 쉬운 경향이 있다.
- 중간지방구획의 앞쪽 경계선은 깨물근인대로 경계를 이루고 광대인대에 의해 위쪽 경계를 이루며, 따라서 앞쪽 경계는 가쪽광대구획과 군턱구획에 인접해 있다.
- 중간지방구획, 광대지방구획, 군턱지방구획들 사이로 박리할 때, 이 구획들을 분리하는 섬유형 말단 인대섬유(fibrous terminal ligamentous fibers)와 마주치게 되고, 외과 의사가 구획 사이에서 오

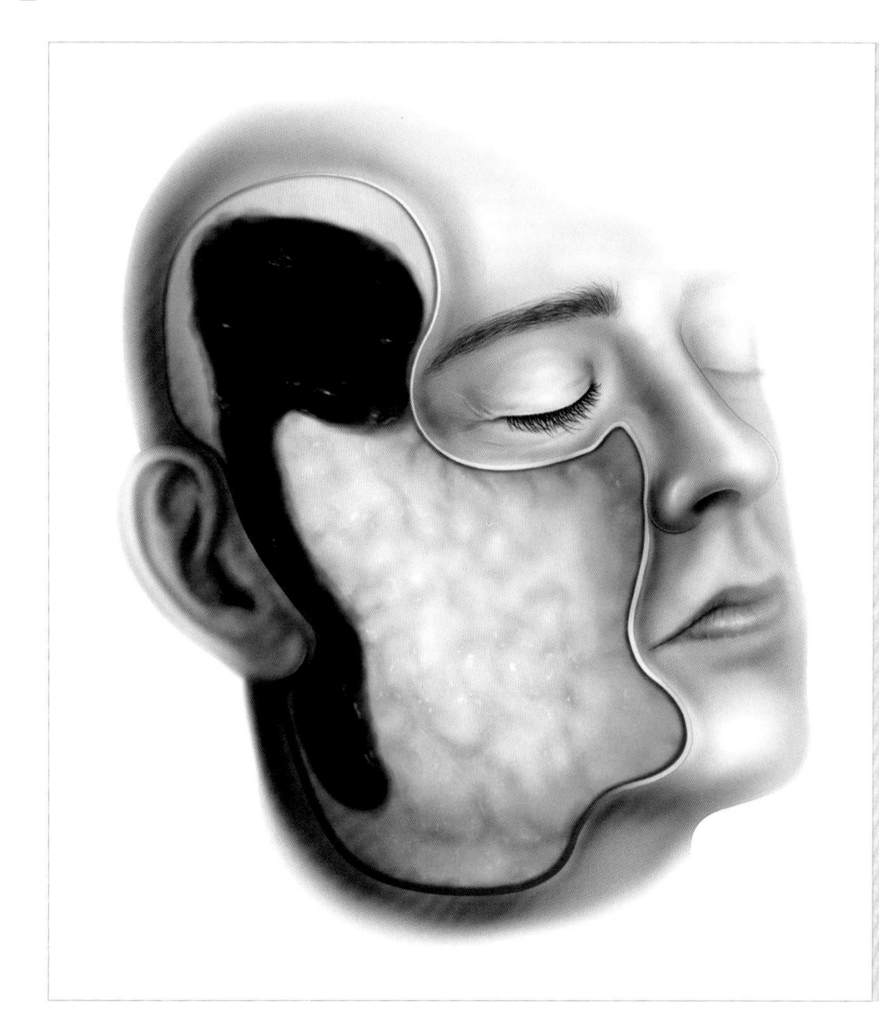

그림 2.4 가쪽구획은 귓바퀴앞부위에 위치한 좁은 구획이다. 그것은 귀밑샘을 덮고 얕은관자동맥의 주행경로를 따라 위쪽으로 관자로 뻗어 있다. 가쪽구획은 조밀하고 근막 및 섬유질인 경향이 있다.

름관통가지(ascending perforator)와 맞닥뜨리게 되어 박리가 혈관성인 경우가 많다.

- 일단 박리가 광대지방구획과 군턱지방구획을 향해 앞쪽으로 진행되면, 외과 의사는 두껍고 쉽게 분해되는 지방을 다시 만나게 된다.
- 중간지방구획, 광대지방구획, 군턱지방구획들 사이의 전환은 해부학적으로 볼의 고정부위와 가동부위 사이의 전환을 나타낸다(그림 2.5).

2.1.3 얕은광대지방구획(Superficial Malar Compartment)

- 얕은광대지방구획은 광대융기(zygomatic eminence)의 가쪽면을 따라 위치하며 앞볼(anterior cheek)에 부피를 제공하면서 코곁부위(paranasal region)를 향해 앞쪽으로 뻗어 있다.
- 가쪽볼(중간구획)에서 박리할 때, 외과 의사가 가로얼굴동맥(transverse facial artery)의 수많은 관통가지와 조밀한 섬유성 광대인대(맥그레거반[McGregor's patch])를 만나기 때문에 광대지방구획이 식별된다.
- 위깨물근인대는 광대의 아래면을 따라 마주치게 되며 조밀한 섬유성 지방과 혈관이 결합되어 이 부위의 피부밑면을 정확하게 식별하기 어려울 수 있다.
- 광대신경가지는 광대 가쪽으로 얕게 즉 얼굴널힘줄계통보다 바로 깊게 위치하므로 정확한 평면 식별이 중요한 안전 고려사항이다(그림 2.3, 그림 2.6).

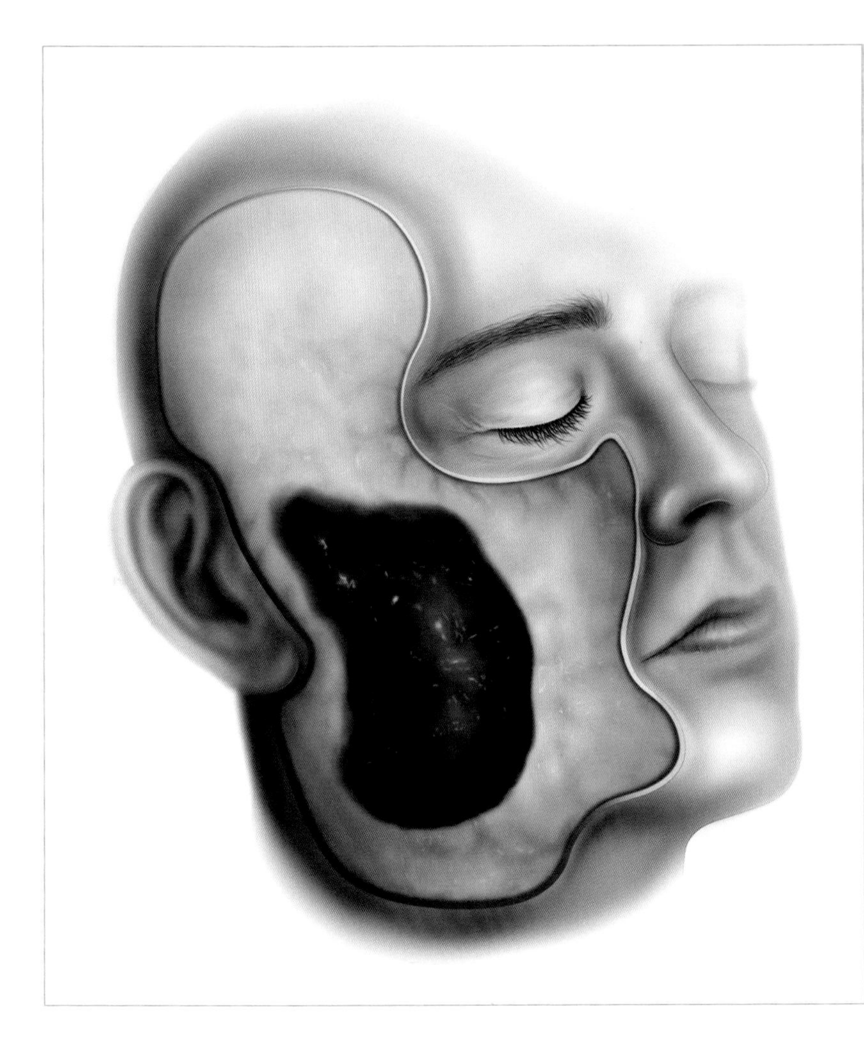

그림 2.5 중간지방구획은 가쪽지방구획, 광대지방구획, 군턱지방구획 사이에 위치한다. 이 구획은 두껍고 혈관이 적은 지방의 구획으로 구성되어 있으며, 얼굴당김술에서 대부분의 피부밑박리가 행해지는 구획이다. 앞쪽 경계는 광대인대와 깨물근인대에 의해 형성되며, 이는 고정된 가쪽볼과 이동 가능한 앞볼 사이의 경계로 구분한다.

2.1.4 군턱구획(Jowl Compartment)

- 군턱구획은 푹신하고(fluffy) 두꺼운 지방으로 구성되어 있으며, 아래턱인대와 넓은목근의 얼굴 부분을 덮고 있는 깨물근인대 사이에 위치한다.
- 군턱지방은 혈관이 없고 박리하기 쉬운 경향이 있다.
- 노화가 진행되면, 깨물근인대의 지지력이 약해져 넓은목근과 그 위에 있는 군턱지방이 목으로 내려가 아래턱 경계(mandibular border)의 정의가 모호해진다.
- 군턱구획은 나이가 들어도 수축하지 않는 경향이 있기 때문에 인접한 입주위수축을 동반하는 군턱처짐(jowl descent)은 중년 및 노인 환자에서 이 지방 구획이 더 뚜렷해지는 원인이 된다(그림 2.7 a, b).

2.1.5 코입술주름구획(Nasolabial Fold Compartment)

- 코입술주름구획은 코입술주름의 바로 가쪽과 광대구획의 앞쪽에 위치한다.
- 이 지방구획은 일반적으로 두껍고 조밀한 지방으로 구성되며 노화 시 거의 수축되지 않는다.
- 이러한 이유로 코입술구획은 일반적으로 인접한 광대구획과 입주위 부위가 수축함에 따라 노화 시 더 뚜렷해진다(그림 2.8).

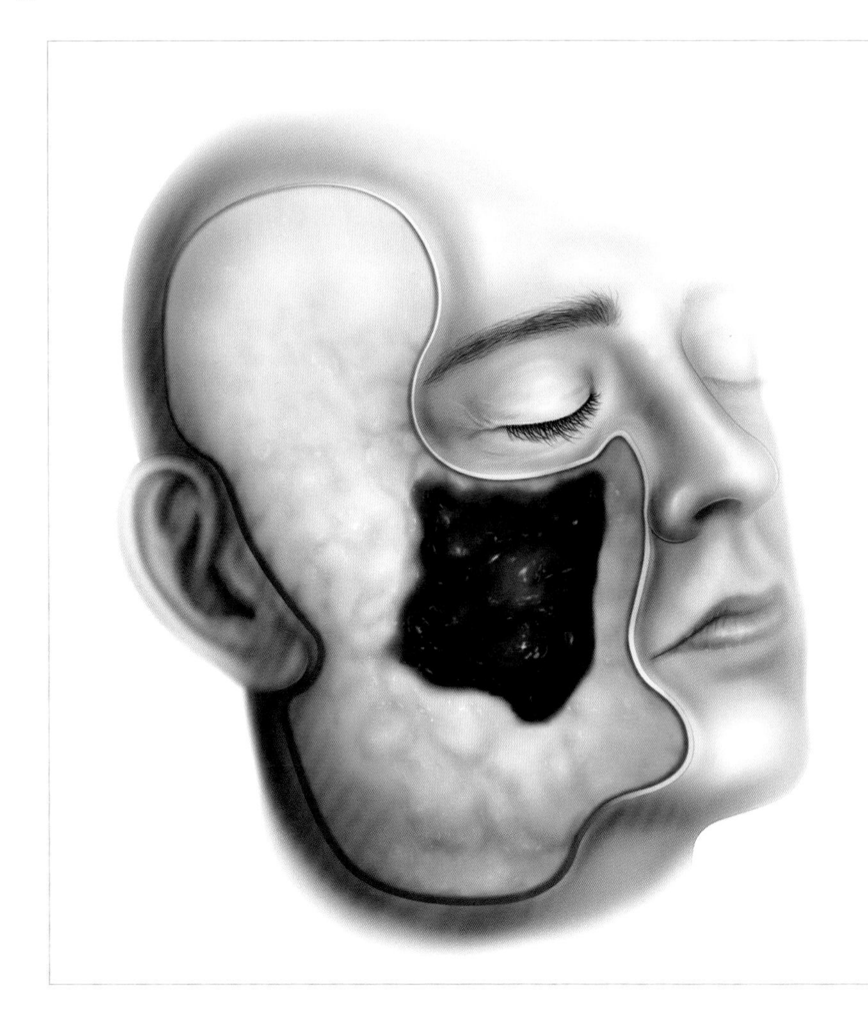

그림 2.6 얕은광대지방구획은 앞볼에 부피를 제공하며 광대뼈와 위턱뼈 위에 위치한다. 이 구획은 가쪽으로 광대인대에 의해 구분되며 위쪽으로는 눈확뼈막(periorbita)에 접해 있다. 이 지방구획은 "광대지방덩이(malar fat pad)" 또는 "중간얼굴(midface)"이라고도 하며 얼굴회춘술을 위한 많은 현대적인 재배치 수술기법의 초점이다.

2.1.6 깊은얼굴지방구획(Deep Facial Fat Compartments)

- 볼의 깊은구획은 모방근보다의 깊게 위치하며 눈확, 중간얼굴 및 조롱박구멍(pyriform aperture)의 뼈막 위에 있다.
- 아래눈꺼풀 형태에 영향을 미치는 깊은얼굴지방구획은 눈둘레근보다 깊게 위치하며 가쪽 및 안쪽 구성요소로 나뉜다.
- 앞볼도 유사하게 안쪽과 가쪽 구성요소가 있는 깊은광대지방덩이에 의해 지지된다.
  - 깊은광대지방의 안쪽 구성요소는 조롱박구멍을 따라 위치하며 젊었을 때는 입주위 부위와 볼이 잘 어우러져 있다.
  - 깊은광대지방의 가쪽 구성요소는 앞광대돌출(anterior malar projection)에 기여하고 볼지방덩이의 볼 연장부위(the buccal extension of the buccal fat pad)와 접하는 가쪽볼과 앞볼이 잘 어울리게 한다.
  - 이 가쪽 구성요소는 또한 눈확에 접하여 젊었을 때는 눈꺼풀과 볼이 잘 어우러져 있다(그림 2.8).

2.2 수축의 해부학(The Anatomy of Deflation)

- 얼굴수축은 나이가 들면서 발생하며 젊은 나이에서 중년 나이까지 보이는 많은 형태적 변화의 원인이 된다.

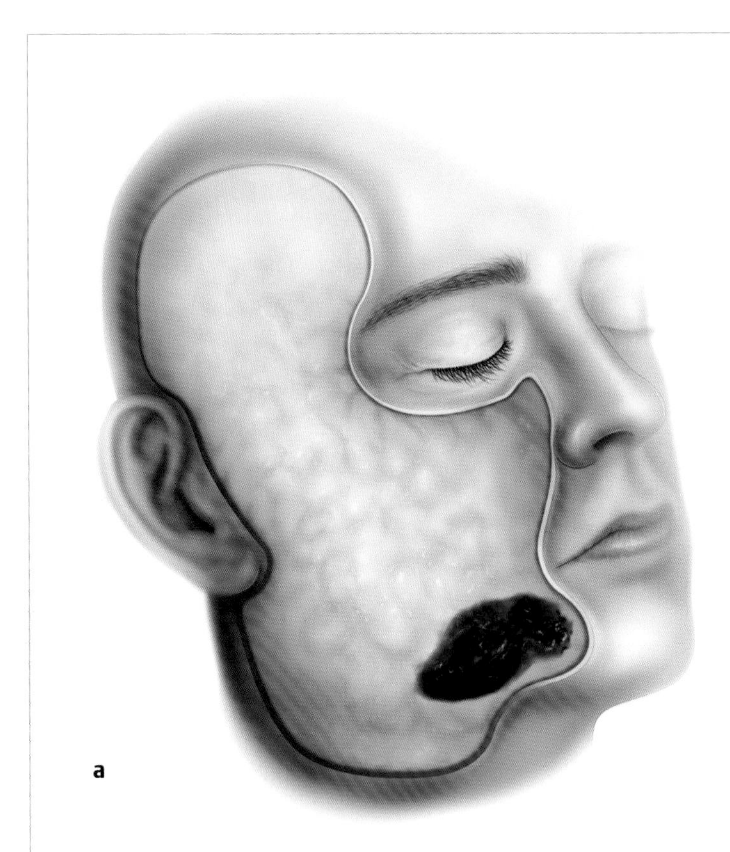

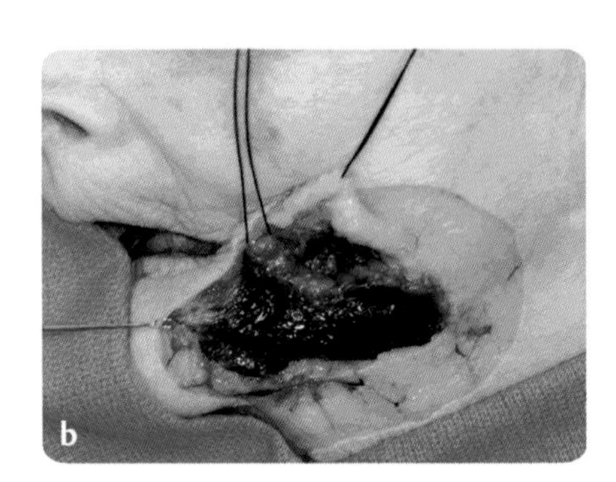

그림 2.7 **(a)** 군턱구획은 가쪽으로 깨물근인대와 안쪽으로 아래턱인대 사이에 위치하며 넓은목근의 얼굴부위의 위에 있다. 이 구획은 두껍고 푹신한 지방으로 구성되는 경향이 있으며 노화에 따라 거의 수축되지 않는다 **(b)** 군턱지방구획의 사체 박리. 군턱지방은 넓은목근 위에 위치하며, 이 위치에서 넓은목근은 깊은 부착이 없고 깨물근인대에 의해 해부학적 위치에 지지된다. 이 인대 지지대가 노화에 따라 약해지면 넓은목근과 군턱지방이 모두 목으로 처질 수 있을 뿐만 아니라 아래턱 경계(mandibular border)에서 방사상으로 바깥쪽으로 확장되어 아래턱 경계 정의가 흐리게 된다.

- 수축은 볼 내에서 균일하지 않고 구획에 따라 달라지는 경향이 있으며 연령에 따라 구획마다 수축이 다르다.
- 일반적으로 가쪽볼의 초기 수축은 40대 환자에서 뚜렷하게 나타나는 반면(수축은 가쪽구획 및 중간구획 내에서 발생), 광대수축은 50대부터 두드러진다.
- 광대수축은 얕은광대지방구획 및 깊은광대지방구획 모두에서 지방 손실로 인해 발생한다.
- 광대수축은 앞볼과 아래눈꺼풀에 영향을 미치므로, 광대수축과 관련된 모양 변화에는 앞볼 부피의 손실과 아래눈꺼풀의 수직 높이 증가(눈확아래 V-기형)가 포함된다.
- 얕은 수축(superficial deflation)과 깊은 수축(deep deflation)을 구별하는 수술적 중요성은 얼굴널힘줄계통을 통해 얕은 지방을 재배치하여 얕은 수축을 개선할 수 있는 반면, 깊은 수축의 교정을 위해서는 부피증가가 필요하다.
- 얼굴당김술과 함께 자가지방이식을 사용하여 깊은구획 수축의 모양을 교정하고 앞광대뼈와 조롱박구멍을 덮는 뼈막위면(supraperiosteal plane)에 부피를 추가하는 것이 우리가 선호하는 방법이다.
- 깊은구획에 부피를 늘리면 볼과 입주위의 부피도 개선되고 눈확아래 V-기형(infraorbital V-deformity)이 좋아지게되어 아래눈꺼풀의 수직 높이가 줄어든다(그림 2.9).

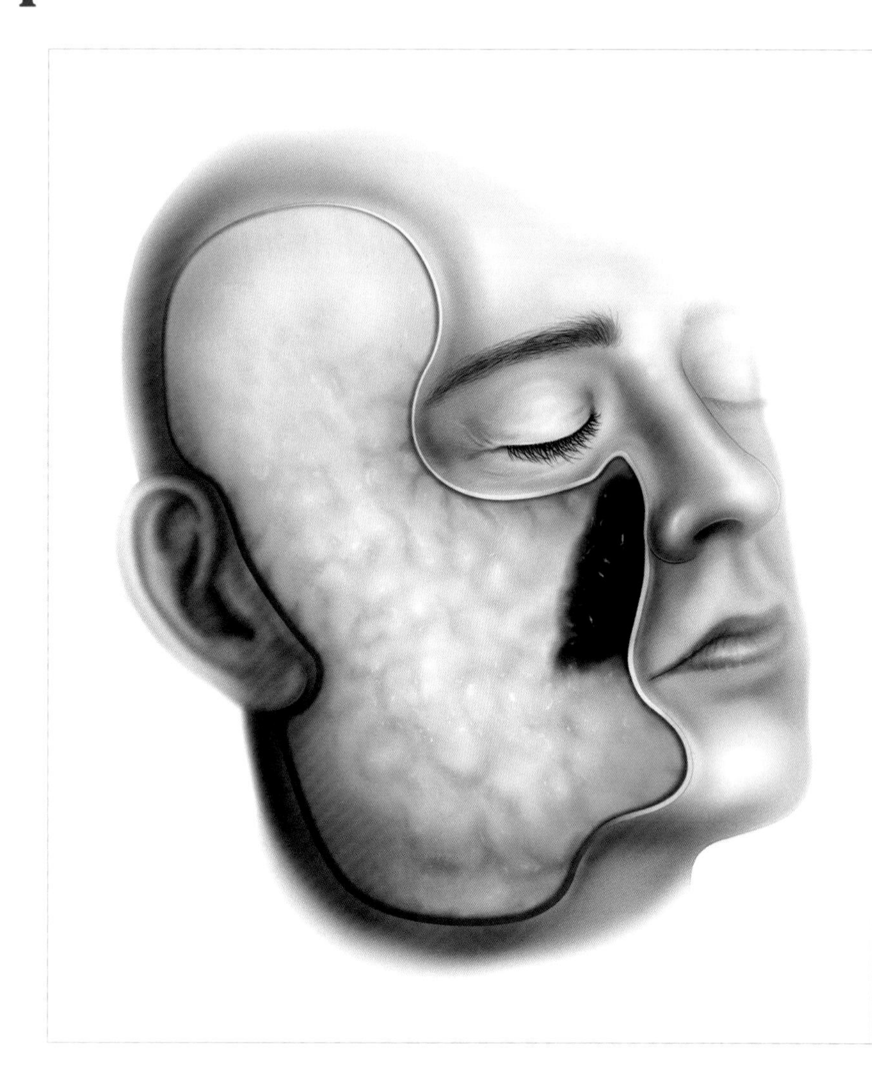

그림 2.8 코입술구획은 조롱박구멍(pyriform aperture)따라 위치하며 코입술주름 바로 가쪽에 있다. 이 구획은 두껍고 혈관이 많은 지방으로 구성되며 노화에 따른 수축은 거의 일어나지 않는다.

2.3 요약(Summary)

절개면과 절개되는 지방구획을 정확하게 식별하는 데 도움이 되도록 투과조명(transillumination)을 사용하여 직접 시각화 하에 피부밑 절개를 하면 수술의 정확도가 높아지고 수술 후 이환율(postoperative morbidity)이 감소한다. 안전의 관점에서 얼굴인대를 마주치게 되는 구획 사이의 전환 지점을 인식하고 이러한 전환 지점과 얼굴신경 위험구역의 관계를 이해하는 것이 얼굴신경 손상을 예방하는 핵심 요소이다(3장 참조).

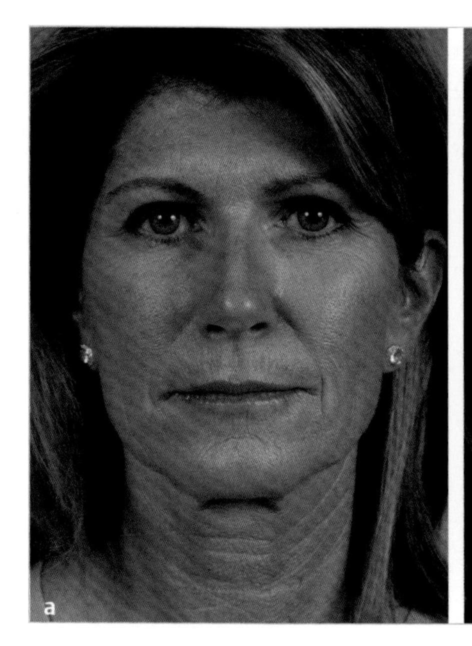
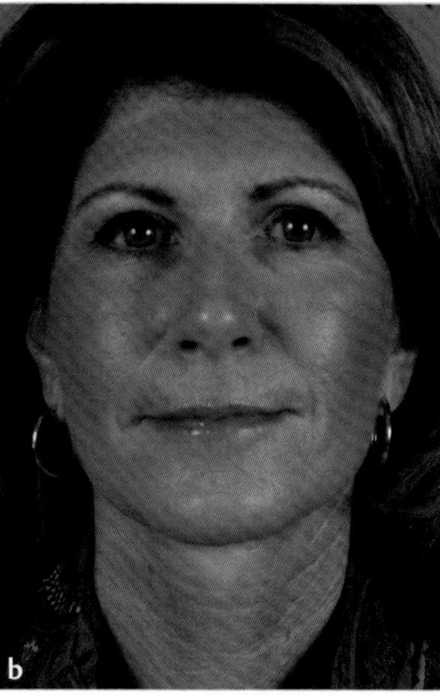

그림 2.9 얼굴 노화는 얕은광대지방구획 및 깊은광대지방구획 모두의 수축을 수반한다. 깊은광대구획이 수축함에 따라 아래눈꺼풀의 수직 높이가 증가하고 앞볼의 부피가 감소하며 깊은광대지방이 볼지방덩이(buccal fat pad)와 접하는 가쪽과 앞볼 사이에 날카로운 경계가 발생한다. 이 환자는 **(a)** 확대얼굴널힘줄계통 얼굴당김술 전과 **(b)** 후로 깊은 광대 부피를 회복하기 위해 깊은구획에 자가 지방이식술을 같이한 모습이다. *(Reproduced from Sinno, S. Mehta, K. Reavey, P. Simmons, C. Stuzin, J. Current Trends in Facial Rejuvenation: An Assessment of ASPS Members Use of Fat Grafting during Face Lifting. Plast. Recontr. Surg. 136: 20e, 2015.)*

Suggested Readings

Gierloff M. Stohring, C. Buder, T. Gassling, V. Acil, Y. Wiltfang, J. Aging Changes of the Midface Fat Compartments: A Computed Tomographic Study. Plast Reconstr Surg. 2012; 129:263 Lambros V. Observations on periorbital and mid-face aging. Plast Reconstr Surg. 2007; 120(5):1367–1376, discussion 1377

Lambros V, Stuzin JM. The cross-cheek depression: surgical cause and effect in the development of the "joker line" and its treatment. Plast Reconstr Surg. 2008; 122(5):1543–1552

Rohrich RJ, Pessa JE. The fat compartments of the face: anatomy and clinical implications for cosmetic surgery. Plast Reconstr Surg. 2007; 119(7):2219–2227, discussion 2228–2231

Rohrich RJ, Pessa JE. The retaining system of the face: histologic evaluation of the septal bound- aries of the subcutaneous fat compartments. Plast Reconstr Surg. 2008; 121(5):1804–1809

Schenck T. Koban, K. Schlattau, A. Frank. K, Sykes, J. Targosinski, S. Eribacher, K/ Cptpfama, S. The Functional Anatomy of the Superfical Fat Compartments of the Face: A Detailed Imaging Study. Plast Reconstr Surg. 2018; 141:1351

Sinno S. Mehta, K, Reavey, P. Simmons, C. Stuzin, J. Current Trends in Facial Rejuvenation: An Assessment of ASPS Members Use of Fat Grafting furing Face Lifting. Plast Reconstr Surg. 2015; 136:20e

3. 개요 : 얼굴신경 위험구역(Overview: Facial Nerve Danger Zone)

- *James M. Stuzin* / 성낙관 역

초록

얼굴신경 손상은 얼굴 미용성형수술과 재건수술을 할 때 우려되는 합병증이다. 대부분의 얼굴신경가지는 볼을 가로지르는 깊은근막보다 깊게 위치하기 때문에 보호되지만, 얼굴신경가지가 얕게 위치하여 손상을 입기 쉬운 특정부위가 있다. 이러한 위험구역은 얼굴지방구획 사이의 전환부위에 위치하며 얕은근막과 깊은근막 사이의 얼굴널힘줄계밑면에 위치한 신경가지에 의해 특징지어진다. 위험구역 내에서 박리할 때 박리면을 인식하는 것은 부주의로 인한 운동신경가지 손상을 방지하는 중요한 요소이다.

키워드 : 얼굴신경 위험구역(facial nerve danger zones), **얼굴신경 손상**(facial nerve injury)

요점

- 얼굴의 연조직은 일련의 동심층(concentric layers)으로 배열된다.
- 얼굴신경의 손상을 방지하는 핵심은 박리면과 얼굴신경의 위치면과의 관계를 시각적으로 인식하는 것이다. 박리면이 얼굴신경의 위치면보다 얕거나 깊으면, 운동신경가지 손상을 방지할 수 있다.
- 다양한 얼굴층(facial layers)의 두께와 시각적 모양은 환자마다 다르지만, 이러한 층의 동심 구조는 해부학적으로 일정하다(비록 재수술 환자의 경우 정확한 평면 식별은 흉터로 인해 어려울 수 있지만).
- 이러한 해부학적 층과 관련된 얼굴신경의 위치는 유사하게 일정하다. 박리면을 정확하게 식별하는 것(그 층이 얇고, 모호하거나, 박리하기 어려운 경우에도)이 얼굴신경 손상을 방지하는 핵심이다.
- 얼굴의 특정부위에서는 얼굴신경가지가 깊은근막을 뚫고 나오며, 모방근을 신경지배하기 전에 얕은근막과 깊은근막 사이면에 위치한다. 이러한 얼굴신경가지가 얕게 위치하는 부위, 즉 얕은근막과 깊은근막 사이면에 위치하는 영역은 위험구역(danger zones)이며, 이러한 영역(피부밑 박리 중)에서 얼굴널힘줄계통(SMAS)보다 깊이 박리하면 운동가지 손상을 초래할 수 있다(그림 3.1).
- 얼굴신경은 피부밑 절개 또는 얼굴널힘줄계밑 절개 모두에서 손상될 수 있다. 얼굴신경의 위치면이 식별되고 훼손되지 않는다면 두 가지 형태의 박리 모두 안전하게 행할 수 있다.

3.1 안전 고려사항(Safety Considerations)

- 피부밑피판(subcutaneous flap)을 박리할 때 투과조명(transillumination)을 사용하면 박리면을 정확하게 식별할 수 있다(그림 3.2).
- 피부밑박리는 얼굴널힘줄계통보다 얕게 행한다. 피부밑 해부 구조가 불명확하고 육안으로 식별하기 어려운 경우 박리하기 어려운 부위로 진행하기 전에 해부학적으로 쉽게 식별할 수 있는 영역을 먼저 박리한다.
- 얼굴널힘줄계통보다 깊이 박리할 때 얼굴널힘줄계밑지방과 깊은얼굴근막을 인식해야 하며 얼굴널힘줄계박리는 깊은근막보다 얕게 유지해야 한다. 볼 내의 얼굴신경의 위치면은 깊은근막보다 깊게 위치한다(그림 3.3).

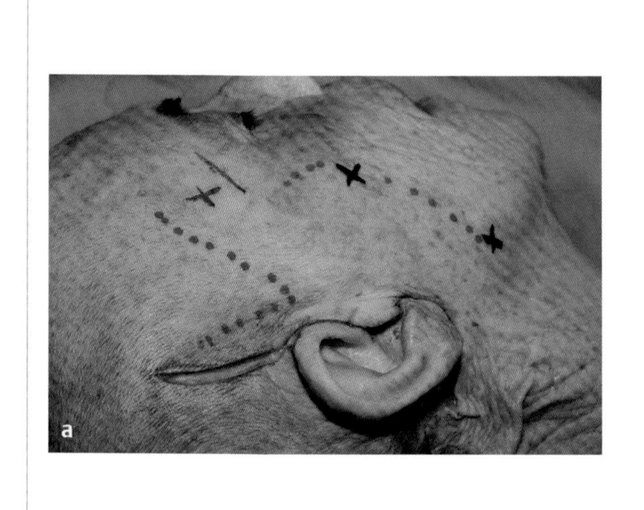

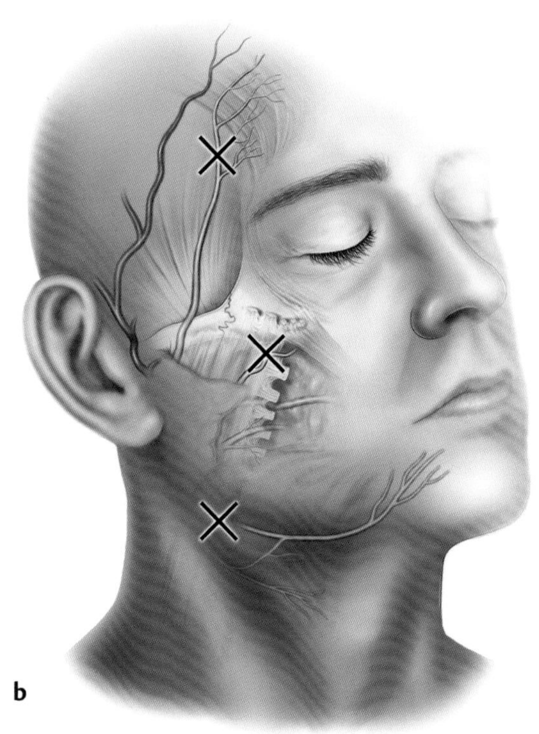

그림 3.1 **(a)** 사체 해부에서 얕게 위치한 이마가지, 광대가지 및 목가지를 나타내는 얼굴신경 위험구역의 부위 표시이다(검은색 X). 머리 쪽으로, 빨간색 점은 얕은관자동맥(superficial temporal artery)의 마루가지(parietal branch)와 이마가지(frontal branch)의 경로를 나타낸다. 볼의 앞쪽 빨간색 점은 가쪽광대인대(lateral zygomatic ligament)와 깨물근인대(masseteric ligaments)의 위치에 의해 구분되는 볼의 고정부위와 가동부위 사이의 경계를 나타낸다. 위험구역의 관점에서, 이마가지는 이마근(frontalis)에 접근할 때 관자부위 내에서 얕게 위치한다. 광대가지는 광대융기(zygomatic eminence)의 바로 옆쪽에 위치하며, 광대인대(zygomatic ligament)와 위깨물근인대(upper masseteric ligament)의 합류와 나란히 위치한다. 목가지는 아래턱각(mandibular angle)를 따라 가장 위험한 부위로 꼬리깨물근인대(caudal masseteric ligament)와 나란히 위치한다. 이러한 부위에서는 적절한 평면 식별을 하고 얼굴널힘줄계통 밑의 부주의한 박리는 피해야 한다. **(b)** 가쪽볼의 얼굴신경 위험구역에 대한 화가의 삽화. 위험구역은 얼굴신경가지가 얕게 위치하여 얼굴널힘줄계통과 깊은근막 사이의 평면에 있을 때를 나타낸다. 이러한 부위에서 얼굴널힘줄계통보다 깊은 부주의한 박리를 할 경우 운동가지가 손상을 입을 수 있다.

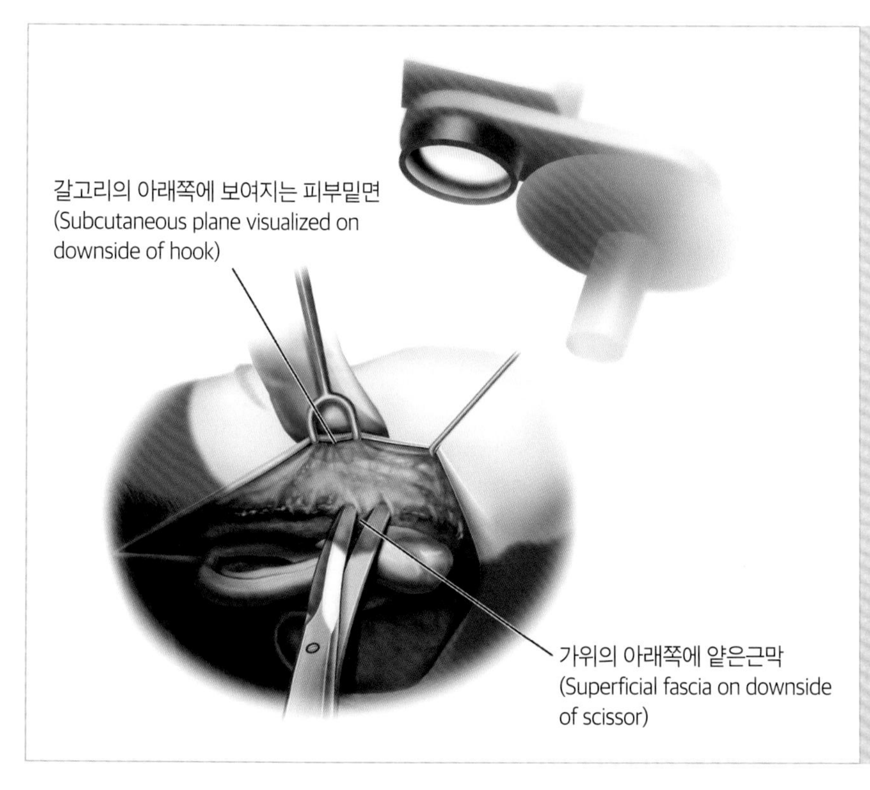

그림 3.2 정확한 평면 식별은 얼굴 연조직 수술에서 안전성과 일관성의 핵심이다. 투과조명(transillumination)의 사용은 피부밑평면과 얼굴널힘줄계통 사이의 경계면을 정의하는 데 크게 도움이 된다. 투과조명으로 직접 보면서 피부밑 절개를 하면 피판 두께를 더 잘 조절할 수 있고 외과 의사가 인대와 만나는 얼굴지방구획 사이의 전환 지점을 인식할 수 있다. 운동가지가 얕게 위치하는 경향이 있는 이러한 전환 지점의 인식은 얼굴널힘줄계통보다 깊은 의도하지 않은 박리를 피하는 데 필수적이다.

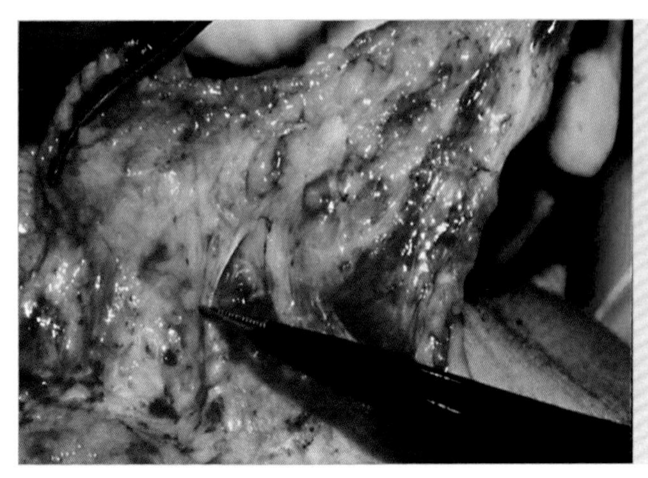

그림 3.3 확대얼굴널힘줄계박리술의 수술 중 사진은 깊은근막보다 얕게 올바른 평면에서 얼굴널힘줄계통을 일으킨 것을 보여준다. 사진의 지혈기(hemostat)는 광대부위에 있고, 집게(forceps)는 박리 전 위깨물근인대(upper massetertic ligaments)를 가리킨다. 큰광대근(zygomaticus major)의 빨간색 섬유는 안쪽으로 보여지고, 가쪽으로 얼굴널힘줄계밑지방은 깊은근막 위에 놓여 있는 것으로 표시된다. 일반적으로 얼굴널힘줄계통과 얼굴널힘줄계밑지방 사이의 평면에서 절개하고 깊은근막의 표면을 따라 얼굴널힘줄계밑지방을 그대로 두는 것이 가장 안전하다. 그럼에도 불구하고 일부 환자의 경우 얼굴널힘줄계밑지방이 희박하고 박리가 귀밑샘피막과 깨물근막(깊은근막)에 인접하게 된다.

동영상 3.1

3.2 관련해부학(Pertinent Anatomy) (동영상 3.1)

3.2.1 이마(전두)가지(Frontal Branch)

- 귀밑샘에서 나온 후, 이마가지는 광대활의 뼈막 위에 있다.
- 광대활의 머리쪽에서, 이마가지는 얼굴널힘줄계통(관자마루근막)과 깊은관자근막(deep temporal fascia)사이의 평면을 따라 이동하며, 얼굴널힘줄계밑지방(sub-SMAS fat)에 싸여 있다.
- 이마가지는 관자를 가로질러 이마근(frontalis)에 신경지배하기 위해 가까워질수록 더 얕게 주행한다.
- 이마가지는 이마근에 접근할 때 얼굴널힘줄계통 바로 깊이 위치하므로 이 부위의 얼굴널힘줄계통보다 깊은 박리는 운동가지 손상을 일으킬 수 있다(그림 3.4)(4장 참조).

3.2.2 광대가지(Zygomatic Banch)

- 귀밑샘에서 나온 후, 광대가지는 깊은근막보다 깊게 깨물근 위에 위치한다.
- 큰광대근(zygomaticus major)에 접근함에 따라 광대가지는 일반적으로 깊은근막을 관통하여 광대융기(zygomatic eminence) 바로 아래가쪽(nferiorlateral)에 있는 얕은근막과 깊은근막 사이의 평면에 위치하게 된다.
- 볼의 피부밑박리에서 광대융기의 가쪽부위는 섬유질과 혈관이 섞여 있다. 광대인대, 위깨물근인대

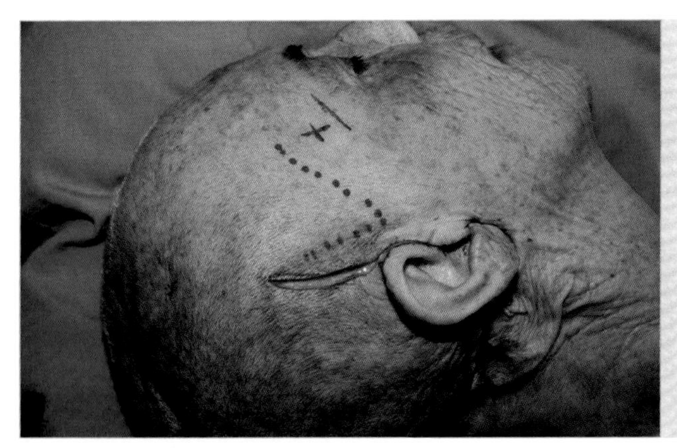

그림 3.4 이마가지는 관자에서 가쪽전두근(lateral frontalis)에 접근하면서 얕게 위치한다. X 부위는 피부밑박리가 얕게 이루어져야 하고 부주의한 운동가지 손상을 방지하기 위해 제한되어야 하는 위험구역을 표시한다.

및 가로얼굴동맥의 관통가지가 이 부위를 가로지르기 때문이다.

- 이러한 이유로 적절한 박리면을 식별하기 어려울 수 있다.
- 광대가지가 이 위치에 얕게 있기 때문에 얼굴널힘줄계통보다 깊은 부주의한 박리가 윗입술 약화를 초래하는 운동가지 손상을 일으킬 수 있다.
- 볼의 이 부위에서는 적절한 평면 식별이 필수적이며 이 위험구역에서 박리하기 전에 정확한 평면 식별을 보장하기 위해 광대융기에서 위쪽 및 아래쪽으로 섬유질이 덜한 부위를 먼저 박리하는 것이 종종 도움이 된다(그림 3.5)(5장 참조).

3.2.3 모서리가지와 목가지(Marginal and Cervical Branch)

- 목가지는 귀밑샘의 꼬리(the tail of the parotid)에서 나와 거의 바로 얕은근막과 깊은근막 사이면에 위치한다.
- 일반적으로 깊은 표면을 따라 넓은목근에 신경지배를 하기 전에 얼굴널힘줄계통과 넓은목근보다 깊게 아래볼(lower cheek)을 가로지른다.
- 목가지는 아래턱각(mandibular angle)과 꼬리깨물근인대(caudal masseteric ligament)에 인접한 곳에서 손상의 위험이 가장 크다.
- 꼬리깨물근인대는 섬유질이 튼튼한 경향이 있으며 일반적으로 아래볼의 피부, 넓은목근, 그리고 밑에 있는 뼈막 사이에 단단한 부착(a firm attachment)을 형성한다.
- 아래턱각을 따라 이러한 부착의 결과로 꼬리깨물근부위는 위험구역을 나타낸다. 그 이유는 넓은목

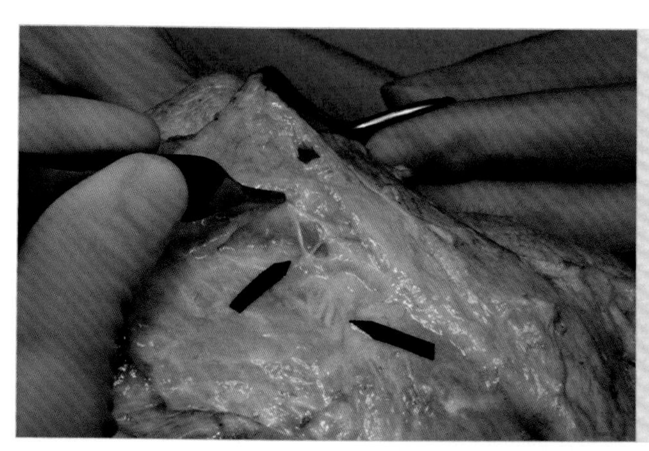

그림 3.5 사체 사진은 볼을 가로지르는 광대가지와 볼가지를 모두 보여준다. 아래쪽 검은색 화살표는 귀밑샘관과 평행하고 이 위치의 깊은근막보다 깊게 위치한 주요볼가지(major buccal branch)를 가리킨다. 위쪽 화살표는 광대융기 바로 가쪽에 큰광대근[집게(forcep)로 잡음]을 신경지배하는 광대가지를 가리킨다. 이 가지는 가로얼굴동맥에 매우 근접한 깊은근막을 관통하고 이 위치에서 얕은근막과 깊은근막 사이면에 놓여 있다.
이 부위는 섬유질(광대인대와 위깨물근인대) 및 혈관(가로얼굴동맥의 관통가지)이 많은 경향이 있으므로 평면 식별이 어려울 수 있다. 의심스러운 경우 이 위험구역 내에서 의도하지 않은 얼굴널힘줄계밑박리를 피하기 위해 얕게 박리하라.

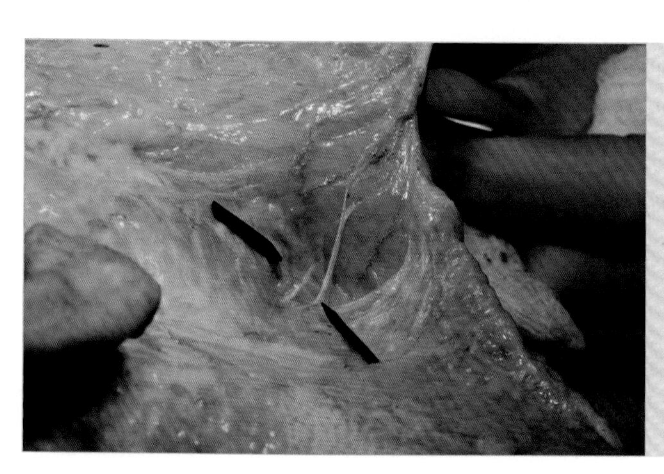

그림 3.6 깨물근의 꼬리쪽 경계에 인접한 아래턱모서리가지(marginal mandibular branch)와 목가지(cervical branches)의 관계를 보여주는 사체 해부. 목가지(아래 화살표)는 아래턱모서리가지보다 더 얕게 위치하며 넓은목근에 신경지배하기 전에 넓은목근(얕은근막과 깊은근막 사이) 바로 깊이 놓여 있다. 아래턱모서리가지(위쪽 화살표)는 얼굴동맥과 얼굴정맥을 가로지르면서 깊은근막보다 깊게 위치하며, 깊은 표면을 따라 신경지배를 받는 입꼬리내림근(depressor anguli oris)과 아랫입술내림근(depressor labii inferiorus)에 도달할 때까지 깊게 유지하는 경향이 있다.

근보다 깊은 부주의한 박리가 목가지 손상을 초래할 수 있기 때문이다.

- 볼에서 목으로 이동할 때 피부밑박리 시 안전의 핵심은 박리가 넓은목근보다 얕게 진행되도록 하는 정확한 평면 식별이다(그림 3.6).
- 모서리가지는 귀밑샘의 꼬리(the tail of the parotid)에서 나와 깊은근막보다 깊게 위치하며 일반적으로 얼굴널힘줄계밑지방(sub-SMAS fat)에 싸여있다.
- 모서리가지는 얼굴동맥 및 얼굴정맥과 교차하고 깊은근막보다 깊게 위치하며 깊은 표면을 따라 신경지배를 받는 아랫입술의 내림근들에 도달할 때만 얕게 위치하게 된다.
- 모서리가지가 볼을 가로질러 통과하는 위치가 깊기 때문에 피부밑박리 시 손상이 거의 없다.
- 박리가 얼굴동맥 및 얼굴정맥만큼 앞쪽으로 진행되는 경우(적절한 얼굴널힘줄계박리를 위해 필요하지 않음) 모서리가지가 얼굴널힘줄계밑박리에서 더 큰 위험이 있다.
- 이 위치에서 꼬리깨물근인대는 조밀하고 적절한 박리면이 불분명해 보일 수 있다.

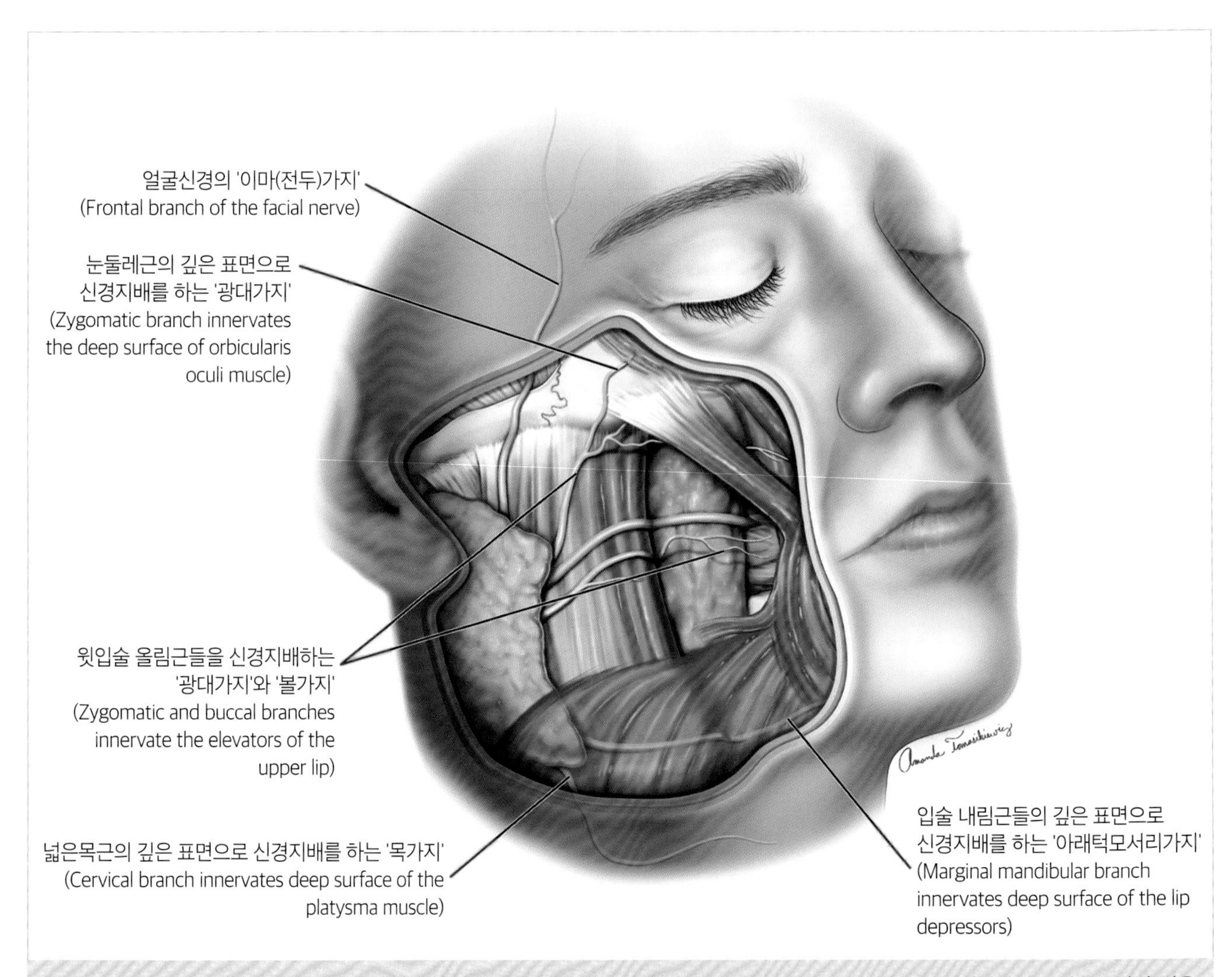

그림 3.7 볼에 있는 신경가지의 상대적 깊이에 대한 개요를 보여주는 그림. 광대활(zygomatic arch) 위쪽으로 이마가지는 얕은근막과 깊은근막 사이면에 위치하며 이마근을 신경지배하기 위해 주행하면서 더 얕게 위치하게 된다. 광대가지는 광대뼈 바로 가쪽에 있는 얕은근막과 깊은근막 사이에 위치하며, 볼가지는 일반적으로 가쪽볼 내의 깊은근막보다 깊게 위치한다. 모서리가지는 볼 내의 깊은근막에 깊게 위치하며, 목가지는 귀밑샘에서 나온 후 넓은목근보다 바로 깊이 위치한다.

- 귀밑샘꼬리 앞쪽에서 얼굴널힘줄계통을 정확하게 박리하고 둔탁한 박리(blunt dissection)를 활용하여 얼굴널힘줄계통을 귀밑샘꼬리에서 분리하면 모서리가지를 보호할 수 있다(6장 참조).

3.3 술기 요점(Technical Points)

- 정확한 박리면과 얼굴신경의 위치면과의 관계를 명확히 파악하고 인식하라(그림 3.7).
- 위험구역에 인접하여 박리가 진행되고 있는지 확인하라. 위험구역에 인접한 부위에서 정확한 박리면이 식별된 후에만 해당 부위에서 박리를 진행하라. 박리가 모호해지면 해부학적으로 알려진 부위를 먼저 박리하고 해부학적으로 불분명한 부위로 다시 돌아가 박리하라. 이러한 상황에서 적절한 평면 식별을 위한 인내심은 안전의 핵심 요소이다.
- 볼을 가로지르는 얼굴널힘줄계통(얕은근막)의 모양과 얼굴지방구획들 사이에서 전환하는 시각적 모양변화를 인식하라.
- 볼에서 얼굴널힘줄계피판을 들어올릴 때 귀밑샘피막(parotid capsule)과 깨물근막(masseteric fascia)의 모양을 인식하고 이들 층보다 얕게 박리하라. 깊은근막 위에 있는 얼굴널힘줄계밑지방을 그대로 두고 얼굴널힘줄계통의 밑면을 따라 직접 박리하면 들어올린 얼굴널힘줄계통과 더 깊숙이 위치한 얼굴신경가지 사이에 추가적인 보호층(extra layer of protection)이 제공된다.

Suggested Readings

Alghoul M, Bitik O, McBride J, Zins JE. Relationship of the zygomatic facial nerve to the retaining ligaments of the face: the Sub-SMAS danger zone. Plast Reconstr Surg. 2013; 131(2): 245e–252e

Baker DC, Conley J. Avoiding facial nerve injuries in rhytidectomy. Anatomical variations and pitfalls. Plast Reconstr Surg. 1979; 64(6):781–795

Dingman RO, Grabb WC. Surgical anatomy of the mandibular ramus of the facial nerve based on the dissection of 100 facial halves. Plast Reconstr Surg Transplant Bull. 1962; 29:266–272

Freilinger G, Gruber H, Happak W, Pechmann U. Surgical anatomy of the mimic muscle system and the facial nerve: importance for reconstructive and aesthetic surgery. Plast Reconstr Surg. 1987; 80(5):686–690

Furnas DW. The retaining ligaments of the cheek. Plast Reconstr Surg. 1989; 83(1):11–16

Pitanguy I, Ramos AS. The frontal branch of the facial nerve: the importance of its variations in face lifting. Plast Reconstr Surg. 1966; 38(4):352–356

Roostaeian J, Rohrich RJ, Stuzin JM. Anatomical considerations to prevent facial nerve injury. Plast Reconstr Surg. 2015; 135(5):1318–1327

Seckel B. Facial Nerve Danger Zones. 2nd ed. Boca Raton, Fl.: CRC Press; 2010

Stuzin JM, Wagstrom L, Kawamoto HK, Wolfe SA. Anatomy of the frontal branch of the facial nerve: the significance of the temporal fat pad. Plast Reconstr Surg. 1989; 83(2):265–271 Tzafetta K, Terzis JK. Essays on the facial nerve: Part I. Microanatomy. Plast Reconstr Surg. 2010;125(3):879–889

4. 얼굴신경의 이마가지(Frontal Branch of the Facial Nerve)

- *James M. Stuzin* / 허준 역

초록

얼굴신경의 이마가지는 다른 얼굴신경가지와 달리, 귀밑샘에서 나온 후 얕은근막(superficial fascia)과 깊은근막(deep fascia) 사이면에 있다. 이로 인해 관자부에서 얼굴널힘줄계밑(sub-SMAS)박리는 운동가지 손상을 초래할 수 있고, 관자부 안에서의 안전한 박리는 이마가지가 있는 평면에 대해 얕거나 깊게 진행되어야 한다. 깊은관자근막(deep temporal fascia)과 그와 연관된 관자지방덩이(temporal fat pad)와의 관계에 대한 해부학적 지식은 광대활의 뼈막밑박리가 필요한 수술에서 운동가지 손상을 예방하는 데 있어 유용하다.

키워드: 이마(전두)가지 해부(frontal branch anatomy), **이마(전두)가지 손상**(frontal branch injuries)

요점

- 귀밑샘을 나와 머리 쪽으로 이동하여 광대활로 간 후에, 이마가지는 깊은근막을 관통하고, 이마근(frontalis)을 향해 관자부위를 가로질러 갈 때는 얕은근막과 깊은근막 사이면에 위치한다.
- 관자부위의 연조직층들은 아래볼의 층들과 약간 다르다. 관자부 연조직층에는 피부, 피부밑지방(subcutaneous fat), 얼굴널힘줄계통(관자마루근막[temporoparietal fascia]이라고도 함), 얼굴널힘줄계밑지방을 포함하는 느슨한 성긴층(loose areolar layer[널힘줄밑근막-subaponeurotic fascia-이라고도 함] 및 깊은근막[깊은관자근막이라고도 함])이 포함된다.
- 환자에 따라, 관자부 연조직은 다양한 두께를 보이지만, 이러한 층들의 해부학적 동심관계(concentric relationship)는 일정하다. 관자부위 안에서 이마가지는 얼굴널힘줄계밑지방에 싸여있고 느슨한 성긴 널힘줄밑평면(얕은근막과 깊은근막 사이) 내에 위치한다. 가쪽눈확둘레(lateral orbital rim)를 따라 이마근에 신경을 분포시키는 곳에서, 이 운동가지는 더 얕아지는 경향이 있다(얼굴널힘줄계 바로 깊이 놓여 있음). 따라서, 피부밑박리를 얼굴널힘줄계통보다 깊게 진행하면, 위눈확둘레의 바로 가쪽이 위험구역에 해당이 된다(그림 4.1).
- 2차원적으로, 이마신경의 가지내기 양상(branching pattern)에는 변동성이 있으며, 이 신경이 관자부위 안에서 이동할 때, 단일 가지 또는 여러 가지(최대 6개)로 존재할 수 있다. 관자부위 안에서 이마가지의 일반적인 경로를 표시하는 피탕기선(Pitanguy's line)은 이마신경들의 경로에 대한 유용한 길잡이로, 귀구슬(tragus)의 바닥에서 눈썹 위 1.5 cm 위치를 잇는 접선을 따라 있다. (그림 4.2).
- 가지내기 양상에 변동이 있음에도 불구하고, 모든 이마 운동가지들은 얕은관자동맥(superficial temporal artery)의 이마가지보다 앞쪽, 아래쪽에 위치한다. 이러한 이유로 얕은관자동맥의 이마가지는 관자부위 안에서 박리를 할 때 중요한 지표가 된다(그림 4.3 a, b).
- 관자내 위험구역에서 얕은근막(얼굴널힘줄계통)보다 깊은 부주의한 박리는 아래에 있는 얼굴신경의 이마가지를 손상시킬 수 있다. 이러한 이유로, 얼굴당김술 박리를 할 때, 관자부위 박리는 피부밑평면에서 얼굴널힘줄계통보다 얕게 진행되어야 한다.
- 눈썹당김술이나 광대활의 노출이 필요한 머리얼굴(craniofacial) 수술에서, 박리는 깊은관자근막의 바로 위로 진행하거나, 깊은관자근막의 얕은 층(superficial layer)보다 바로 깊게 얕은관자지방덩이 안에서 진행되어야 한다. 이처럼 관자부의 깊은 곳에서 하는 박리는 얕게 위치한 운동가지를 보호한다(그림 4.4).
- 안전의 핵심은 박리면을 정확하게 식별하고, 이마가지와 연관된 박리면의 깊이를 이해하는 것이다(그림 4.5).

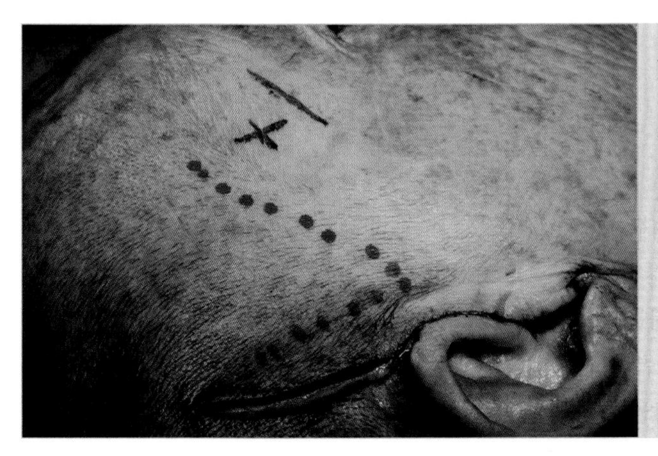

그림 4.1 귀밑샘에서 나온 후, 이마가지는 얼굴널힘줄계밑지방에 싸여 얕은근막과 깊은근막 사이면에서 관자부를 횡단한다. 가쪽눈확둘레에 나란하게 놓여 있는, 이마근의 가쪽 경계를 향해 갈수록 이마가지는 더 얕게 위치하는 경향이 있다. 따라서, 이 영역(X)은 얼굴널힘줄계통보다 깊은 부주의한 박리의 위험구역에 해당하며, 의사는 박리가 얼굴널힘줄계통보다 얕게 유지되는지 확인해야 한다. 빨간색 점선은 얕은관자동맥의 마루가지와 이마가지의 경로를 나타낸다. 이마가지는 항상 얕은관자동맥의 이마가지보다 꼬리 쪽에 위치한다.

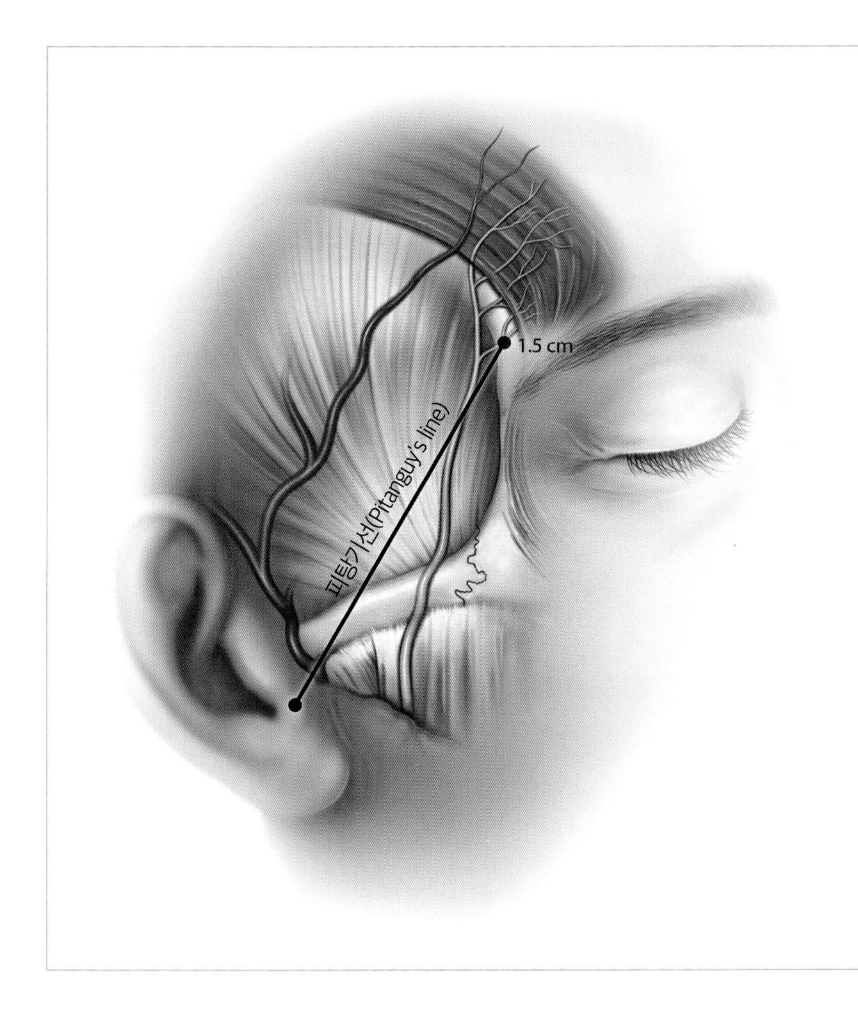

그림 4.2 피탕기선은 관자부위 안에서 이마가지의 일반적인 경로에 대한 대표적인 기준선이다. 이 랜드마크는 귀구슬의 바닥에서 눈썹 위 1.5 cm지점 까지의 선이다. 피탕기선은 유용한 참고 자료이지만, 이마가지는 얕은관자동맥의 이마가지와 피탕기선 사이의 모든 곳에 위치할 수 있다(그러나 3차원적으로 이 가지들은 항상 얕은근막과 깊은근막 사이에 위치한다).

4.1 안전 고려사항(Safety Considerations)

- 피부밑피판을 박리할 때 피부밑박리면을 정확하게 식별할 수 있게 돕는 투과조명(transillumination)을 사용하라.
- 관자부위는 얇은 경향이 있고, 얕은근막을 덮고 있는 피부밑지방이 부족하다. 박리를 얼굴널힘줄계통보다 얕게 유지하는 것이 부주의한 깊은 박리를 방지하는 핵심이다.
- 얼굴당김술 중 관자부 박리를 시행할 때, "중-관자근(meso-temporalis)" 박리를 수행할 경우 얕은관

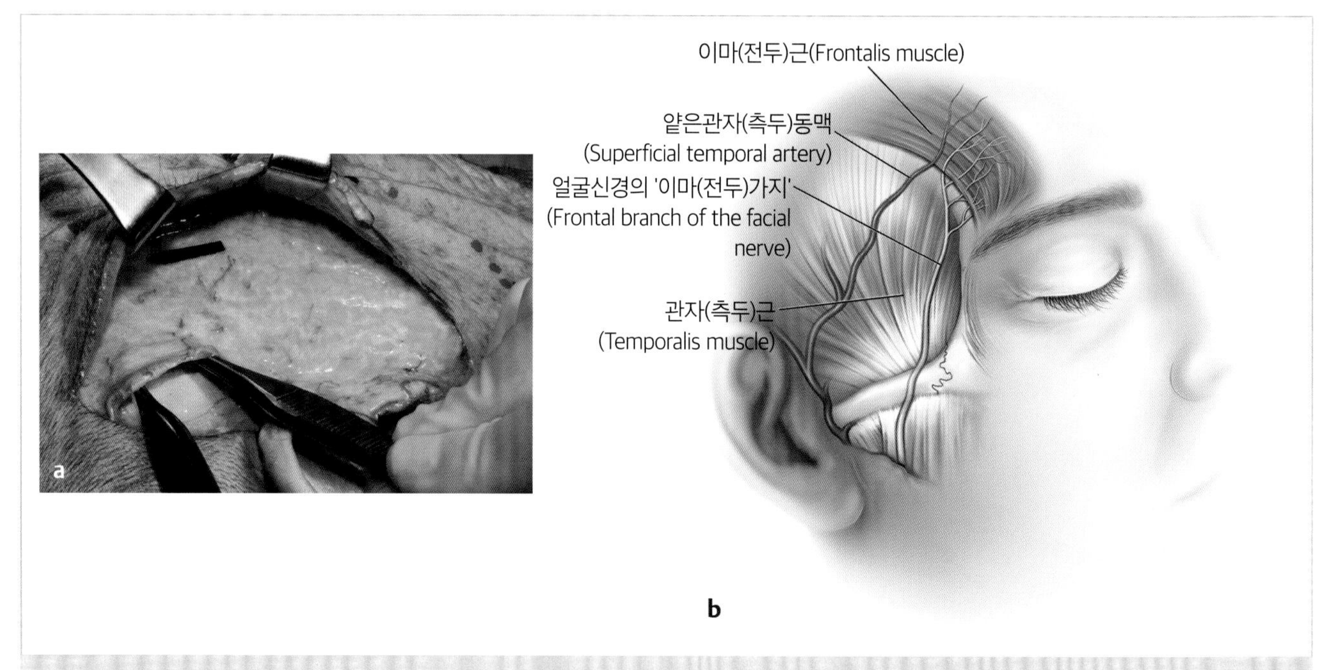

그림 4.3 **(a)** 얕은관자동맥은 두 개의 주요 가지를 가지고 있는데, 이 사체 박리에서 보여지는 마루가지와 이보다 앞쪽에 위치하고 얼굴널힘줄계통 내에 싸여진 이마가지(검은색 화살표)이다. 운동신경가지들은 항상 얕은관자동맥의 이마가지보다 앞쪽에 위치한다. 이러한 동맥가지들을 싸고 있는 관자부의 얼굴널힘줄계통 두께에 주목하라. 또한 피부밑 평면과 깊은관자근막 사이 관자부의 연조직 두께에도 주목하라. 관자부의 이 연조직은 동맥가지들을 감싸고 있을 뿐 아니라, 더 깊은 곳에서 이마운동가지들도 감싸고 있다. **(b)** 이마가지 및 이마가지와 얕은관자동맥의 이마가지와의 관계에 대한 삽화.

자동맥의 마루가지를 결찰하는 것은 동맥의 마루가지가 운동신경가지의 주행 경로보다 뒤쪽에 있기 때문에 안전하다. 얕은관자동맥의 앞가지를 만나면 이것은 중요한 랜드마크이며, 운동가지가 이 혈관의 바로 앞쪽 아래쪽에 위치한다는 것을 외과 의사는 인지해야 한다(그림 4.3).

동영상 4.1

4.2 위험구역과 임상적 연관성-관련해부학 (Danger Zones and Clinical Correlation-Pertinent Anatomy) (동영상 4.1)

- 귀밑샘에서 나온 후, 이마가지는 광대활의 뼈막 위에 있다.
- 광대활에서 머리쪽으로, 이마가지는 얼굴널힘줄계통(관자마루근막)과 깊은관자근막 사이의 평면에서 주행하며, 얼굴널힘줄계밑지방에 싸여 있다.
- 이마가지는 관자부위를 가로질러 이마근에 가까워질수록 더 얕게 위치한다. 대부분의 모방근(mimetic muscle)들처럼, 이마근도 근육의 깊은 면을 따라 신경이 분포된다.
- 이마가지가 얼굴널힘줄계통 바로 깊이 위치하므로, 관자부위에서 얼굴널힘줄계통보다 깊은 부주의한 박리는 운동가지 손상을 일으킬 수 있다(그림 4.6, 그림 4.7).
- 이마가지의 일반적인 경로는 귀구슬의 바닥과 눈썹에서 머리쪽 1.5 cm 되는 지점 사이의 선 위에 있다.
- 확대얼굴널힘줄계박리술(extended SMAS dissection)을 진행할 때, 박리의 머리쪽 한계 범위를 이마가지 일반 주행경로선의 꼬리쪽 아래로 유지하는 것이 중요한 안전 고려사항이다(8장 참조).
- 강조된 바와 같이, 이마가지가 전체 관자부위 안에서 얕은근막과 깊은근막 사이면에 있기 때문에, 얼굴널힘줄계통 아래로의 부주의한 깊은 박리는 운동가지 손상을 일으킬 수 있다. 얼굴널힘줄계통

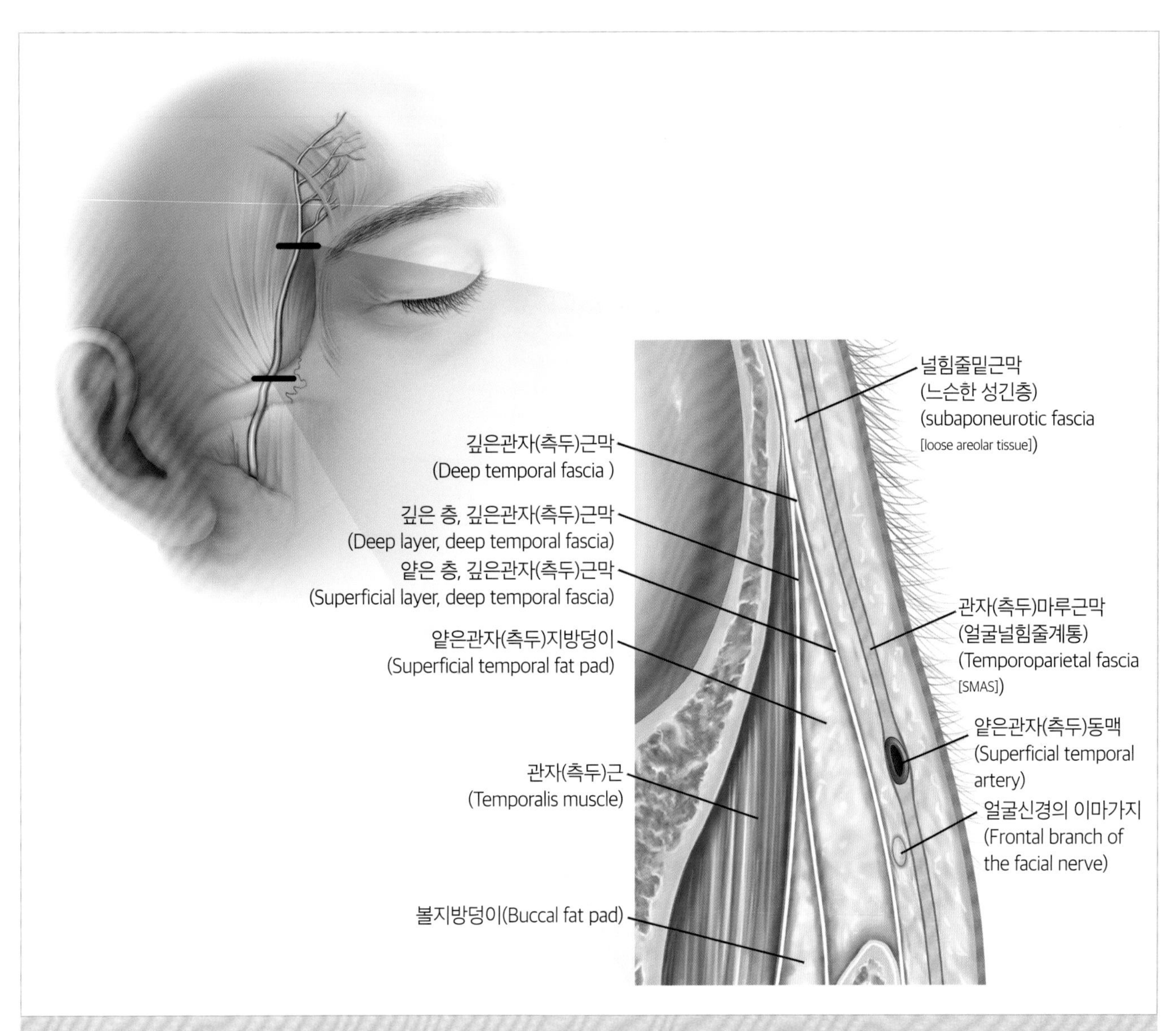

그림 4.4 위눈확둘레와 광대활 사이의 관자부위 단면 삽화. 얕은근막(얼굴널힘줄계통)은 얕은관자동맥을 싸고 있다. 반면, 얼굴널힘줄계통보다 깊은 곳(얕은근막과 깊은근막 사이의 평면에 있음)에는 얼굴널힘줄계밑지방을 포함하는 널힘줄밑근막이라고 하는 느슨한 성긴층이 있다. 이마가지는 얼굴널힘줄계밑지방에 싸여 널힘줄밑평면에 위치한다. 깊은관자근막은 얕은관자지방덩이를 감싸기 위해 위눈확둘레의 꼬리쪽에서 2개층으로 분할된다. 광대활의 노출이 필요한 머리얼굴 수술에서, 직접적으로 깊은관자근막 표면으로 박리하는 것보다, 깊은관자근막의 얕은 층보다 깊게 얕은관자지방덩이 내에서 박리하는 것이 운동가지 손상에 대해 더 큰 보호층을 제공할 것이다.

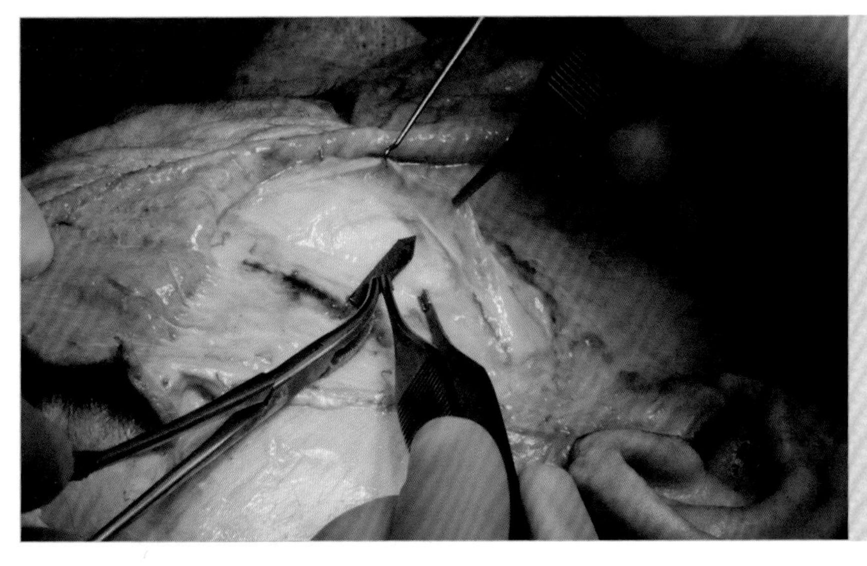

그림 4.5 관자부위에서 이마가지를 보여주는 사체 해부(화살표). 이마가지는 느슨한 성긴층(널힘줄밑근막이라고도함)내에 있고, 얼굴널힘줄계밑지방에 싸여 있다. 이 위치면은 얼굴널힘줄계통 바로 아래에 있고, 깊은관자근막보다 얕게 있다. 관자부에서 수술을 할 때 안전의 핵심은 이마가지의 위치면보다 얕게 또는 깊게 박리하는 것이다.

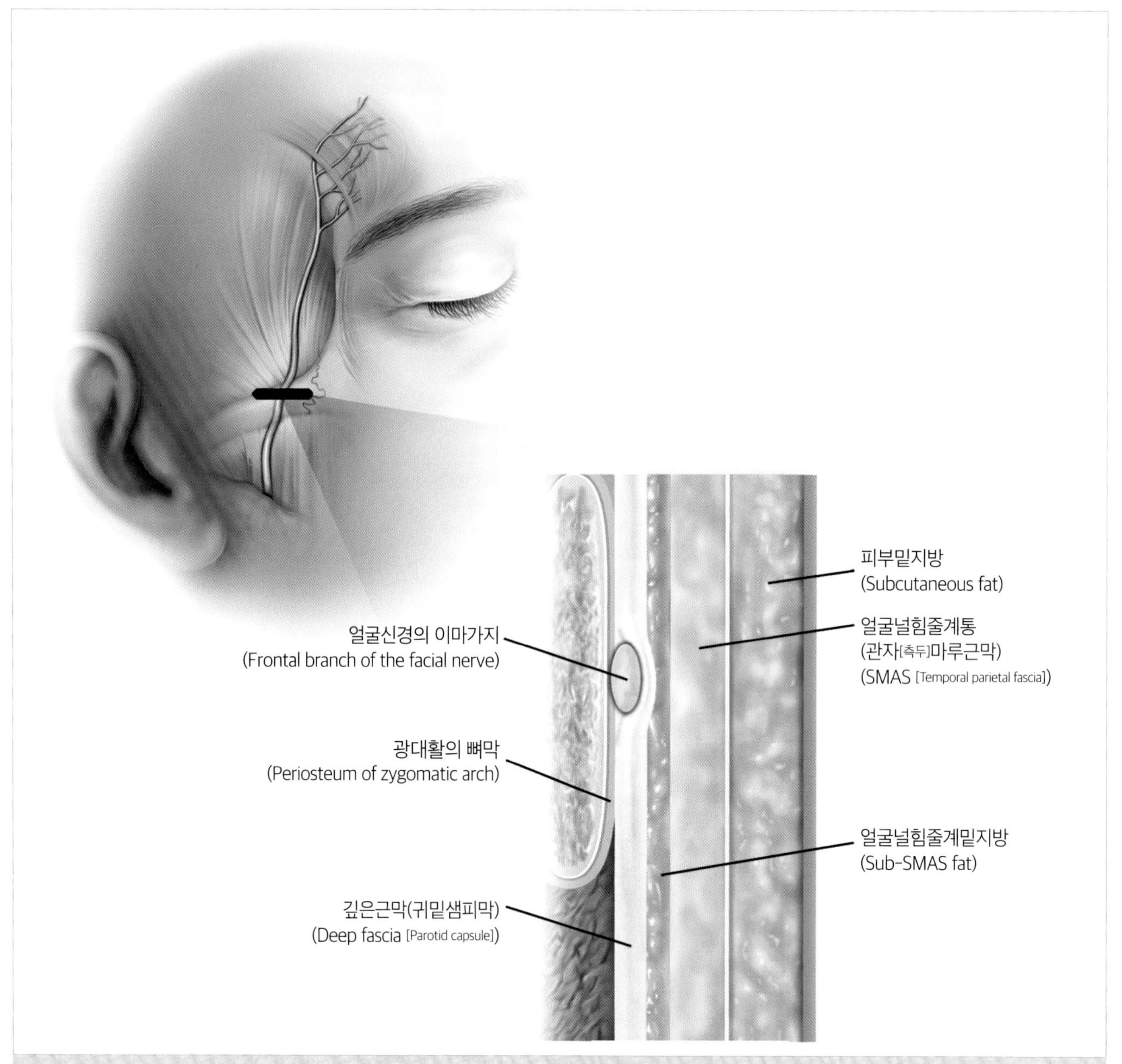

그림 4.6 광대활 위치에서 귀밑샘에서 나온 이마가지의 단면. 귀밑샘에서 나온 후, 이마가지는 광대활의 뼈막 바로 위에 위치한다. 이 위치보다 머리쪽에서, 이마가지는 깊은근막을 관통하고, 관자부위를 횡단할 때는 얼굴널힘줄계통과 깊은관자근막(얕은근막과 깊은근막 사이) 사이 평면에 위치하게 된다.

보다 얕은 피부밑박리는 안전하며, 이 부위를 박리할 때 피부밑지방과 얼굴널힘줄계통 사이면을 정의하기 위해 투과조명이 도움이 된다.

- 눈썹당김술이나 머리얼굴뼈대, 광대활의 노출 수술에서 관자부 박리를 할 때는, 그 대신에, 이마가지보다 깊게 박리를 하는 것이 바람직하다.
- 이러한 술식들에 대해서는, 위눈확둘레를 만날 때까지는 깊은관자근막의 얕은 표면을 따라 박리하는 것이 안전하다.
- 위눈확둘레보다 꼬리 쪽에서는, 깊은관자근막의 얕은 층을 절개하고 얕은관자지방구획 내에서 광

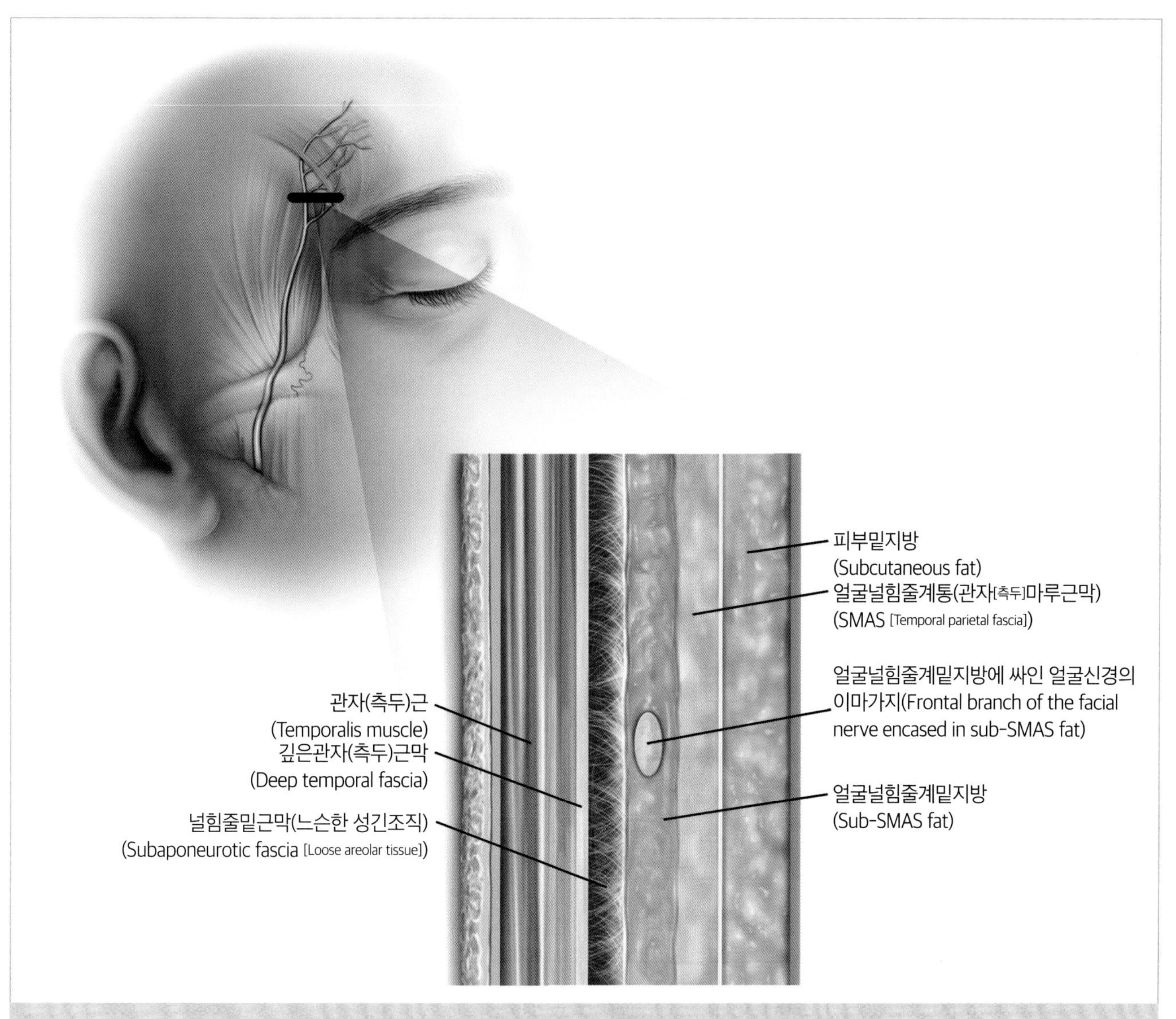

그림 4.7 이마근에 신경 분포하기 전, 위눈확둘레 위치에서의 이마가지 횡단면도. 이 위치에서, 이마가지는 얼굴널힘줄계통(관자마루근막) 바로 깊이 있고, 얼굴널힘줄계밑지방에 싸여서 느슨한 성긴 널힘줄밑근막과 나란히 놓여 있다. 눈썹당김술 같은 수술에서 관자부위를 박리할 때, 깊은관자근막의 얕은 표면을 따라 박리하고 느슨한 성긴층을 머리덮개피판에 그대로 두어 더 얕게 위치한 이마가지를 보호하는 것이 중요하다. **기억해야 할 요점은 관자부위 내의 느슨한 성긴층도 이마가지의 위치면이라는 것이다.**

대활을 향해 박리를 계속하는 것이 바람직하다. 이 부위에서 깊은관자근막보다 깊게 박리하는 것은 더 얕은 층에 위치한 운동가지들의 손상을 방지하는 또 다른 보호층을 만들어준다.

- 또 다른 안전 고려사항은 얼굴널힘줄계통과 깊은관자근막 사이에 위치한 널힘줄밑근막(느슨한 성긴층)의 두께를 인지하는 것이다.
- 이 느슨한 성긴층은 이마가지의 위치면을 나타내며, 이 층에서 보이는 얼굴널힘줄계밑지방은 관자부위 안에서 운동가지들을 싸고 있는 구조이다.
- 눈썹당김술 형태의 수술을 할 때, 깊은관자근막의 바로 위 표면을 따라 박리하고, 이마피판에 널힘줄밑근막을 붙인 상태로 유지한다. 눈확둘레로 접근함에 따라, 얼굴널힘줄계밑지방이 뚜렷하게 나타나며, 이 지방(이마가지의 위치면을 나타내는)을 인지해야 하며, 박리는 이 층보다 깊게 진행되어야 한다(그림 4.7).

4.3 술기 요점(Technical Points)

- 관자부위에서 박리 진행 시, 박리면을 명확히 식별하고, 이마가지 위치면과의 관계를 인식한다.
- 얼굴당김술이나 재건술을 위해 목얼굴피판(cervicofacial flap)을 시행할 때, 관자부위에서 선호되는 박리면은 얼굴널힘줄계통보다 얕은피부밑평면이다.
- 눈썹당김술이나 머리얼굴뼈대, 광대활의 노출이 필요한 수술에서 관자부 박리가 필요한 경우에, 관자부위 안에서 안전한 박리면은 깊은관자근막과 느슨한 성긴 널힘줄밑근막 사이 평면이다.
- 위눈확둘레 위치보다 꼬리 쪽에서, 깊은관자근막은 얕은관자지방덩이를 감싸기 위해 나누어진다. 위눈확둘레 꼬리쪽의 관자부위를 박리할 때 선호하는 박리면은 깊은관자근막의 얕은 층을 절개하고 깊은관자근막의 얕은 층보다 깊게, 얕은관자지방덩이 안에서 광대활을 향해 박리하는 것이다.

Suggested Readings

Moss CJ, Mendelson BC, Taylor GI. Surgical anatomy of the ligamentous attachments in the temple and periorbital regions. Plast Reconstr Surg. 2000; 105(4):1475–1490, discussion 1491–1498 Pitanguy I, Ramos AS. The frontal branch of the facial nerve: the importance of its variations in face lifting. Plast Reconstr Surg. 1966; 38(4):352–356

Roostaeian J, Rohrich RJ, Stuzin JM. Anatomical considerations to prevent facial nerve injury. Plast Reconstr Surg. 2015; 135(5):1318–1327

Seckel B. Facial Nerve Danger Zones. 2nd ed. Boca Raton, Fl.: CRC Press; 2010

Stuzin JM, Wagstrom L, Kawamoto HK, Wolfe SA. Anatomy of the frontal branch of the facial nerve: the significance of the temporal fat pad. Plast Reconstr Surg. 1989; 83(2):265–271 Tzafetta K, Terzis JK. Essays on the facial nerve: Part I. Microanatomy. Plast Reconstr Surg. 2010;125(3):879–889

Trussler AP., Stephan P, Hatef D, et al. The Frontal Branch of the Facial Nerve across the Zygomatic arch: anatomical relevance of the high-SMAS

5. 광대가지와 볼가지(Zygomatic and Buccal Branches)

- *James M. Stuzin* / 허준 역

초록

귀밑샘에서 나온 후 광대가지와 볼가지는 깊은근막(deep fascia)보다 깊게 위치한다. 광대가지와 볼가지가 이 위치에서 보호되는 반면에, 큰광대근(zygomacisus major)으로 가는 가지는 깊은근막을 관통하여 광대융기(zygomatic eminence) 바로 가쪽에서 얼굴널힘줄계밑평면(sub-SMAS plane) 내에 놓이게 되며, 이곳은 부주의한 깊은 박리의 위험구역에 해당한다. 볼지방덩이(buccal fat pad)를 덮고 있는 볼의 앞쪽으로 갈수록 볼가지는 더 얕게 위치하는 경향이 있으며, 이 부위에서 깊은근막보다 깊게 박리하면 운동가지 손상이 발생할 수 있다.

키워드: 광대가지 및 볼가지 해부(zygomatic and buccal branch anatomy), **광대가지 및 볼가지 손상**(zygomatic and buccal branch injury)

요점

- 귀밑샘에서 나온 후 얼굴신경의 광대가지와 볼가지는 깊은얼굴근막보다 깊게 위치한다. 일반적으로, 가지내기 양상(branching pattern)과 이들 특정 운동가지 간의 수많은 상호 연결에 있어 여러 변형들이 있다.
- 광대가지와 볼가지는 입술올림근(elevator of the lip)에 대한 신경지배를 담당한다. 광대가지는 또한 눈둘레근(orbicularis oculi)을 신경지배 할뿐만 아니라 미간근육계(glabella musculature)도 신경지배 한다.
- 귀밑샘에서 나온 후, 광대가지와 볼가지 모두 깨물근(masseter)을 덮고 있는 깊은근막보다 깊게 위치하고, 앞쪽으로 가서 이 가지들이 신경지배하는 모방근(mimetic muscle)에 도달할 때 깊은근막을 관통한다. 앞에서 언급했듯이, 대부분의 모방근은 깊은 표면을 따라 신경지배를 받는다(**그림 5.1, 그림 5.2**).
- 큰광대근으로 가는 광대운동가지가 볼 안을 횡단하는 평면에서는 예외가 있다. 이 가지는 일반적으로 광대융기의 가쪽에서 깊은근막을 관통하고, 큰광대근의 바로 가쪽에서 얕은근막과 깊은근막 사이면에 위치한다. 이러한 이유로 광대 융기의 바로 아래 및 가쪽부위는 위험구역에 해당하며 이 위치에서 얼굴널힘줄계통보다 깊은 박리는 의도하지 않은 운동가지 손상을 일으켜 윗입술 약화를 초래할 수 있다(**그림 5.3, 그림 5.4** a, b).
- 해부학적으로 광대융기의 가쪽에는, 광대인대(zygomatic ligament)와 위깨물근인대(upper masseteric ligament)가 합쳐져서 만들어진 고밀도의 유지인대(retaining ligament)가 위치한다. 이러한 인대 섬유들을 만나기 때문에 이 부위에서의 피부밑박리는 일반적으로 섬유성(fibrous)이다.
- 피부밑박리에서, 광대융기의 바로 가쪽 부분은 중간지방구획(middle fat compartment)과 광대지방구획(malar fat compartment) 사이의 전환구역(transition zone)에 해당한다. 이 부위는 섬유성일 뿐만 아니라 가로얼굴동맥(transverse facial artery)의 관통가지들과도 마주치므로 혈관성(vascular)이기도 하다. 이로 인해, 일부 환자에서는 피부밑 평면을 정확하게 식별하기 어려울 수 있다. **안전의 핵심은 정확한 평면의 식별이다: 이 위치에서의 박리는 운동가지 손상을 방지하기 위해 얼굴널힘줄계통보다 얕게 진행되어야 한다** (**그림 5.5**).
- 얼굴신경의 볼가지는 항상 깊은근막보다 깊게 위치하며, 앞쪽으로 갈수록 점점 더 얕아진다. 주요 광대/볼가지는 일반적으로 귀밑샘관과 평행하지만, 신경가지가 더 깊이 있고, 손상도 드물다. 볼지방덩이를 덮고 있는 볼부위의 앞쪽과 아래쪽에서 보이는, 보다 얕게 위치하는 볼가지들은 박리가 얼굴널힘줄계통이나 깊은근막보다 깊게 진행되면 손상될 수 있다. 피부밑지방과 얼굴널힘줄계밑지방이 적은 마른 환자 또는 재수술 환자에서 부주의한 깊은 박리와 볼가지 손상의 위험이 더 크다(**그림 5.2**).

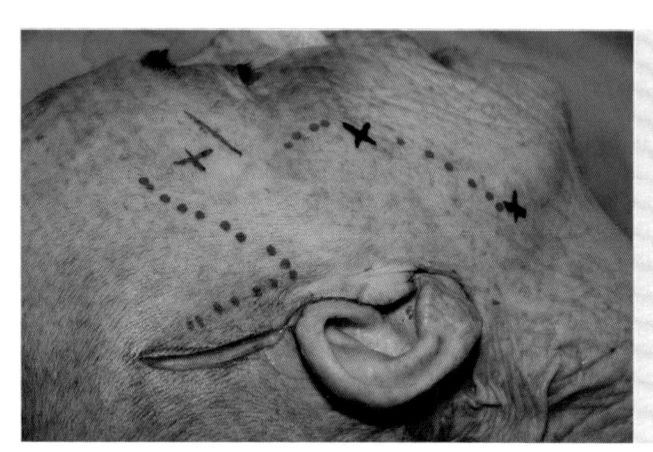

그림 5.1 귀밑샘을 나온 후, 광대가지는 깨물근 위에 위치하고, 중간볼(midcheek) 안에서는 깊은근막보다 깊게 있다. 이 신경가지는 큰광대근까지 이동하면서 점점 더 얕아지는 경향이 있으며, 일반적으로 광대뼈 바로 가쪽에서 깊은근막을 관통한다.

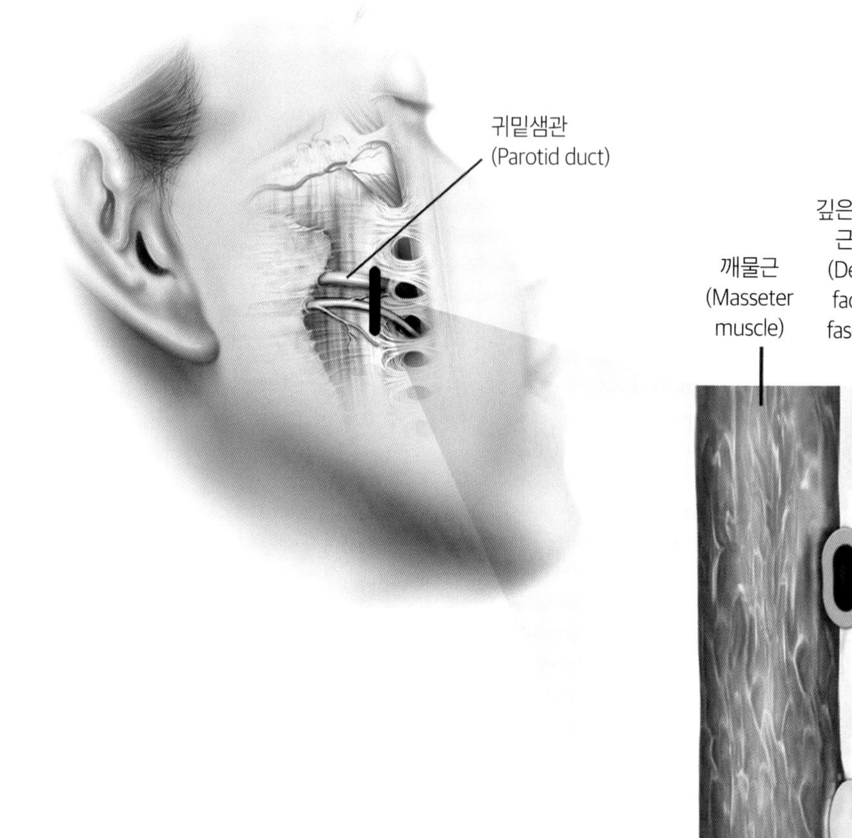

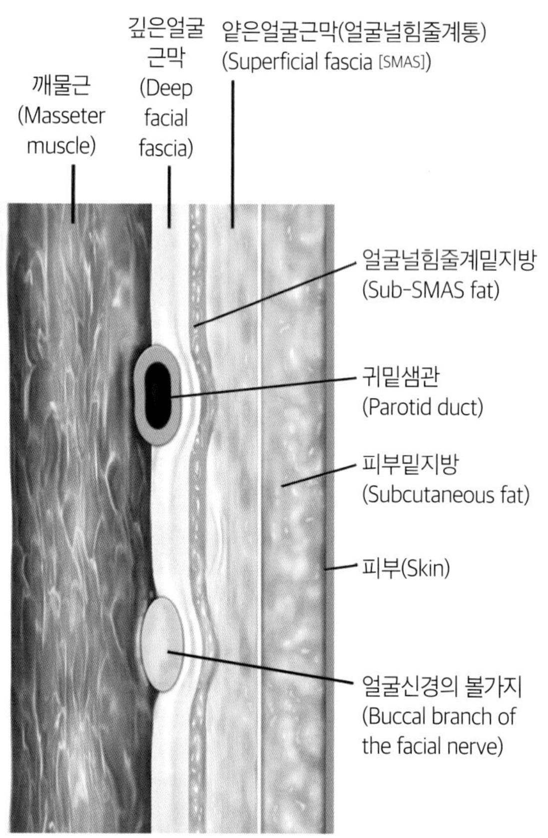

그림 5.2 귀밑샘에서 나온 후, 볼가지는 깨물근 위에 위치하고, 깊은근막보다 깊게 있다. 볼가지에 의해 신경지배를 받는 모방근이 안쪽(medial)에 위치하기 때문에, 볼가지는 볼지방덩이보다는 얕게, 깊은근막보다 깊게 주행하다가, 신경지배할 근육에 이르러서 깊은근막을 관통한다. 큰 광대/볼가지는 중간볼 내에서 깊은근막보다 깊게 있고, 귀밑샘관과 평행하다.

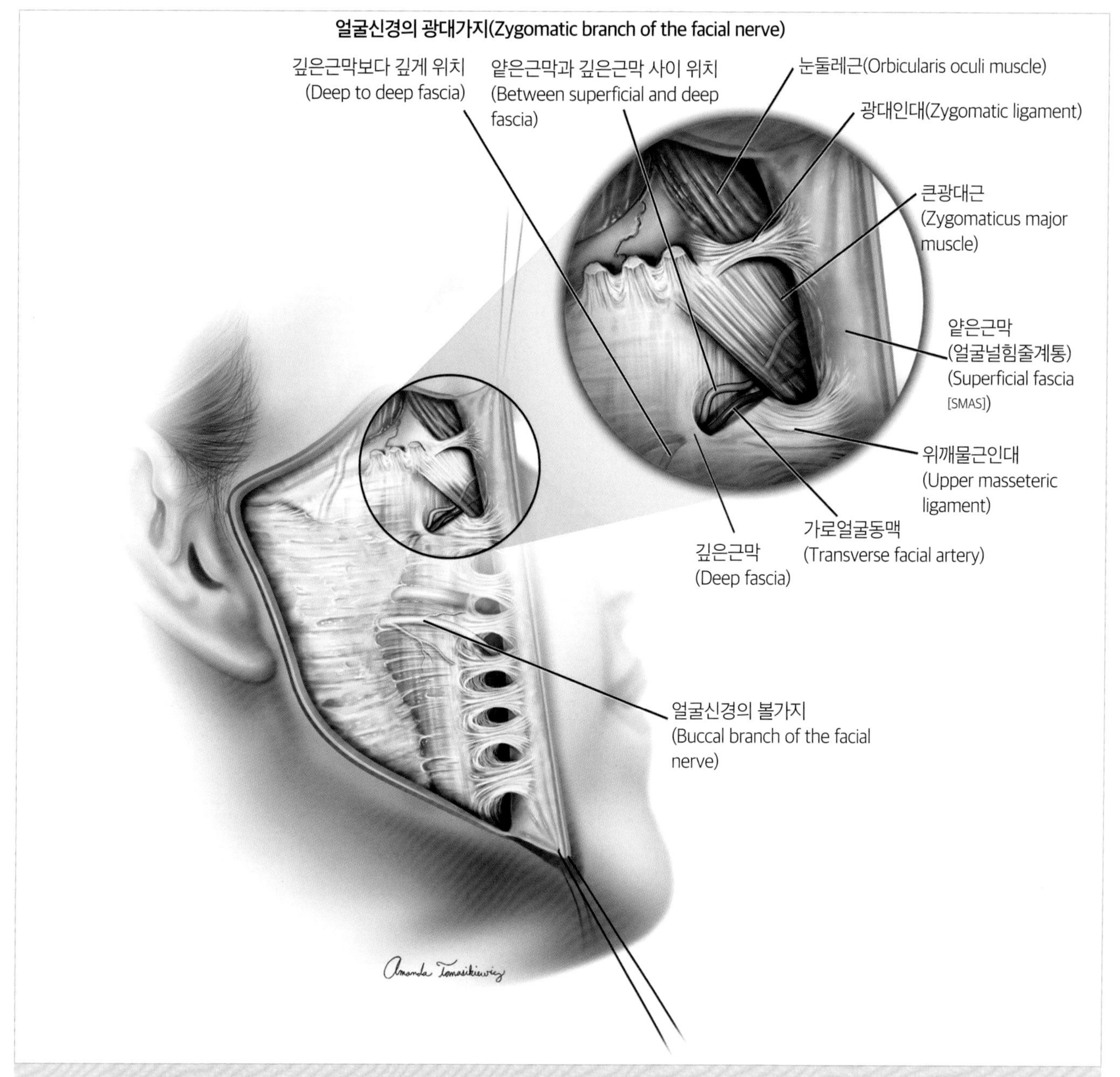

그림 5.3 광대융기 바로 가쪽에 있는 영역(중간 X)은 큰광대근을 신경지배하는 광대가지에 잠재적인 손상을 줄 수 있는 위험구역이다. 일반적으로 광대가지는 이 위치에서 얕게 위치하며, 얕은근막과 깊은근막 사이의 평면에 있다. 또한, 이 부위는 광대인대와 위깨물근인대가 합쳐지는 곳이기 때문에 높은 인대 밀도를 보인다.

5.1 안전 고려사항(Safety Considerations)

- 피부밑피판을 박리할 때 투과조명(transillumination)을 사용하면 적절한 박리 평면을 정확하게 식별하는 데 도움이 된다.
- 피부밑박리는 얼굴널힘줄계통보다 얕게 시행해야 한다. 가쪽광대융기와 깨물근의 앞쪽 경계를 따라가는 유지인대를 만나는 경우와 얼굴지방구획들을 통과할 때에 피부밑 해부 구조는 모호해지고 시각적으로 식별하기 어려울 수 있다.

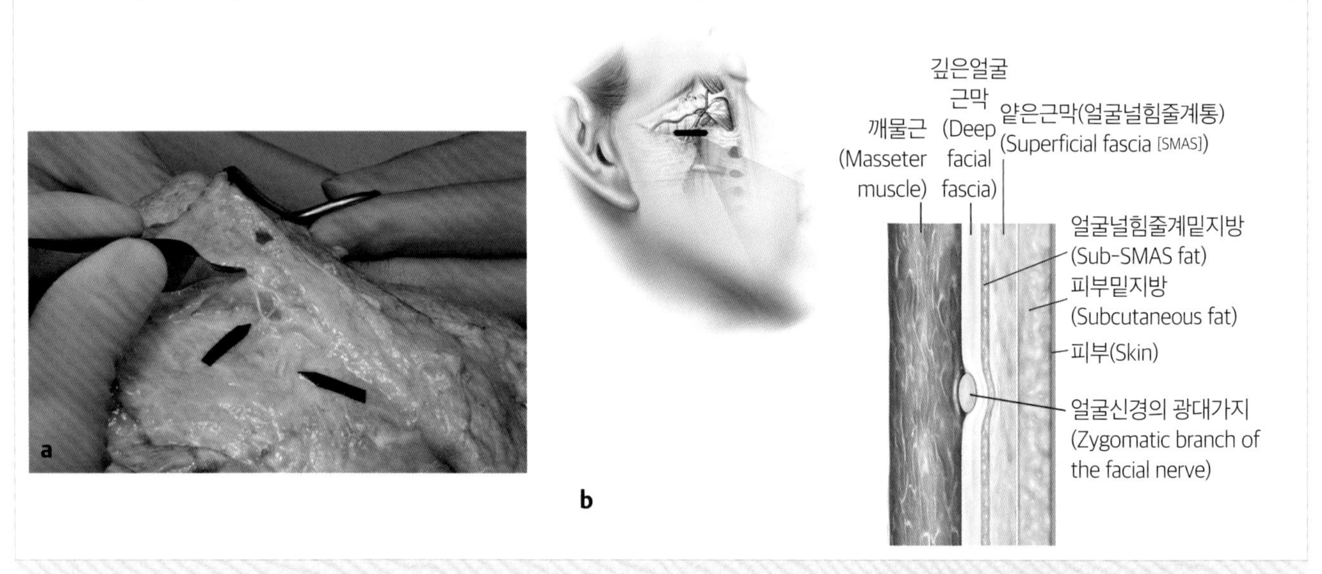

그림 5.4 (a) 이 사체 사진은 광대 융기 바로 가쪽부위에서 얕게 위치한 광대가지를 보여준다. 이 사진에서 얼굴널힘줄계밑평면을 설명하기 위해 얼굴널힘줄계통은 위로 뒤집었다. 집게(forcep)는 큰광대근을 집어 올렸다. 이 위치에서 광대가지는 얕은근막과 깊은근막 사이면에 위치하며 가로얼굴동맥을 가로질러 큰광대근의 깊은 면(위쪽 화살표)을 따라 큰광대근에 신경을 분포시킨다. 아래쪽 화살표는 귀밑샘관 및 귀밑샘관과 평행한 주요 볼가지를 가리킨다. 이 두 구조는 모두 중간볼에서 깊은근막보다 깊게 위치한다. (b) 광대융기 가쪽의 얼굴널힘줄계밑평면을 보여주는 화가의 삽화. 광대가지는 이 위치에서 얼굴널힘줄계통 밑(얕은근막과 깊은근막 사이면)에 바로 놓여 있는 반면, 귀밑샘관과 볼가지는 더 깊이(깊은근막보다 깊게) 위치한다.

- 인대의 밀도가 가장 높은 영역은 광대인대와 위깨물근인대가 위치한 가쪽광대융기를 따라 있다. 광대가지는 이 위치에서 얕게 있기 때문에, 정확한 평면 식별과 얕은박리가 운동가지 손상을 예방할 것이다.
- 볼가지는 깨물근의 앞쪽 경계를 따라 인대를 만나는 곳에서 가장 손상 가능성이 높다. 이러한 인대를 만날 때 정확한 평면 식별과 박리가 얼굴널힘줄계통보다 얕게 유지되도록 하면 운동가지 손상을 방지할 수 있다.

5.2 위험구역과 임상적 연관성-관련해부학

(Danger Zones and Clinical Correlation–Pertinent Anatomy) (동영상 5.1)

- 볼가지와 광대가지를 구별하는 것은 해부학적 관점에서 어려울 수 있다.
- 이 신경가지들은 윗입술올림과 미소(smiling)에 관여한다.
- 위가지를 광대가지라고 하고 아래가지를 볼가지라고 한다.
- 귀밑샘을 나온 후에 이 신경가지들은 깨물근 위에 있으며 깊은얼굴근막보다 깊게 위치한다(그림 5.1 및 그림 5.2).
- 큰광대근으로 가는 광대가지는 일반적으로 광대융기 바로 옆에서 깊은근막을 관통하고 이 위치에서 얕은근막과 깊은근막 사이면에 위치한다.
- 광대융기의 가쪽부위는 섬유성(fibrous)이면서 혈관성(vascular)이어서, 일부 환자에서는 운동가지가 얕게 위치하는 이 부위의 평면 식별을 어렵게 한다(그림 5.3, 그림 5.4, 그림 5.5).
- 볼가지는 광대가지보다 더 꼬리 쪽에 놓여 있고, 주요 볼가지는 귀밑샘관과 평행하다.
- 아래볼가지는 볼을 가로지르면서 더 얕아진다. 깨물근의 앞쪽 경계를 따라, 깨물근인대는 피부와

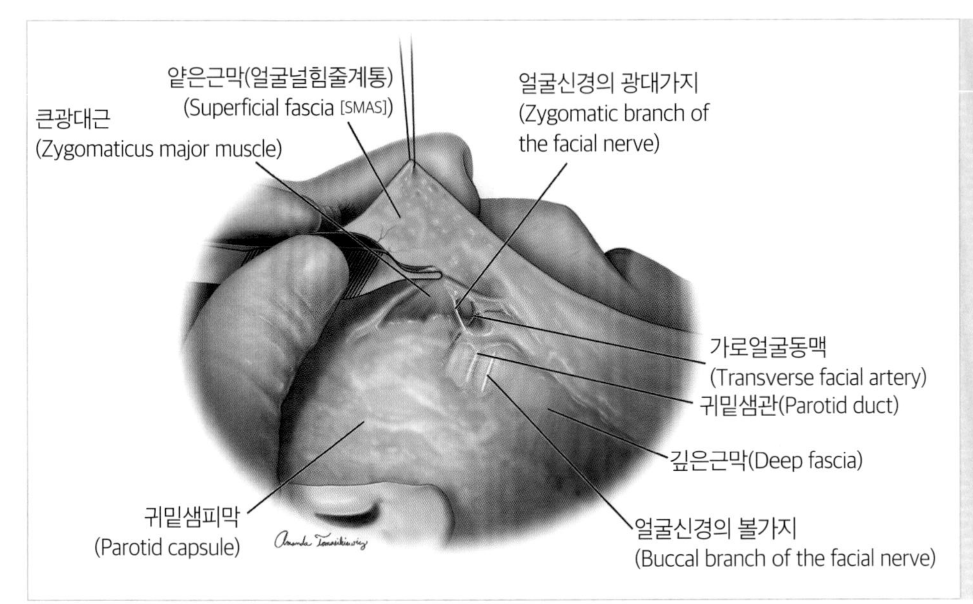

그림 5.5 광대융기 바로 가쪽에서 광대가지가 깊은근막을 관통하는 것을 보여주는 그림. 이렇게 얕게 위치한 가지는 가로얼굴동맥과 광대인대 및 위깨물근인대의 섬유와 나란히 놓여 있다. 혈관성과 섬유성인 부위에 얕게 위치한 운동가지까지 조합된 이 위험구역을 박리할때는, 정확한 평면 식별을 필요로 한다.

얕은근막, 깊은근막을 깨물근에 결합시킨다.

- 중간볼의 깨물근인대(중간깨물근인대)는 보통 가늘고 얇은 섬유들로, 평면 식별이 일반적으로 간단하다. 그럼에도 불구하고, 중간구획, 광대구획 및 군턱구획 사이의 전환이 되는 이 부위에서의 의도하지 않은 깊은 박리는 볼가지 손상을 초래할 수 있다(그림 5.6).

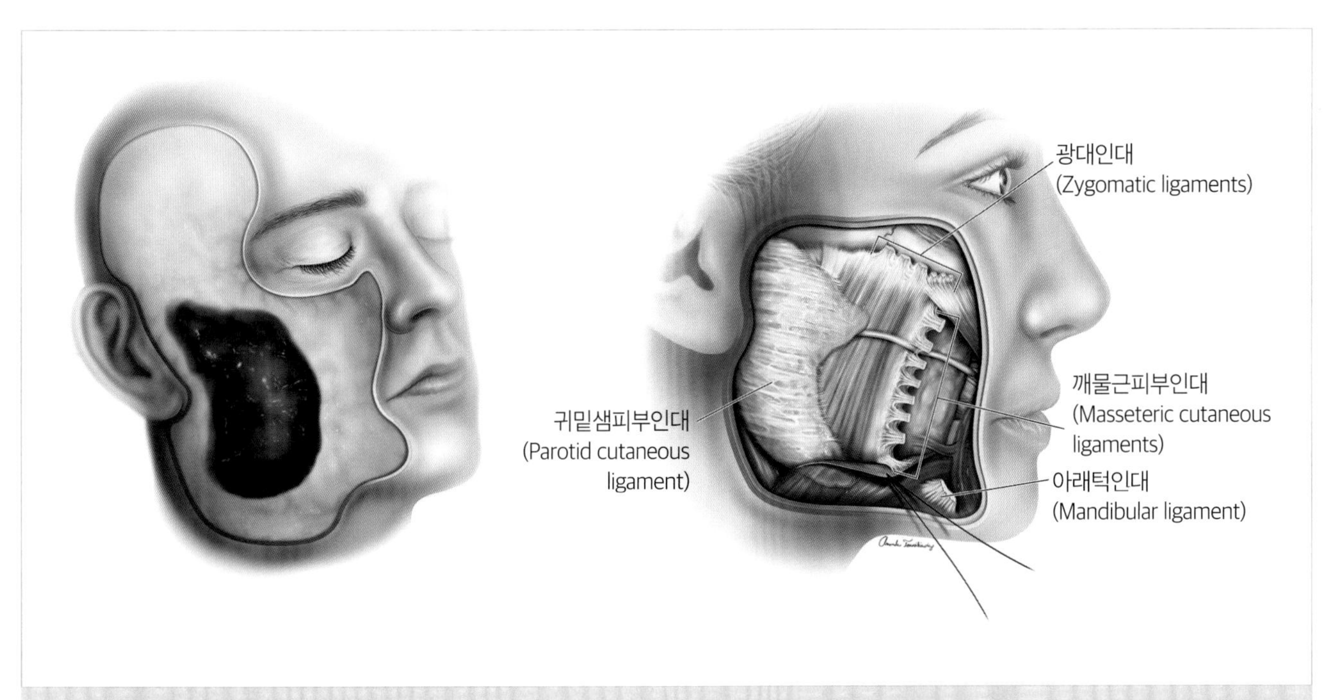

그림 5.6 (a,b) 깨물근인대는 중간지방구획을 광대지방구획(malar compartment)과 군턱지방구획(jowl compartment)으로부터 분리한다. 가쪽볼구획에서 안쪽볼구획으로 통과할 때 인대들과 혈관관통가지들을 만난다. 이 위치에서 볼가지는 깊은근막보다 깊게 위치한다. 그럼에도 불구하고, 피부밑 또는 얼굴널힘줄계밑지방이 거의 없는 마른 환자, 재수술 상황에서는 정확한 평면 식별이 어려울 수 있으며, 이는 의도하지 않은 깊은 박리와 볼가지 손상으로 이어질 수 있다. **박리가 구획들 사이를 통과할 때를 인지하고, 박리가 얼굴널힘줄계통 보다 얕게 유지되도록 한다.**

5.3 술기 요점(Technical Points)

- 정확한 박리면과 이 박리면의 얼굴신경위치면과의 관계를 명확하게 식별한다. 피부밑박리에서, 적절한 박리면은 얼굴널힘줄계통보다 얕다. 얼굴널힘줄계밑박리에서 적절한 박리면은 깊은근막보다 얕다.
- 박리가 위험구역에 근접해 있을 때를 인지하라.
- 광대가지에 있어 위험구역은 광대융기 가쪽 영역이다. 광대인대와 깨물근인대뿐 아니라 가로얼굴동맥의 관통가지들이 만나기 때문에 이 부위의 박리는 섬유성 및 혈관성일 것이다. 이 위험구역에 접근할 때, 박리면이 불분명해지면, 박리가 얼굴널힘줄계통보다 얕게 진행되고 있는 것을 보장받기 위해, 이 영역 머리 쪽과 꼬리 쪽의 이미 해부학적으로 알고 있는 부위부터 박리하는 것이 안전하다.
- 깨물근의 앞쪽 경계를 따라 중간볼을 박리할 때, 중간지방구획, 광대지방구획, 군턱지방구획 사이의 전환구역을 따라 중간깨물근인대의 섬유를 만나게 된다. 이 인대 부착(adherence)도 적절한 박리면의 식별을 어렵게 만들 수 있다. 얼굴널힘줄계통보다 얕게 박리를 진행하면 부주의에 의한 운동가지 손상을 방지할 수 있다.
- 확대얼굴널힘줄계박리술(extended SMAS dissection)을 수행할 때, 귀밑샘, 귀밑샘의 보조엽 및 큰광대근의 윗면으로부터 얕은근막(얼굴널힘줄계통)이 박리된다.
  - 얼굴널힘줄계밑박리에서 안전의 핵심은 귀밑샘피막과 깊은근막을 식별하고 이 근막층보다 깊게 박리하지 않는 것이다.
  - 안전 측면에서 얼굴널힘줄계통의 바로 깊은 표면을 따라 박리하고, 깊은근막 위에 있는 얼굴널힘줄계밑지방을 손상 받지 않게 남겨두는 것이 도움이 된다는 것을 발견했다. 얼굴널힘줄계밑지방을 손상 받지 않게 남겨두는 것이 얼굴널힘줄계박리면과 아래에 있는 얼굴신경가지 사이에서 보호층 역할을 한다(8장 참조).

Suggested Readings

Alghoul M, Bitik O, McBride J, Zins JE. Relationship of the zygomatic facial nerve to the retaining ligaments of the face: the Sub-SMAS danger zone. Plast Reconstr Surg. 2013; 131(2):245e–252e Baker DC, Conley J. Avoiding facial nerve injuries in rhytidectomy. Anatomical variations and pitfalls. Plast Reconstr Surg. 1979; 64(6):781–795

Mendelson BC, Muzaffar AR, Adams WP, Jr. Surgical anatomy of the midcheek and malar mounds. Plast Reconstr Surg. 2002; 110(3):885–896, discussion 897–911

Mendelson BC, Jacobson SR. Surgical anatomy of the midcheek: facial layers, spaces, and the midcheek segments. Clin Plast Surg. 2008; 35(3):395–404, discussion 393

Roostaeian J, Rohrich RJ, Stuzin JM. Anatomical considerations to prevent facial nerve injury. Plast Reconstr Surg. 2015; 135(5):1318–1327

Seckel B. Facial Nerve Danger Zones. 2nd ed. Boca Raton, FL: CRC Press; 2010

Skoog T. Plastic Surgery- New Methods and Refinements. Philadelphia: WB Saunders; 1974 Stuzin JM, Baker TJ, Gordon HL. The relationship of the superficial and deep facial fascias: relevance to rhytidectomy and aging. Plast Reconstr Surg. 1992; 89(3):441–449, discussion 450–451

Tzafetta K, Terzis JK. Essays on the facial nerve: Part I. Microanatomy. Plast Reconstr Surg. 2010; 125(3):879–889

6. 얼굴신경의 모서리가지와 목가지 보호
(Protecting the Marginal and Cervical Branches of the Facial Nerve)

- *James M. Stuzin* / 허준 역

초록

모서리가지와 목가지는 아랫입술의 움직임과 아랫입술내림근 기능(lower lip depressor function)을 조정하는 작용을 한다. 모서리가지는 입꼬리내림근(depressor anguli oris), 아랫입술내림근(inferioris), 턱끝근(mentalis) 및 입둘레근(orbicularis oris)을 신경지배하고, 목가지는 넓은목근(plastyma)을 신경지배한다. 신경가지들 사이에 많은 상호 연결이 있어, 근육 움직임을 조정한다. 모서리가지는 깊은근막(deep fascia)보다 깊게 위치하는 반면, 목가지는 더 얕게 얼굴널힘줄계밑평면(sub-SMAS)에 위치하므로, 넓은목근보다 깊은 박리는 운동가지 손상을 초래할 수 있다. 목가지 손상의 위험구역은 중간지방구획(middle fat compartment)과 군턱지방구획(jowl fat compartment) 사이의 전환 지점에 위치하며, 이 구획을 나누는 꼬리깨물근인대(caudal masseteric ligament)에 인접해 있다.

키워드: 위험구역(danger zones), 모서리가지 및 목가지(marginal and cervical branch), 얼굴신경 손상(facial nerve injury)

요점

- 얼굴신경의 모서리가지와 목가지의 2차원적인 가지내기 양상(branching pattern)은 가변적이어서, 볼과 목에서 박리할 때 정확한 신경 위치를 확인하기 어렵다.
- 3차원 기반에서, 모서리가지와 목가지의 위치와 깊이는 일정하고 예측 가능하다.
- 박리 평면과 이들 신경가지가 손상 받기 쉬운 위험구역에 대한 3차원적 해부 관계를 이해하면, 얼굴 노화의 외과적 회춘술을 할 때 의인성 손상을 예방할 수 있다.
- 목가지 손상의 위험이 가장 큰 곳은 아래턱각(angle of the mandible)부위에서, 깨물근인대의 꼬리부위에 인접한 아래턱 경계를 따라 있다.
- 볼에서 목 쪽으로 박리할 때 박리가 피부밑에서 넓은목근보다 얕게 유지되도록 한다.

6.1 안전 고려사항(Safety Considerations)

- 모서리가지와 목가지 모두 얕은근막(얼굴널힘줄계통)과 넓은목근보다 깊게 위치한다.
- 얼굴널힘줄계통과 넓은목근보다 얕게 하는 피부밑박리는 안전하다. 얼굴널힘줄계통과 넓은목근의 정확한 식별이 피부밑 평면을 분명하게 한다.
- 목가지가 모서리가지보다 더 얕아, 더 자주 손상된다.
- 목가지는 꼬리깨물근인대와 인접한 아래턱각부위를 따라 넓은목근에 신경 분포를 하는 곳에서 손상의 위험이 가장 크다.
- 꼬리깨물근인대는 깨물근에서 넓은목근을 통해 그 위에 있는 피부로 연장되기 때문에, 볼에서 목부위로 박리할 때 이들 섬유와 마주치면 적절한 평면 식별이 안 될 수 있다. 이 위치에서 목가지는 얕게 위치하기 때문에, 넓은목근보다 깊은 부주의한 박리가 운동가지 손상을 초래할 수 있다.
- 목가지는 또한 이 신경이 깊은근막을 관통하는 곳인 귀밑샘의 꼬리(tail of parotid) 앞쪽에서 얼굴널힘줄계밑박리 중에 손상될 수 있다. 이 부위에서 얼굴널힘줄계통을 들어올릴 때(elevation) 둔탁

한박리(blunt dissection)를 하면 신경 손상을 예방하는 데 도움이 된다.

- 넓은목근의 근육내 목가지는 목의 지방을 제거(defatting)하는 동안 넓은목근으로의 부주의한 박리에 의해 손상될 수 있다. 이러한 유형의 손상은 일반적으로 일시적이며 빠르게 치유된다. 주요 목가지의 손상은 종종 회복하는 데 4-8주가 필요하다.
- 모서리가지는 볼에서 깊은근막보다 깊이 깊숙이 위치하며, 손상은 드물다.

6.2 관련해부학(Pertinent Anatomy) (동영상 6.1)

- 얼굴신경의 모서리가지와 목가지는 해부학적, 기능적으로 서로 연결되어 있어 아랫입술 근육을 움직일 때 함께 작동한다. 목가지와 모서리가지 사이의 교차 신경 연결은 사체 해부에서 자주 관찰되며 이 두 신경가지가 아랫입술 기능을 조정하기 위해 어떻게 교류하는 지를 보여준다(그림 6.1).
- 일반적으로, 목가지는 넓은목근에 대해 주된(dominant) 신경지배를 하고, 모서리가지는 입꼬리내림근, 아랫입술내림근, 턱끝근 및 입둘레근에 대해 주된 신경지배를 한다.
- 볼과 목에서 피부밑 또는 얼굴널힘줄계통/넓은목근 밑 박리를 진행할 때 안전의 핵심은 볼과 목을 가로지르는 신경가지의 깊이를 정확하게 이해하는 것이다.
- 모서리가지의 깊이: 모서리가지는 귀밑샘의 꼬리 앞쪽에서 나온 후 얼굴널힘줄계밑지방에 싸여 깊은근막보다 깊게 있다. 약해진 사체에서도 귀밑샘의 꼬리 바로 앞에 있는 모서리가지 위로 얼굴널힘줄계밑지방의 존재가 보이며, 신경 위치에 대한 귀중한 지표 역할을 한다.

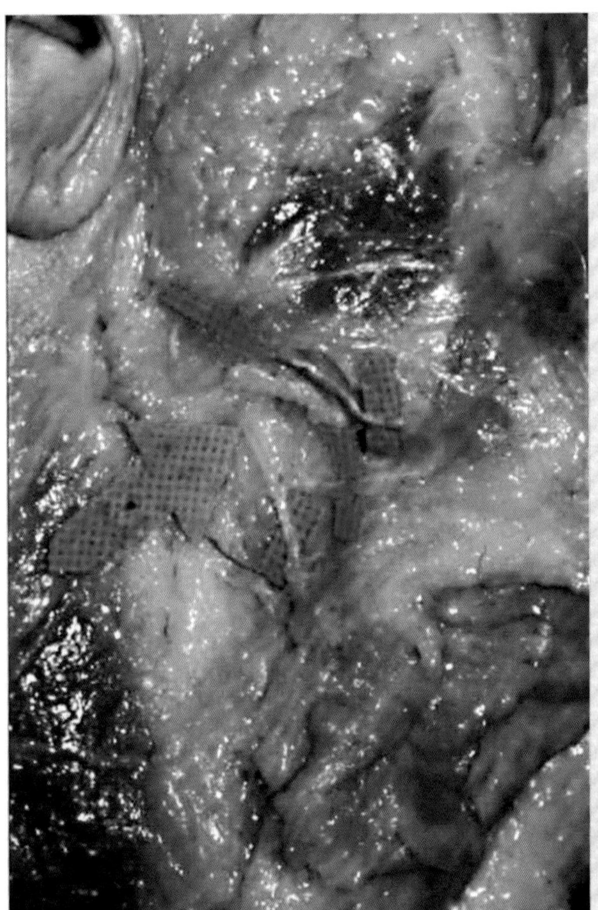

그림 6.1 이 사체 사진은 모서리가지와 목가지 사이의 연결을 보여준다. 큰 화살표는 목가지를 가리키고 작은 화살표는 더 깊이 위치한 모서리가지를 나타낸다. 이들 가지 사이의 상호 연결은 일반적으로 이들 신경이 근육 움직임 중에 상호 교류하는 기능으로 알려져 있다.

- 모서리가지는 아랫입술로 향해 갈 때, 깊은근막보다 깊게 위치하며, 얼굴동맥과 정맥 위로 얕게 가로질러, 깨물근과 아래턱의 깊은근막에 의해 단단하게 결속된다(그림 6.2).
- 모서리가지는 아랫입술을 향해 말초(peripherally)부로 내려가, 아랫입술의 내림근에 도달할때까지 깊은근막보다 깊이 놓여 있다. 이 위치(입꼬리내림근 시작부)에서 모서리가지는 깊은근막을 관통하고 아랫입술내림근의 깊은 표면을 따라 신경을 분포시킨다. 대부분의 모방근과는 다르게 얕은 표면을 따라 신경이 분포되는 턱끝근을 향해, 일부 가지들은 깊게 주행한다(그림 6.3).
- 목가지의 깊이: 목가지들의 수와 위치에는 상당한 변동성이 있다. 귀밑샘의 꼬리 앞쪽에서 나온 후,

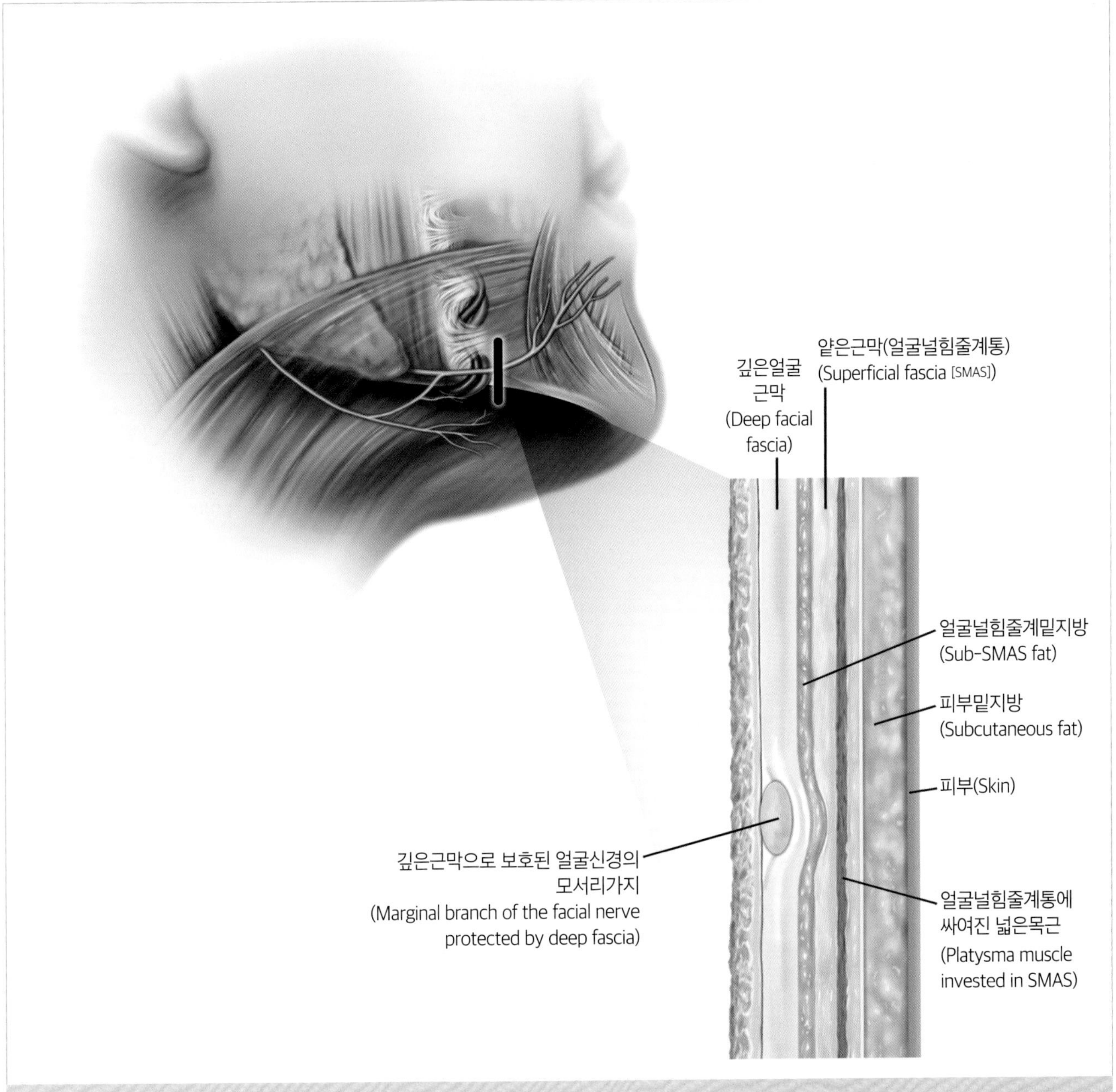

그림 6.2 모서리가지를 아래턱 경계를 따라 얼굴동맥과 정맥 바로 앞에서 자른 단면 삽화로 나타내었다. 이 위치에서는 모서리가지는 깊은 근막보다 깊게 자리 잡고 있다. 깊은 표면(deep surface)을 따라 신경이 분포되는 입꼬리내림근과 아랫입술내림근에 도달할 때까지 모서리가지는 상대적으로 보호되는 깊은 위치를 유지한다.

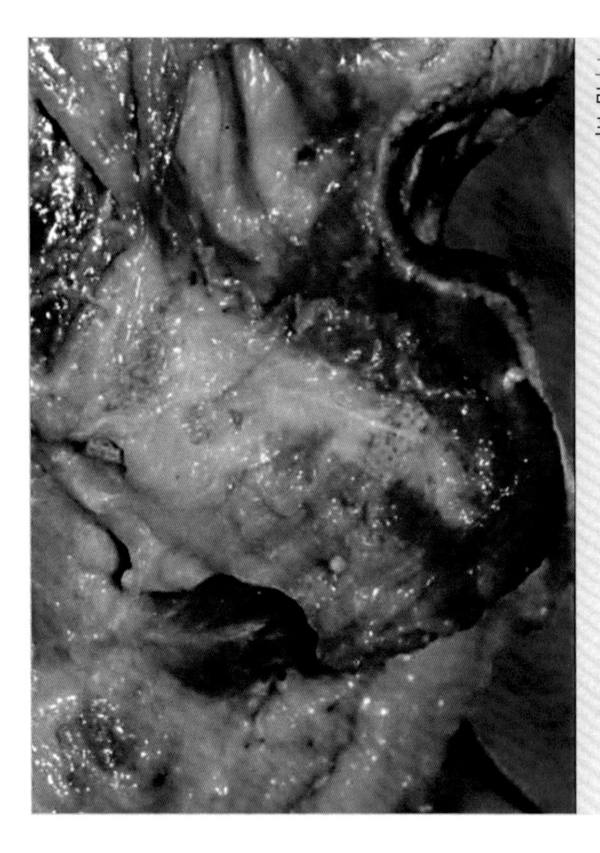

그림 6.3 이 사체 사진은 입꼬리내림근, 아랫입술내림근보다 깊게 있는 모서리가지를 나타낸다. 입증된 바와 같이, 이 근육들은 깊은 면을 따라 신경이 분포된다.

목가지는 깊은근막을 관통하여 얼굴널힘줄계밑평면 내에서 주행하고, 넓은목근의 깊은 면과 아래에 있는 깊은얼굴근막 사이에 위치한다.

- 모서리가지에 인접하여 이동할 때에도 목신경은 얼굴널힘줄계밑평면 내에서 주행하기 때문에, 목가지는 모서리신경보다 얕게 놓이게 되고, 박리가 부주의하게 넓은목근보다 깊게 진행되면 의인성 손상을 받을 위험이 더 크다. 이러한 해부학적 사실은 모서리가지 손상의 희소함에 비해 높은 목가지 손상의 빈도로 설명된다(그림 6.4 a, b, 그림 6.5).

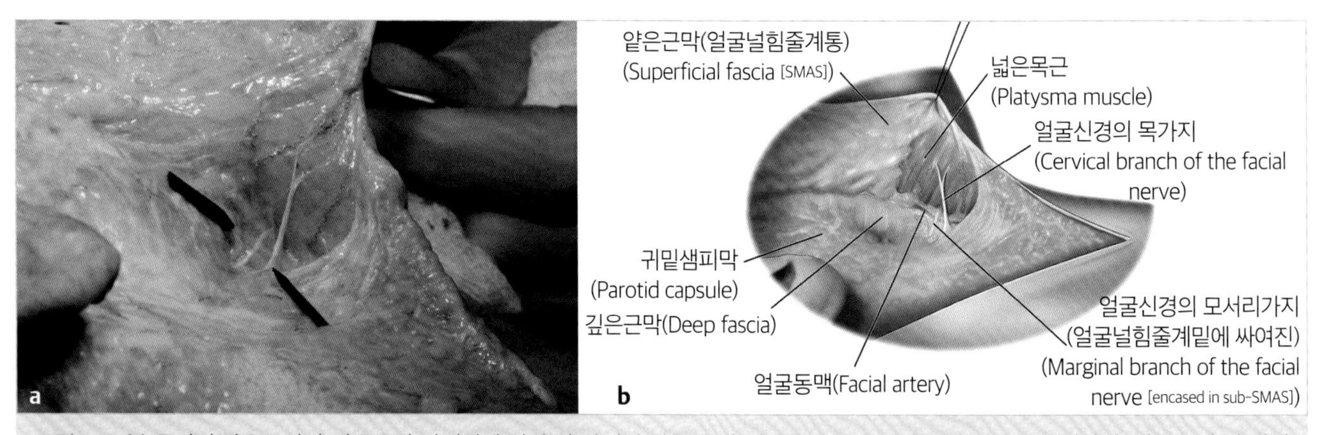

그림 6.4 **(a)** 목가지(얕은근막과 깊은근막 사이면에 위치)와 아래턱 각을 따라 깊은근막보다 깊게 놓여 있는 모서리가지, 얼굴동맥 및 정맥과의 관계를 보여주는 사체 해부(위쪽 화살표). 아래쪽 화살표는 목가지가 넓은목근(집게[forcep])에 신경을 분포시키는 곳을 가리킨다. 이 위치에서 넓은목근보다 깊게 박리하면 운동가지 손상이 발생할 수 있다. **(b)** 아래턱 각을 따라 얕은근막과 깊은근막 사이에 위치한 목가지의 얕은 위치를 보여주는 화가의 삽화. 모서리가지, 얼굴동맥 및 정맥은 이 위치에서 깊은근막보다 깊게 놓여 있다.

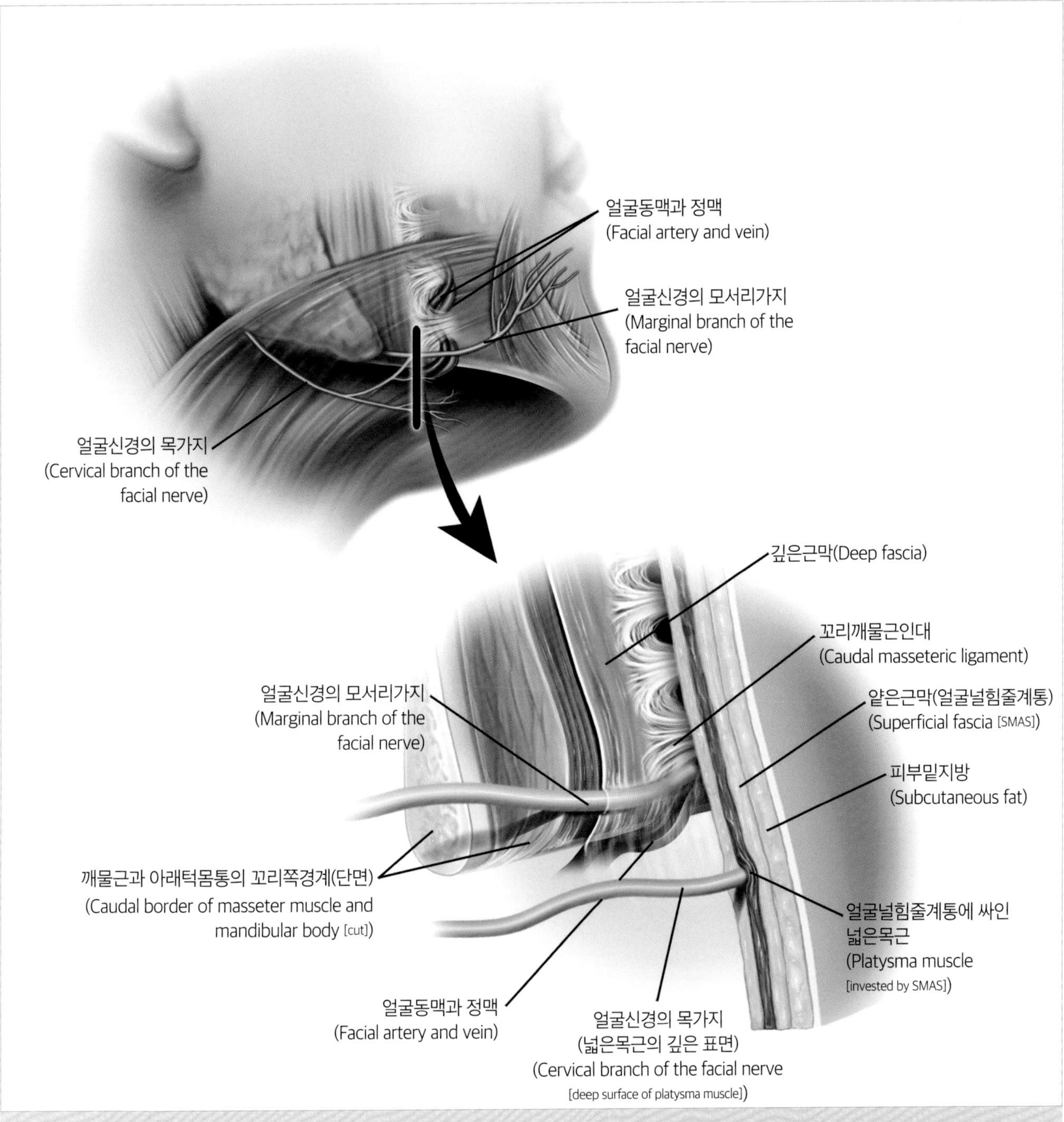

그림 6.5 아래턱각부위에서 모서리가지와 목가지의 상대적 깊이를 나타내는 단면도. 이 위치에서 피부를 꼬리깨물근에 결합시키는 꼬리깨물근인대와의 근접함에 주목하라. 깊게 위치한 모서리가지는 이 위치에서 상대적으로 보호되는 반면, 얕게 위치한 목가지는 의도하지 않은 깊은 박리로부터 더 큰 위험에 처해 있다.

6.3 위험구역과 임상적 연관성(Danger Zones and Clinical Correlations)

6.3.1 목가지(Cervical Branch)

- 지형학적으로, 깨물근의 꼬리쪽 경계는 의도하지 않은 목가지 손상에 대한 위험구역이다. 이에 대한 해부학적 근거는 꼬리깨물근인대는 실체가 있고, 이 인대로 인해 턱선과 아래턱경계부위에서, 깊은

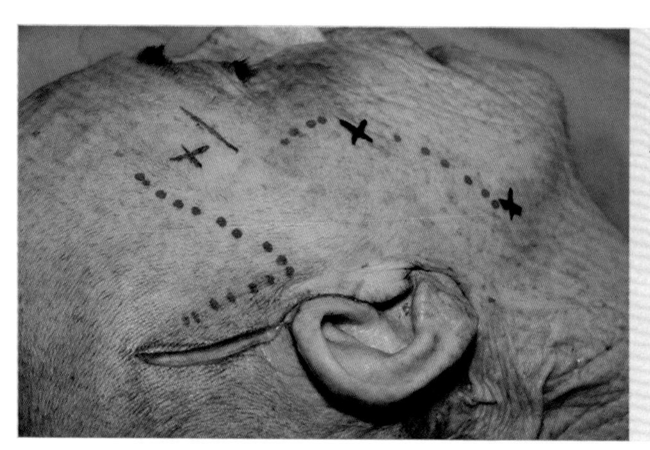

그림 6.6 아래쪽 X는 목가지 손상의 위험구역을 표시한다. 이 부위는 꼬리깨물근인대와 아래턱각에 의해 구분된다. 목가지는 일반적으로 이 부위에서 넓은목근보다 바로 깊게 위치하고, 얕은근막과 깊은근막 사이면에서 있다.

근막과 깨물근에 피부와 넓은목근이 단단하게 결합한다는 것이다(그림 6.6).

- 목가지는 피부밑지방이 거의 없는 마른 환자에서 손상 위험이 가장 크다.
  - 아래턱 경계부를 따라 볼에서 목을 향해 아래쪽으로 박리할 때 꼬리깨물근인대에 의해 정의되는 신경 손상의 위험구역을 만난다. 이 부위의 인대의 밀도 때문에, 적절한 박리면을 식별하기 어려울 수 있다.
  - 당신은 이 "위험구역"을 본인의 턱선에서 느낄 수 있다. 이를 꽉 깨물고 깨물근의 앞쪽 경계의 꼬리면을 따라 집게 손가락을 놓는다. 앞쪽 경계선을 따라 피부를 잡고(pick up), 턱선과 아래턱뼈를 따라 피부를 아래로 꼬집었을 때(pinch) 피부가 어떻게 고정되어 있고 볼의 위쪽보다 이동성이 훨씬 적은지를 알 수 있다. 이 부위의 부착은 깨물근인대의 가장 꼬리쪽 섬유를 보여주고, 이것은 피부와 넓은목근 사이의 피부밑박리를 어렵게 만들 수 있다.
  - 많은 환자에서 보통 이 지점에서 목가지가 넓은목근의 깊은 면으로 들어가므로 이 "구역"에서 넓은목근을 관통하여 박리가 진행되면 목가지의 손상이 발생할 수 있다.
- 다행히도, 모서리가지는 이 위치에서 깊은근막에 의해 아래턱과 깨물근에 결합되어 보호된다.
- 신경 회복 측면에서, 모서리신경이 아래입술 내림근 기능의 주된 신경이기에, 일반적으로 목가지는 손상 4-8주 후에 완전한 회복을 보인다.
- 얼굴널힘줄계통피판을 들어올리거나 넓은목근창냄술(platysma window procedure)을 할 때도 목가지는 손상될 수 있다. 안전의 핵심은 귀밑샘과 앞목빗근(anterior SCM)을 덮고 있는 얼굴널힘줄계통을 신중하게 박리하는 것이다. 얼굴널힘줄계피판을 앞쪽으로 들어올리기 때문에, 목가지의 정확한 식별이 필수적이며, 신경가지 손상을 피하기 위해 귀밑샘과 목빗근의 앞쪽 성긴평면(areolar plane)에서는 둔탁한박리(blunt dissection)를 한다.

6.3.2 모서리가지(Marginal Branch)

- 모서리가지는 깊게 위치하고 있기 때문에 피부밑 혹은 얼굴널힘줄계밑박리를 할 때 손상되는 경우는 드물다. 피부밑 또는 얼굴널힘줄계밑박리에서 깊은근막의 평면이 훼손되지 않는 한, 모서리가지 손상은 방지된다.
- 얼굴널힘줄계밑박리/넓은목근창냄술의 안전성 측면에서, 귀밑샘의 꼬리와 목빗근의 앞쪽 경계를 따라 있는 유지인대로부터 얼굴널힘줄계통을 해제(release)한 후, 앞쪽으로 얕은근막과 깊은근막 사이에서 성긴평면을 만난다.

- 귀밑샘의 꼬리 앞쪽으로 박리가 진행됨에 따라, 깊은근막보다 깊이 자리 잡고 있고, 모서리가지의 위치를 나타내는 얼굴널힘줄계밑지방을 쉽게 식별할 수 있다(그림 6.4).
- 대부분의 환자에서, 모서리가지는 이 얼굴널힘줄계밑지방으로 싸여 있기 때문에 얼굴널힘줄계밑박리에서 분명하게 보이지 않는다. 앞서 언급했듯이, 신경 손상 예방의 핵심은 수술적 박리 시 깊은근막을 침범하지 않는 것이다.
- 귀밑샘과 목빗근의 앞쪽에서 느슨한 성긴층을 식별한 후, 얕은근막과 깊은근막 사이로 부드럽고 둔탁한박리로 얼굴널힘줄계통/넓은목근피판을 적절히 분리하여 모서리가지와 목가지를 모두 보호한다.

6.4 요약(Summary)

다른 얼굴신경가지와 마찬가지로 운동가지 손상을 방지하는 핵심은 박리면을 정확하게 식별하고, 박리면과 얼굴신경 위치면과의 관계를 이해하는 것이다. 목가지는 얼굴당김술에서 가장 흔히 손상되는 가지이다. 이것은 목가지가 귀밑샘을 나온 후, 얕은근막과 깊은근막 사이면에 위치하며, 넓은목근의 바로 깊이 위치한다는 해부학적 사실에서 기인한다. 피부밑박리를 할 때에는 넓은목근보다 깊은 부주의한 박리는 피해야 한다. 이 가지들이 넓은목근의 깊은 면으로 들어간 후, 근육사이로 주행하기에, 근육의 앞쪽(특히 아래턱 경계 영역을 따라)으로 박리하는 경우에도 일시적인 아랫입술 약화를 유발할 수 있다. 이는 턱끝밑(submental) 목박리와 지방 제거 중에 가장 흔하게 발생한다. 다행히도, 모서리가지가 주된 신경이기에, 이 마비는 일시적이다. 목의 지방을 제거할 때 안전의 핵심은 넓은목근의 얕은 표면을 인식하고 이 근육 위에 있는 근막을 그대로 두는 것이다.

Suggested Readings

Baker DC, Conley J. Avoiding facial nerve injuries in rhytidectomy. Anatomical variations and pitfalls. Plast Reconstr Surg. 1979; 64(6):781–795

Dingman RO, Grabb WC. Surgical anatomy of the mandibular ramus of the facial nerve based on the dissection of 100 facial halves. Plast Reconstr Surg Transplant Bull. 1962; 29:266–272 Freilinger G, Gruber H, Happak W, Pechmann U. Surgical anatomy of the mimic muscle system and the facial nerve: importance for reconstructive and aesthetic surgery. Plast Reconstr Surg. 1987; 80(5):686–690

Roostaeian J, Rohrich RJ, Stuzin JM. Anatomical considerations to prevent facial nerve injury. Plast Reconstr Surg. 2015; 135(5):1318–1327

Seckel B. Facial Nerve Danger Zones. 2nd ed. Boca Raton, FL: CRC Press; 2010

Stuzin JM, Baker TJ, Gordon HL. The relationship of the superficial and deep facial fascias: relevance to rhytidectomy and aging. Plast Reconstr Surg. 1992; 89(3):441–449, discussion 450–451

Tzafetta K, Terzis JK. Essays on the facial nerve: Part I. Microanatomy. Plast Reconstr Surg. 2010; 125(3):879–889

7. 큰귓바퀴신경(Great Auricular Nerve)

- *James M. Stuzin* / 허준 역

초록

큰귓바퀴신경은 귓불(earlobe)과 가쪽볼을 지배하는 감각신경가지이다. 아마도 얼굴당김술(facelift)을 할 때 가장 흔히 다치는 신경일 것이다. 우발적 손상을 피하는데 있어 핵심은 이 신경이 가쪽목을 가로지르는 곳에서, 얕은목근막(superficial cervical fascia)과 목빗근(SCM), 큰귓바퀴신경이 이루는 3차원적인 관계에 대한 이해다. 이번 장에서는 큰귓바퀴신경의 해부에 대해 설명하고 부주의한 손상을 방지하는 방법에 대해 강조한다.

키워드: 큰귓바퀴신경 위험구역(danger zone great auricular nerve), **큰귓바퀴신경 손상**(great auricular nerve injury)

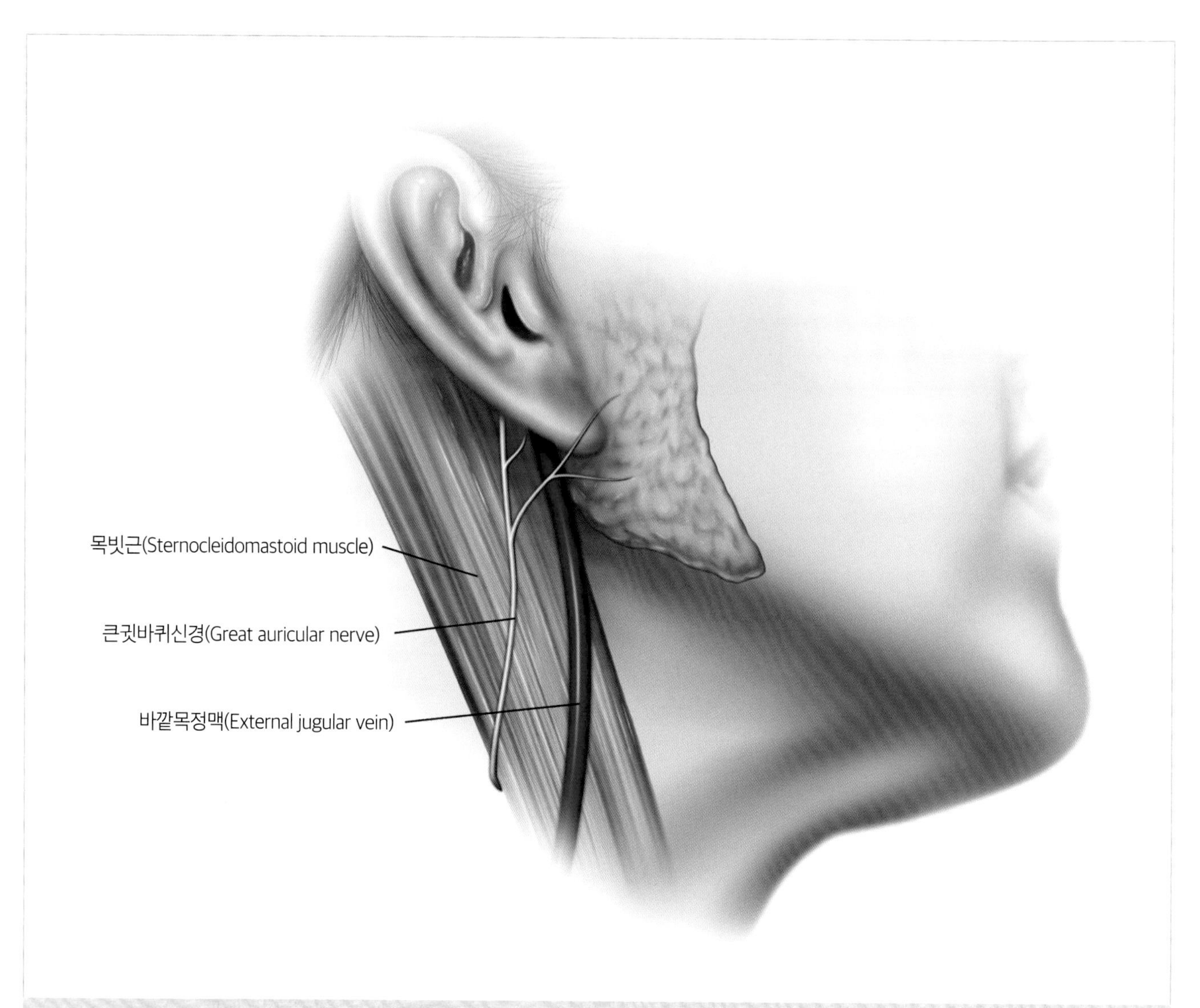

그림 7.1 큰귓바퀴신경은 목신경얼기(cervical plexus)의 가지이며, 귓불과 가쪽볼의 감각신경을 담당한다. 일반적으로 귓불로 가는 가지와 앞쪽, 뒤쪽 가지로 구성된다. 큰귓바퀴신경은 바깥목정맥의 가쪽에 위치한다.

요점

- 큰귓바퀴신경은 목신경얼기(cervical plexus)에서 유래한 감각신경가지이며, 목신경얼기는 C2와 C3로부터 신경지배를 받는다. 큰귓바퀴신경은 귀밑샘앞(preparotid)부위, 아래귀(lower ear) 및 귓불의 피부 감각을 담당한다.
- 큰귓바퀴신경의 손상은 이 부위들의 무감각을 유발하고, 경우에 따라서는 신경종을 형성하여 고통스러운 감각이상을 일으킨다.
- 큰귓바퀴신경은 항상 바깥목정맥(external jugular vein)의 가쪽에 위치하며, 이 정맥은 흔히 피부 바깥에서 볼 수 있어 유용한 지표가 된다(**그림 7.1**).
- 이 신경을 식별하는 고전적인 위치는 바깥귀길(external auditory canal)에서 아래로 6.5 cm, 목빗근의 중간을 따라 위치하는 맥키니점(McKinney's point)으로 설명한다(**그림 7.2**).
- 깊이 면에서 큰귓바퀴신경은 목빗근과 가쪽넓은목근을 덮고 있는 목근막보다 깊게 위치한다. 목빗근을 덮고 있는 목근막은 볼의 얼굴널힘줄계통과 연속되어 있다(**그림 7.3**).
- 목빗근을 덮고 있는 목근막보다 얕은피부밑박리를 통해 큰귓바퀴신경의 우발적 손상을 방지할 수 있다.

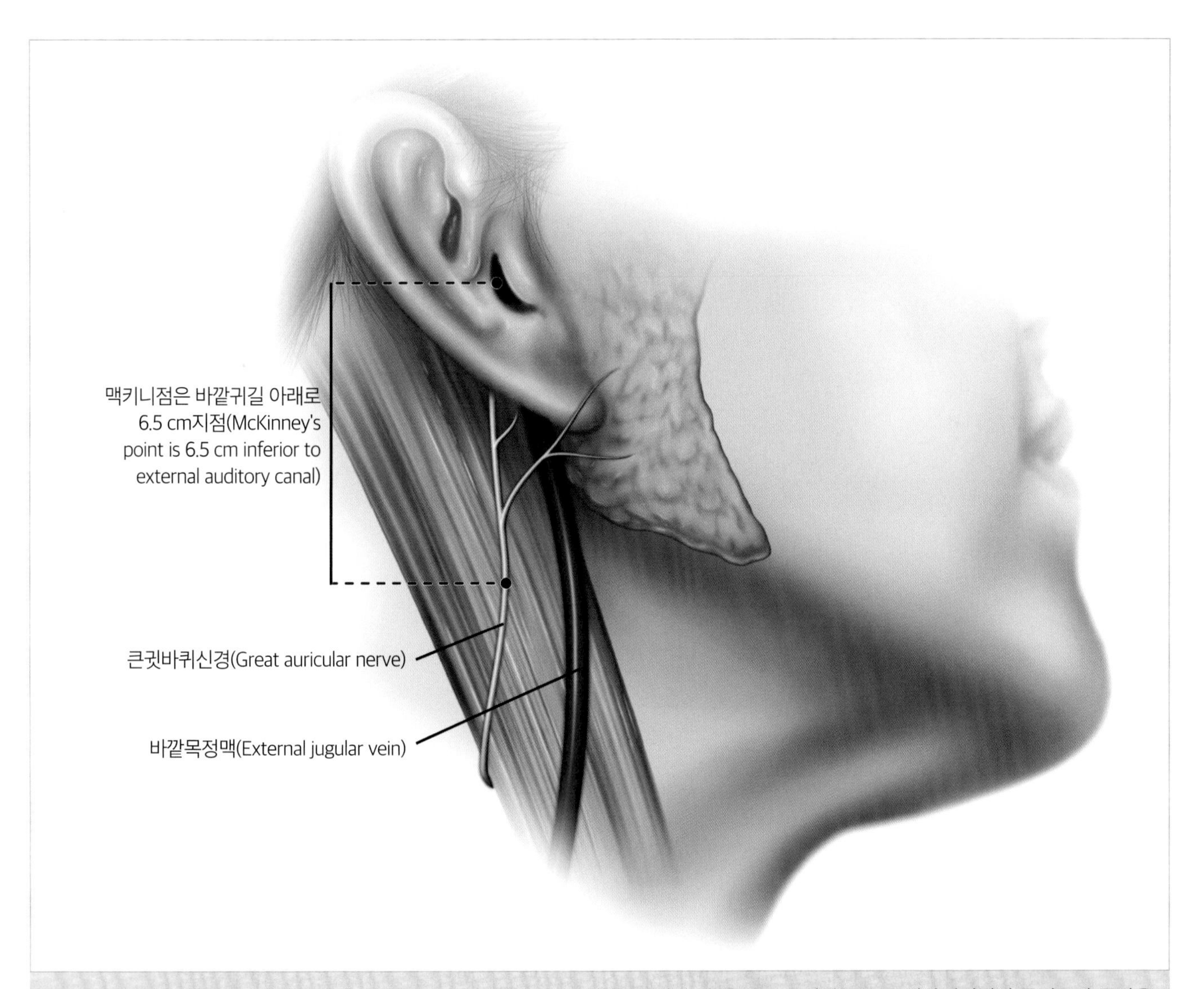

그림 7.2 맥키니점은 큰귓바퀴신경에 대한 고전적인 기준점이다. 바깥귀길에서 아래 6.5 cm 지점으로, 큰귓바퀴신경이 목빗근의 중간을 가로지르는 경계를 표시한다. 이것은 유용한 지표이지만, 박리가 부주의하게 목 근막보다 깊게 진행되면 어느 지점에서든 큰귓바퀴신경은 손상을 입을 수 있다.

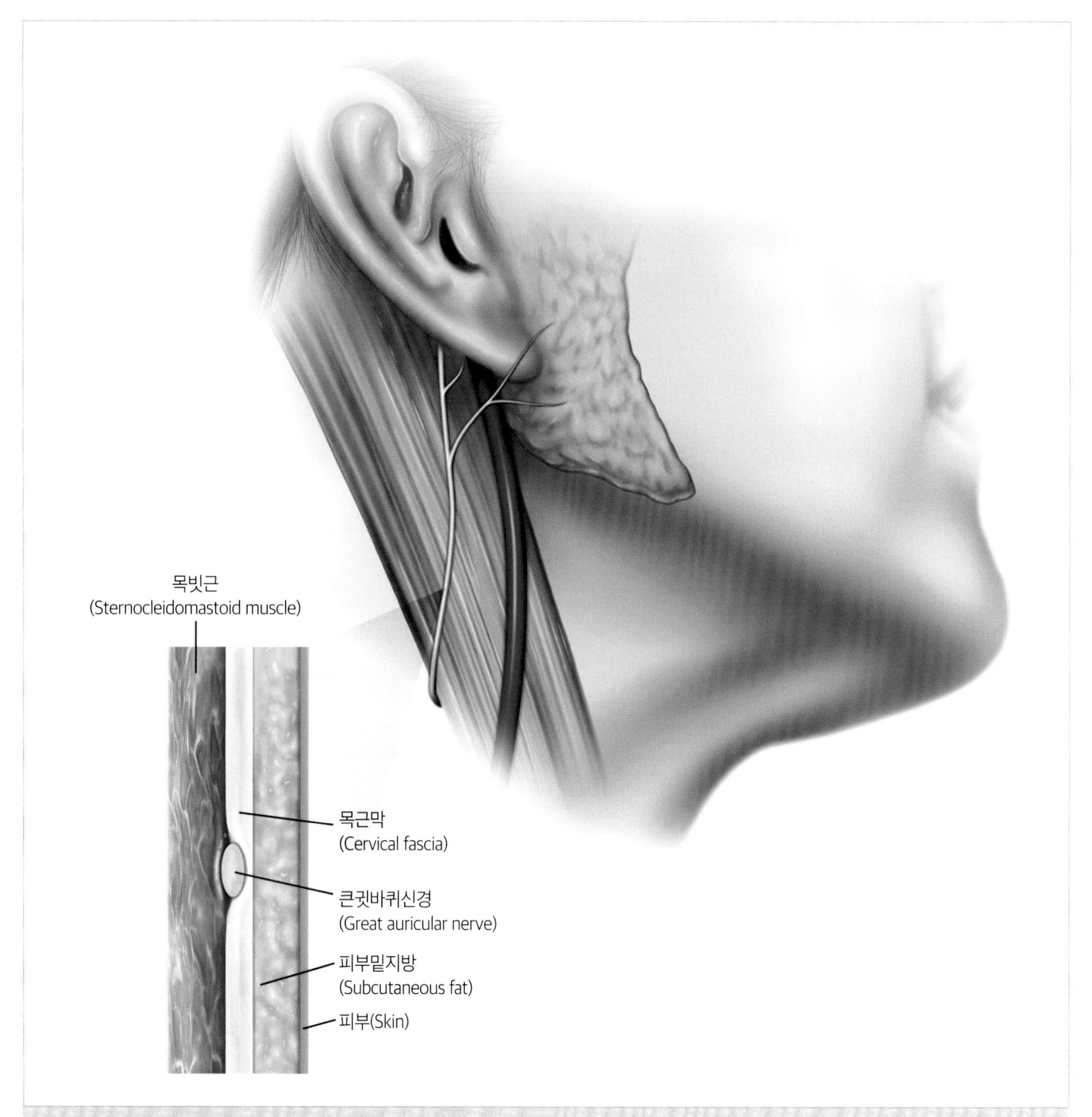

그림 7.3 큰귓바퀴신경의 손상을 예방하는 핵심은 신경의 깊이와 비교하여 박리의 깊이를 정확히 파악하는 것이다. 가지내기 양상(branching pattern)의 변동에도 불구하고, 큰귓바퀴 신경은 항상 목빗근을 덮고 있는 목근막보다 깊게 위치한다. 박리가 목근막보다 얕게 유지되는 한 신경 손상을 예방할 수 있다.

7.1 안전 고려사항(Safety Considerations)

- 귓바퀴뒤(postauricular)부위에서 박리할 때, 목빗근을 덮고 있는 근막을 인지하고, 이 근막층보다 깊게 박리하지 않는다.
- 박리하는 중에 목빗근의 섬유가 노출되면, 박리면이 의도치 않게 깊어졌다는 것을 알 수 있다.
- 큰귓바퀴신경은 목빗근의 뒤쪽 경계를 따라 귓바퀴뒤박리를 할 때 가장 위험하다. 이 부위에서, 목

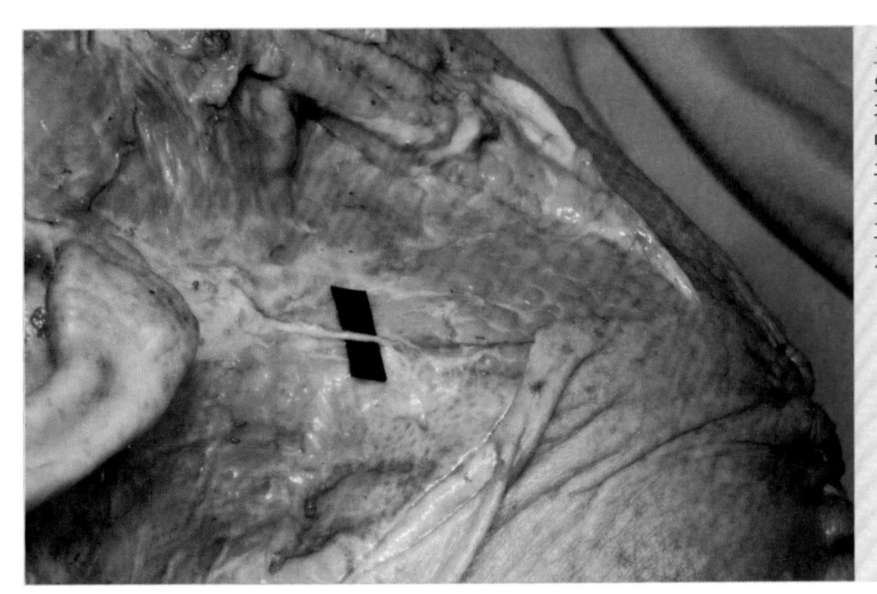

그림 7.4 목빗근 위에 놓여 있는 큰귓바퀴신경의 경로를 보여주는 사체 사진. 맥키니점은 이 감각 가지의 경로에 대한 고전적인 기준점이지만, 이 신경의 수직적인 궤적과 목빗살근과의 관계 측면에서 변동성이 있다. 3차원적 해부학 구조는 일정하며, 큰귓바퀴신경은 항상 목빗근과 넓은목근을 덮고 있는 목근막보다 깊게 위치한다.

피부는 일반적으로 목빗근에 들러붙어 있으며, 많은 환자에서 이 부위 피부밑지방이 희박하여 박리면 식별을 어렵게 만든다.

- 큰귓바퀴신경의 가지내기 양상은 환자마다 상당한 차이가 있다. 일반적으로 귓불로 가는 가지뿐만 아니라 앞쪽 및 뒤쪽 가지가 있다. 이 가지들은 귓불쪽으로 들어갈 때 더 얕아지며 자주 관찰된다.
- 맥키니점은 큰귓바퀴신경의 경로를 식별하는 데 유용한 지표이지만, 목빗근의 중간 부분과 이 신경의 관계 측면에서 환자에 따라 변동성이 있다. 일부 환자, 특히 수직으로 긴 목을 가진 환자에서, 큰귓바퀴신경은 목의 낮은 부분에서 목빗근의 중간을 가로질러 목빗근의 앞쪽 경계를 따라 위치하게 된다. 이 앞쪽 위치에서, 얼굴널힘줄계밑박리 및 넓은목근창냄술을 할 때 큰귓바퀴신경은 위험한 상태에 있다(그림 7.4).

7.2 위험구역과 임상적 연관성-관련해부학

(Danger Zones and Clinical Correlation-Pertinent Anatomy)

- 목빗근의 뒤쪽 경계를 따라 에르브점(Erb's Point)을 나온 후, 큰귓바퀴신경은 목빗근을 가로질러 귀를 향해 주행한다.
- 대부분의 환자에서 귓불 소엽으로 가는 가지뿐만 아니라 앞쪽 및 뒤쪽 가지가 보인다. 이 가지들은 목에서 위로 올라갈수록 더 얕아진다. 소엽에 인접하게 박리할 때 신경가지를 만나는 것은 드문 일이 아니다.
- 큰귓바퀴신경이 바깥귀길 아래 6.5 cm위치에서 목빗근의 중간힘살(midbelly)을 가로지른다고 고전적으로 가르쳐왔지만, 목빗근과 관련한 신경의 위치에 대해서는 어느 정도 환자마다 변동성이 있다. 그럼에도 불구하고, 모든 환자에서 이 신경가지는 얼굴널힘줄계통/넓은목근 및 목빗근을 덮고 있는 목 근막보다 깊게 위치한다.
- 귓바퀴뒤부위에서 수술을 할 때 안전의 핵심은 목빗근의 앞쪽 표면을 덮고 있는 목근막을 인식하고, 이 층보다 얕게 피부밑박리를 진행하는 것이다. 큰귓바퀴신경은 항상 목근막보다 깊게 위치하기 때문에, 박리 시 목빗근의 근섬유가 뚜렷해지면 절개면이 부주의하게 깊어진 것을 알 수 있다(그림 7.3).

7.3 술기 요점(Technical Points)

- 귓바퀴뒤부위의 박리는 섬유성(fibrous)이면서 혈관성(vascular)인 경우가 많기 때문에, 정확한 박리면, 즉 목빗근 위에 있는 목근막보다 얕은피부밑평면을 인지하는 것이 중요하다.
- 안전성 측면에서, 목근막이 손상되면 목빗근의 섬유가 노출되는 것을 알 수 있다. 근육이 보이는 경우, 부주의하게 깊게 박리가 되었음을 깨닫고, 추가적인 박리는 근막보다 얕게 한다. 피부밑 평면을 식별하기 위해 투과조명(transillumination)을 활용하는 것이 도움이 된다.
- 신경 손상의 위험이 가장 큰 영역은 목빗근의 뒤쪽 경계선을 따라 아래 목을 박리할 때다. 이 부위는 인대의 부착이 조밀하고 일반적으로 피부밑지방이 드물기 때문에, 이 위치에서 목근막보다 얕게 박리하는 것에 주의를 기울여야 한다. 박리면이 불분명한 경우 둔탁한박리를 사용하는 것이 신경 보호에 유용하다.
- 맥키니점은 유용한 지표이지만 큰귓바퀴신경이 목빗근을 가로지르는 위치에 대한 변동이 있다. 안전의 핵심은 맥키니점의 위치가 아니라 박리의 깊이를 이해하는 것이다. 큰귓바퀴신경은 항상 목근막보다 깊게 위치하기 때문에 근막보다 얕게 피부밑 평면으로 박리하면 신경 손상을 예방할 수 있다.
- 가쪽넓은목근창냄술(lateral plastyma window technique)을 하거나 가쪽넓은목근 경계를 따라 얼굴널힘줄계밑박리를 할 때, 큰귓바퀴신경이 매우 근접해 있을 수 있다는 것을 인지하는 것이 중요하다. 신경 손상을 예방하기 위한 술기적인 요점은 가쪽넓은목근을 절개한 후, 넓은목근 밑면을 따라 직접 박리하여, 박리면의 앞쪽에 위치한 신경가지들을 피하도록 하는 것이다. 가쪽넓은목근을 절개한 후 둔탁한박리를 하는 것이 유용하다(**동영상 7.1**).

동영상 7.1

Suggested Readings

McKinney P, Katrana DJ. Prevention of injury to the great auricular nerve during rhytidectomy. Plast Reconstr Surg. 1980; 66(5):675–679

Seckel B. Facial Nerve Danger Zones. 2nd ed. Boca Raton, FL: CRC Press; 2010

Baker TJ, Gordon HL, Stuzin JM. Surgical Rejuvenation of the Face. 2nd ed. St Louis, Mosby Year-Book; 1996

Stuzin JM. MOC-PSSM CME article: Face lifting. Plast Reconstr Surg. 2008; 121(1, Suppl):1–19

8. 술기 고려사항: 확대얼굴널힘줄계박리술과 가쪽얼굴널힘줄계절제술/넓은목근창냄술(Technical Considerations: Extended SMAS Dissection and Lateral SMASectomy/ Platysma Window)

- *James M. Stuzin* / 허준 역

초록

현대적인 얼굴당김술 술기의 기초는 얼굴널힘줄계통(SMAS)을 활용하여 앞볼의 얼굴지방을 가쪽볼과 광대수축부위로 재배치하여 젊었을 때 나타나는 부피의 강조부위를 복원하는 것이다. 이 장에서는 일반적으로 사용되는 두 가지 술기인 확대얼굴널힘줄계박리술과 가쪽얼굴널힘줄계절제술/넓은목근창냄술에 대해 설명하며, 얼굴당김술을 할 때 의도하지 않은 운동가지 손상을 방지하기 위한 술기와 방법에 대해 말한다.

키워드: 확대 및 높은 얼굴널힘줄계통 술기(extended and high SMAS technique), **가쪽얼굴널힘줄계절제술 및 얼굴널힘줄계포개기 술기**(lateral SMASectomy and SMAS stacking technique), **넓은목근창냄술**(platysma window technique)

요점: 확대얼굴널힘줄계박리술

- 확대얼굴널힘줄계박리술(광대지방덩이[malar fat pad]와 연속성 있는 가쪽볼얕은근막[lateral cheek superficial fascia]의 얼굴널힘줄계밑박리)이 계획된 경우, 이 수술을 성공적으로 수행하는 열쇠는 정확한 피부밑박리다.
  - 얼굴널힘줄계통의 얕은 표면을 따라 상당한 피부밑지방을 그대로 유지하면, 두꺼운 얼굴널힘줄계피판이 만들어져 술기적으로 더 쉽게 박리할 수 있다.
  - 투과조명(transillumination)은 정확한 피부 피판 박리에 도움이 된다(그림 8.1).
- 얼굴널힘줄계박리를 시작할 때 얼굴널힘줄계통과 아래에 있는 귀밑샘피막(parotid capsule) 사이의 평면을 식별하는 것이 중요하다. 박리가 앞쪽으로 진행됨에 따라 핵심사항은, 얼굴널힘줄계밑박리 시에 귀밑샘피막이나 깊은근막을 침범하지 않는 것이다. 이를 통해 귀밑샘샛길(parotid fistula)과 운동신경 손상을 방지할 수 있다.
- 가쪽귀밑샘피막에서 얼굴널힘줄계통을 앞쪽으로 들어올리면 얼굴널힘줄계밑지방이 분명해진다. 깊은근막의 얕은 표면에 얼굴널힘줄계밑지방을 그대로 둔채로 얼굴널힘줄계통의 아래 면과 얼굴널힘줄계밑지방 사이의 경계면에서 박리하면 깊은근막(deep fascia)보다 깊게 위치한 운동가지의 손상을 막는 더 큰 보호층이 된다(그림 8.2 a, b).
- 유지인대의 구속을 지나 얼굴널힘줄계통의 고정부(fixed)에서 가동부(mobile)로 이동할 때 얼굴널힘줄계밑박리의 한계범위에 도달한다.
- 일반적으로, 얼굴널힘줄계박리 범위는 귀밑샘, 가쪽광대뼈, 위깨물근인대 및 목빗근의 앞쪽경계부위에서 얕은근막을 분리하는 것이다(그림 8.3).

8.1 안전 고려사항(Safety Considerations)

- 확대얼굴널힘줄계박리술의 대부분은 얼굴신경이 보호되는 영역 위에 있다. 얼굴널힘줄계통을 들어올리는 범위 대부분은 얼굴신경가지가 보호되는 영역인 귀밑샘, 귀밑샘의 부엽 및 가쪽광대뼈 위에 걸쳐있다.
- 신경가지 손상 위험이 있는 부위는 귀밑샘의 앞쪽과 광대융기의 가쪽 영역을 따라 있다.

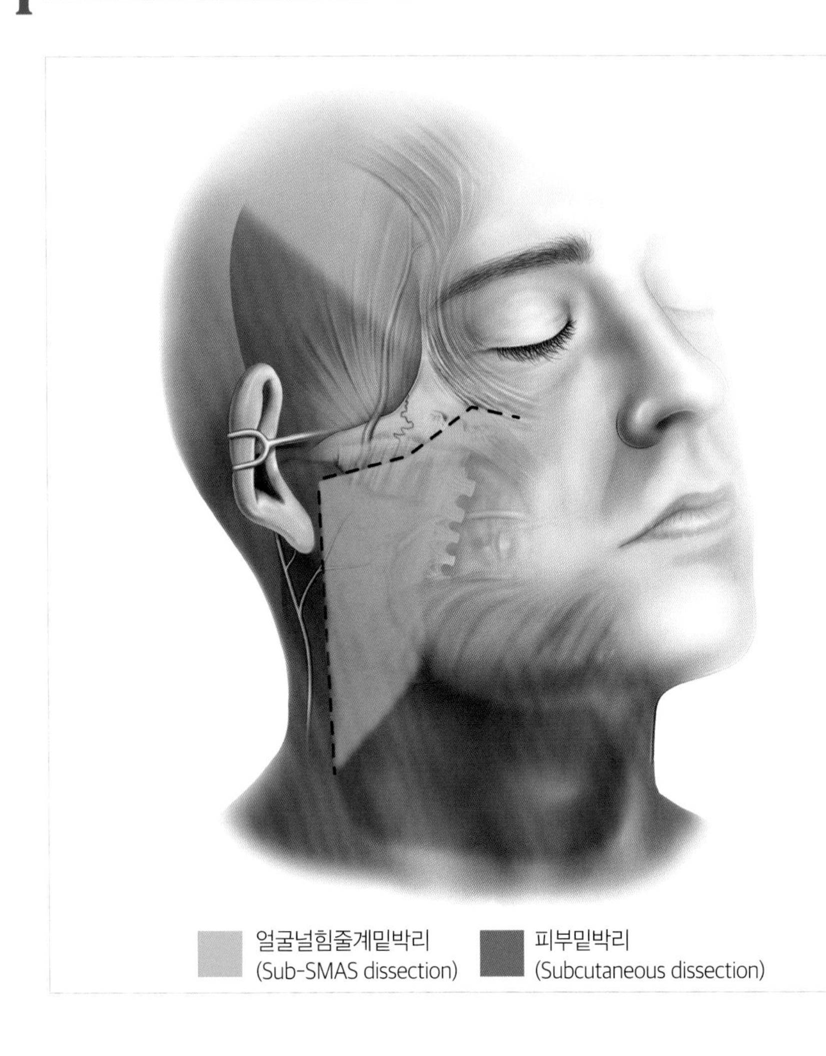

그림 8.1 확대얼굴널힘줄계박리술을 위한 절개가 이 그림에 나와 있다. 고정된 구조에서 얼굴널힘줄계통을 분리하는 데 필요한 얼굴널힘줄계밑박리의 한계범위도 표시하였다. 이 절개 도안은 가쪽볼과 광대덩이의 얼굴널힘줄계통을 유지인대의 구속에서 해제할 수 있도록 하고, 앞쪽 얼굴지방을 위쪽 가쪽볼의 수축부위로 재배치하여 젊은 사람에서 보이는 부피의 강조부위를 복원할 기회를 제공한다.

- 얼굴널힘줄계통이 귀밑샘, 가쪽광대뼈 및 위깨물근인대에 부착된 것에서 박리되면, 박리는 얼굴널힘줄계통의 가동부에 도달할 수 있다. 이 시점에서 박리는 유지인대의 구속을 지나 진행되었기 때문에 섬유성(fibrous)이 덜하다.
  - 박리가 쉬워지면, 멈춰라. 얼굴널힘줄계피판이 해제(released)된 후 시행하는 추가적인 박리로는 얼굴지방을 재배치하는 면에서의 부가적인 움직임이 거의 발생하지 않는다.
- 얼굴널힘줄계통의 가동부 안에서의 박리를 제한하는 것이, 볼의 앞쪽 영역에서 더 많이 발생하는 운동 신경 손상의 위험도 최소화한다.
- 광대뼈 바로 가쪽에서, 박리를 필요로 하는 얼굴널힘줄계통은 가쪽볼에서 큰광대근의 얕은 표면을 따라 위쪽으로 가면서 얇아지는 경향이 있다. 이 부위에서 위깨물근인대(upper masseteric ligament)와 가로얼굴동맥(transverse facial artery)을 만난다. 운동가지를 보호하고, 위깨물근인대로부터 박리되는 얼굴널힘줄계피판을 찢지 않기 위해, 이 박리 영역에서 정확한 평면 식별에 대한 주의가 필수적이다(그림 8.2 b).
- 얼굴널힘줄계통이 위깨물근인대에서 박리되면, 얼굴널힘줄계통의 가동부가 나타난다. 박리는 섬유성이 적어지며, 종료되어야 한다. 이러한 박리의 제한부위는 나란히 놓여있는 광대신경가지의 바로 머리 쪽이다. 이 위치에서 광대신경가지는 일반적으로 얼굴널힘줄계통과 깊은근막 사이의 평면에 위치한다.

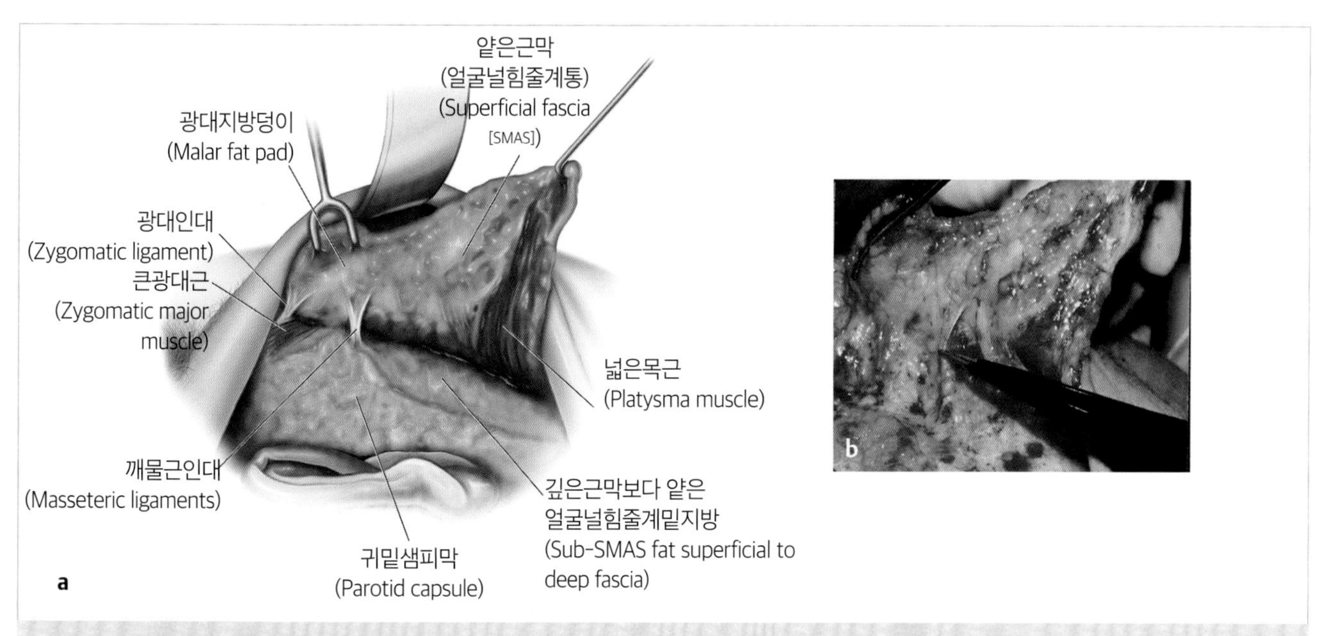

그림 8.2 **(a)** 얼굴널힘줄계박리의 핵심은 얕은근막과 깊은근막 사이면을 정확하게 식별하는 것이다. 귀밑샘피막은 깊은근막을 나타내므로, 처음 절개 후에 박리를 귀밑샘피막층보다 얕게 유지하는 것이 확대얼굴널힘줄계박리술의 핵심 요소다. 귀밑샘의 앞쪽에서 깊은(깨물근)근막을 만난다. 이 깊은근막의 얕은 표면을 따라 얼굴널힘줄계밑지방을 그대로 유지하는 것을 선호하는데, 이 지방층이 부주의한 깊은 박리에 대한 추가적인 보호층이 되기 때문이다.
(b) 확대얼굴널힘줄계박리술의 수술 중 사진. 지혈집게(hemostat)는 가쪽광대뼈를 따라 광대지방덩이에 위치하여 큰광대근을 노출시키고 있다. 집게(forcep)는 위깨물근인대를 가리키고 있다. 가쪽볼의 얼굴널힘줄계밑 가동부에 접근하기 위해 이 인대의 해제가 필요하다.

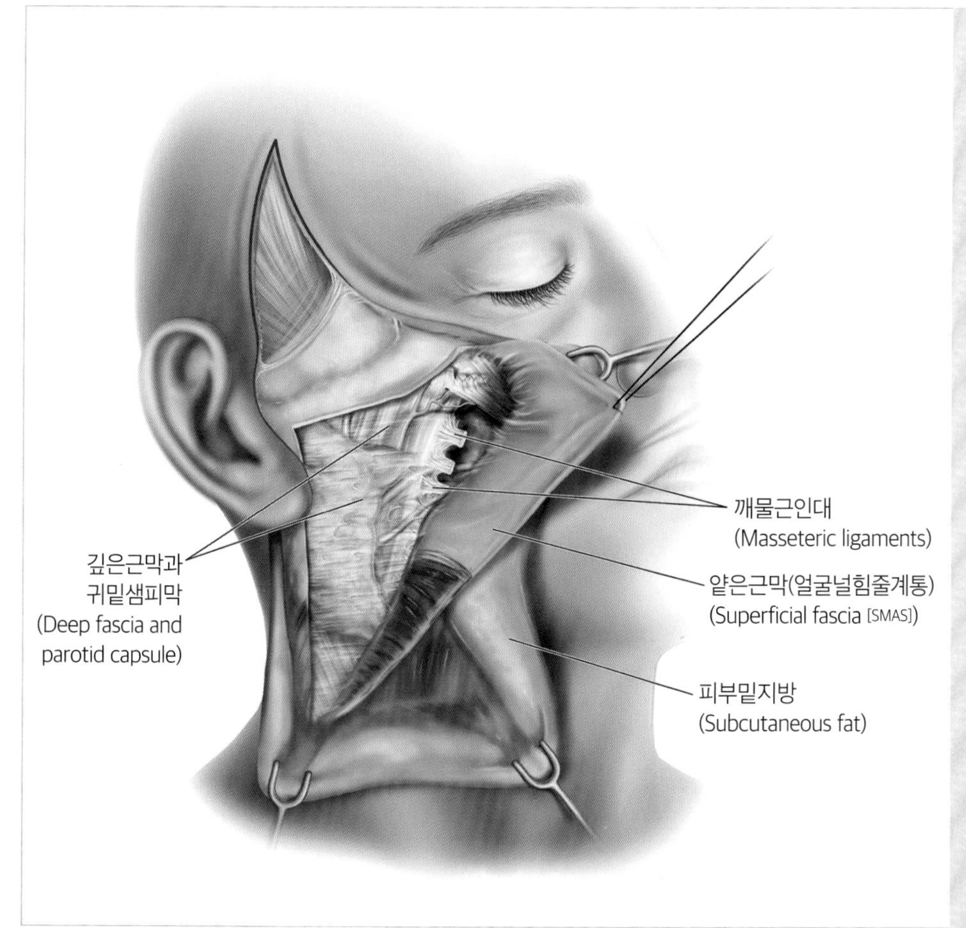

그림 8.3 확대얼굴널힘줄계박리술의 한계범위는 얼굴널힘줄계통이 귀밑샘의 앞쪽 경계, 귀밑샘의 부엽, 가쪽광대인대, 위깨물근인대 및 목빗근의 앞쪽 경계로부터 해제될 때 도달된다. 얼굴널힘줄계박리로 이러한 구조들에서 해제되고, 박리가 가쪽볼의 얼굴널힘줄계밑 가동부로 넘어가면, 얼굴지방을 재배치를 위한 박리의 관점에서는 더 이상의 추가적인 박리는 필요하지 않다. 참고로 넓은목근창냄술에 필요한 절개 및 박리는 이 삽화에 표시된 넓은목근 가쪽/아래쪽 박리와 유사하다.

- 큰광대근보다 얕게, 위광대융기를 따라 앞쪽으로 박리하는 것은 광대덩이 재배치에 필수적이다. 이 부위에서 얼굴신경가지는 광대뼈 바로 위에 있어 보호된다.
- 아래쪽에서는, 목빗근(SCM)의 앞쪽경계부위 인대 부착으로부터 넓은목근의 가쪽 경계를 자유롭게 박리하는 것이 피판의 적절한 이동성을 제공하는 데 중요하다. 얼굴널힘줄계통/넓은목근이 목빗근에서 분리되면 성긴평면(areolar plane)을 만난다. 이 성긴평면에 둔탁한(blunt)박리를 하여 아래에 위치하는 목가지 및 모서리가지에 대한 위험을 최소화할 수 있다(그림 8.3).

8.2 술기 요점: 확대얼굴널힘줄계박리술 (Technical Points: Extended SMAS Dissection)

- 확대얼굴널힘줄계박리술을 위한 절개 도안은 가쪽에서는 광대활과 평행하게 하며, 이는 얼굴널힘줄계통 절개를 이마가지의 경로보다 꼬리 쪽으로 위치시킨다.
- 앞쪽으로는, 광대활이 가쪽광대뼈와 연결되는 부위에서 얼굴널힘줄계절개를 볼지방덩이의 위쪽 경계를 따라 위쪽으로 진행한다. 대부분의 환자에서 위쪽 볼지방과 가쪽눈둘레근(평평하고 덮여 있는 지방이 거의 없음) 사이의 연결부가 명확하며, 이 부위는 확대얼굴널힘줄계박리술의 위쪽(superior) 또는 "높은(high)" 구역(segment)을 나타낸다. 가쪽/아래 얼굴널힘줄계절개는 목에서 아래쪽으로 넓은목근의 가쪽 경계를 따라 귓불의 꼬리쪽으로 수 센티미터 연장한다(그림 8.1).
- 얼굴널힘줄계통을 박리하기 전에, 소량의 국소마취제를 포함한 수력분리술(hydrodissection)을 하는것이 도움이 된다. 얼굴널힘줄계통을 절개하면, 밑에 있는 귀밑샘피막이 보인다. 얼굴널힘줄계통과 귀밑샘피막 사이의 평면을 분명하게 하는 것은 적절한 박리 깊이를 설정하는 데 중요하다(그림 8.2).
- 넓은목근의 가쪽 경계를 절개한다. 가쪽넓은목근은 보통 두껍고 박리하기 쉽다. 목빗근의 앞쪽 경계선을 따라 있는 인대의 구속으로부터 넓은목근이 박리되면, 목빗근의 앞쪽에 있는 성긴평면과 만나게 되며, 아래얼굴널힘줄계통/넓은목근을 둔탁한박리로 이동시킬 수 있게 된다.
- 광대융기와 큰광대근을 덮고 있는 볼부위의 얼굴널힘줄계통은 광대인대가 광대지방덩이 사이로 퍼져 있기 때문에 두껍고 섬유질이다. 큰광대근과 광대덩이 사이의 평면은 경계를 정의하기 쉽고 일반적으로 이 부위에 얼굴신경가지가 없기 때문에 박리하기에 안전하다(그림 8.2 b).
- 광대뼈 가쪽에 있는 얼굴널힘줄계통은 얇기 때문에 박리 시 쉽게 찢어진다. 이 부위에서, 위깨물근인대와 가로얼굴동맥 관통가지를 만난다. 아래볼과 군턱(jowl)의 적절한 가동성을 보장하기 위해 위깨물근인대의 분리가 필요하다. 인대의 모양과 얼굴널힘줄계통의 두께를 인지하고, 이 영역에서 주의 깊게 진행한다. 박리면이 불분명한 경우에는 이 부위에 광대가지들이 근접하므로 박리를 중지하라(그림 8.2 b).
- 가로얼굴동맥은 중요한 지표다. 이 관통가지보다 머리쪽에는 얼굴신경가지가 없지만, 동맥의 먼쪽(distal)에서는 광대신경가지가 가깝게 있다. 일반적으로, 위깨물근인대는 이 동맥의 바로 꼬리쪽에 있으며, 위깨물근인대의 구속을 지나 얼굴널힘줄계통의 가동부에 도달하는 데 단지 몇 밀리미터의 먼쪽(distal) 박리가 필요하다.
- 얼굴널힘줄계박리의 한계범위에 관해서는 얼굴널힘줄계통의 고정부와 가동부 사이의 연결부에 도달해야만 한다. 얼굴널힘줄계통 고정부와 가동부 사이의 연결부는 귀밑샘의 바로 앞쪽, 귀밑샘의 부엽 앞쪽, 가쪽광대융기의 앞쪽/아래쪽, 목빗근의 앞쪽에 있다(그림 8.3).

- 피판 이동성(mobility)은 얼굴널힘줄계피판을 당겨보고, 앞볼 움직임이 제한되지 않는 것으로 판단하여 검사 할 수 있다.
  - 기억할 것: 박리가 얼굴널힘줄계통 가동부로 진행되면 박리가 쉬워지고 더 이상 섬유성이 없다. 박리가 쉬워지면 멈춰라. 이렇게하면 적절한 피판 이동성을 보장하면서 우발적인 운동가지 손상에서도 보호된다.

8.3 박리(Dissection)

- 광대활의 바로 머리 쪽으로(just cepahlad) 얼굴널힘줄계통의 절개를 표시하며, 이 부위는 귀밑샘 바로 위에 있고, 이마가지 경로의 꼬리 쪽이다. 광대활과 광대뼈 몸통의 연결부를 표시하고, 이 지점에서 얼굴널힘줄계절개를 광대덩이의 위쪽 경계를 따라 연장한다.
- 귀구슬에서 눈썹을 잇는 선을 표시하는 것은 이마가지 손상을 예방하기 위한 중요한 단계이다. 얼굴널힘줄계절개를 이 랜드마크의 꼬리 쪽에 있게 제한하여, 얼굴널힘줄계박리가 이마가지 경로보다 꼬리 쪽에서 진행되도록 한다. 넓은목근의 가쪽 경계는 목에서 아래쪽으로 표시한다. 얼굴널힘줄계통의 수력분리를 돕기 위해 국소마취를 침윤시킨다.
- 귀밑샘 위의 얼굴널힘줄계통을 예리하게 들어올리기 시작하여, 귀밑샘피막과 얼굴널힘줄계통 사이의 경계면을 식별한다. 귀밑샘 실질로의 박리는 피해야 한다.
- 박리는 넓은목근의 가쪽 경계를 따라 귓불 아래 몇 센티미터 정도, 목 아래쪽으로 계속되며, 그 후에 박리는 넓은목근의 밑면을 따라 진행하고, 넓은목근을 목빗근과의 부착으로부터 자유롭게 한다. 얼굴널힘줄계통은 귀밑샘 꼬리 바로 앞쪽으로, 그리고 목빗근의 앞쪽 경계를 따라 있는 유지인대의 앞쪽으로 들어올린다. 목빗근의 앞쪽 경계에는 성긴 평면이 확인된다. 이 지점에서 얼굴널힘줄계통/넓은목근 아래쪽 박리는 둔탁한박리로 마무리한다.
- 귀밑샘 꼬리의 앞쪽으로, 얼굴널힘줄계밑지방이 확인되는데, 이것은 아래턱모서리가지가 귀밑샘에서 나오는 부위이기 때문에 중요한 랜드마크이다. 이 부위의 박리는 깊은근막보다 얕게 박리하도록 주의하면서 둔탁하게 진행해야 한다.
  - 귀밑샘의 몸통을 따라 위쪽으로 박리하고 인대 해제를 확실하게 하기 위해 앞쪽 경계를 향해 진행한다.
  - 귀밑샘의 앞쪽 경계에 도달하면 일반적으로 얼굴널힘줄계밑지방이 보이고 얼굴널힘줄계통의 가동부가 나타나며, 박리를 중단한다.
  - 의사는 얼굴널힘줄계통이 유지인대에서 분리됨에 따라 귀밑샘 앞쪽의 얼굴널힘줄계밑박리의 섬유성이 덜해진다는 것을 알 것이다. 강조했듯이 박리가 쉬워지면 멈춰라. 추가적인 박리는 피판 이동성을 증가시키지 않으며 수술의 이환율(morbidity)을 높이는 역할 만한다.
  - 안전성 측면에서, 볼의 가동부에서 얼굴신경가지가 더 많이 노출되어 있으며, 이것이 얼굴널힘줄계피판을 가동부에서 박리하는 것을 제한해야 하는 또 다른 이유가 된다.
- 광대지방덩이 재배치를 위한 얼굴널힘줄계박리술의 광대확대(malar extension)는, 가쪽광대뼈 위로 얼굴널힘줄계박리를 진행한다. 그 다음, 광대덩이와 큰광대근 사이의 평면에서 광대덩이의 광대뼈에 대한 부착을 분리 박리한다.
- 광대덩이를 들어올릴 때, 큰광대근(그리고 더 앞쪽에 눈둘레근과 작은 광대근)의 섬유가 보인다. 이 근육들은 깊은 면을 따라 신경이 분포되고, 확대얼굴널힘줄계박리술은 이 근육들보다 얕게 수행되

기 때문에 운동가지 손상이 방지된다. 얼굴널힘줄계피판은 아래에 있는 가쪽광대인대에서 자유로워질 때까지 들어올린다. 더 안쪽 광대 박리는 광대융기의 가쪽에서 볼얼굴널힘줄계피판과 연결되며, 여기서 위깨물근인대를 만난다.

- 이 부위의 얼굴널힘줄계박리는 적절한 박리면을 정확하게 식별하는 데 도움이 되도록 얼굴널힘줄계피판 들어올리기(귀밑샘과 광대부위의 위에 있는 얼굴널힘줄계통을 모두 박리한 후)의 마지막에 시행한다. 얼굴널힘줄계통을 들어올릴 때, 깊은근막 위에 있는 얼굴널힘줄계밑지방을 그대로 유지하면 운동가지 손상에 대한 보호가 더 증가한다.

8.4 가쪽얼굴널힘줄계절제술/넓은목근창냄술 요점
(Lateral SMASectomy/Platysma Window Key Points)

- 가쪽얼굴널힘줄계절제술을 시행할 때 얼굴널힘줄계통 고정부와 가동부 사이의 연결부를 확인한다. 이 연결부는 귀밑샘의 꼬리 바로 앞쪽에서부터 머리 쪽으로 가쪽광대융기를 향해 표시한다(그림 8.4).
- 얼굴널힘줄계통/얕은지방의 타원모양절제(elliptical excision)는 얼굴 처짐을 교정하기 위해 불필요한 얼굴지방을 제거하는 것을 기반으로 고안되었다(그림 8.5).
- 가쪽얼굴널힘줄계절제술의 주요 장점은 정식 얼굴널힘줄계박리 없이 얼굴지방 재배치를 한다는 것

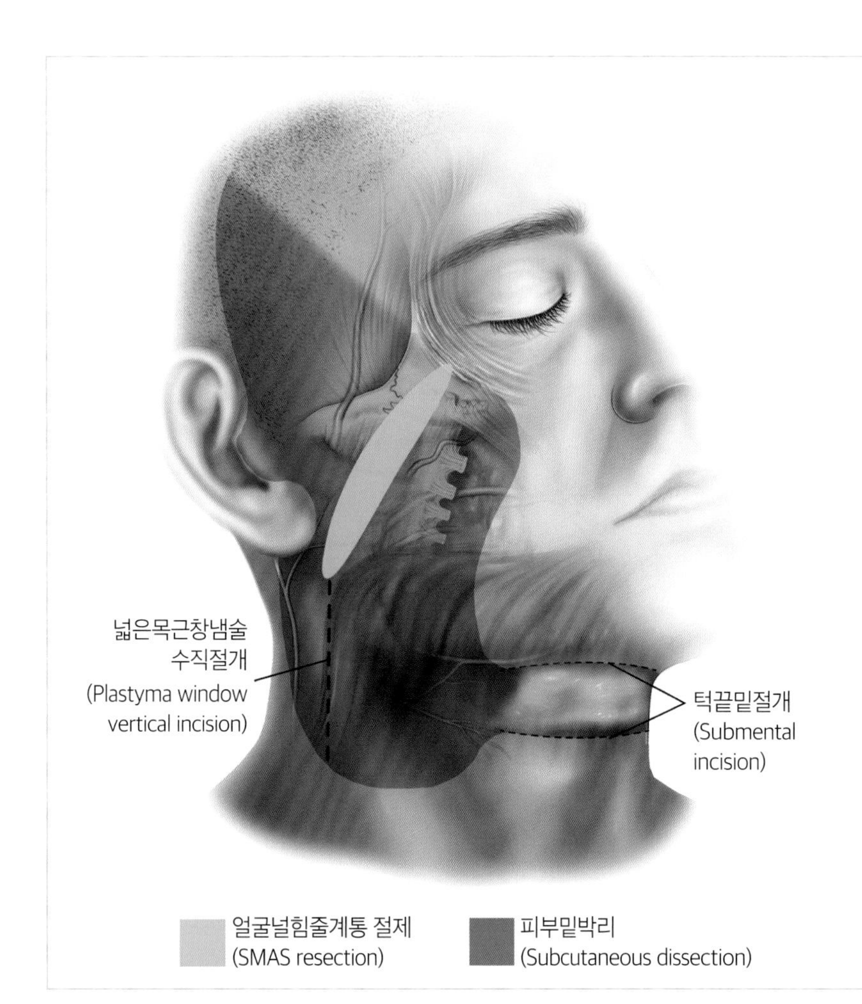

그림 8.4 가쪽얼굴널힘줄계절제술을 위한 절개 도안은 귀밑샘의 앞쪽 경계와 평행하며, 머리쪽으로 광대 융기를 향해 확장된다. 이 절개 도안은 얼굴널힘줄계통의 고정부와 가동부 사이의 연결부를 나타내며 확대얼굴널힘줄계박리술에서 언급된 박리의 한계 범위와 유사하다. 넓은목근창냄술을 가쪽얼굴널힘줄계절제술과 함께 시행하는 경우 넓은목근의 가쪽 경계는 목빗근의 앞쪽 경계를 따라 절개하고 유지인대로부터 분리한다.

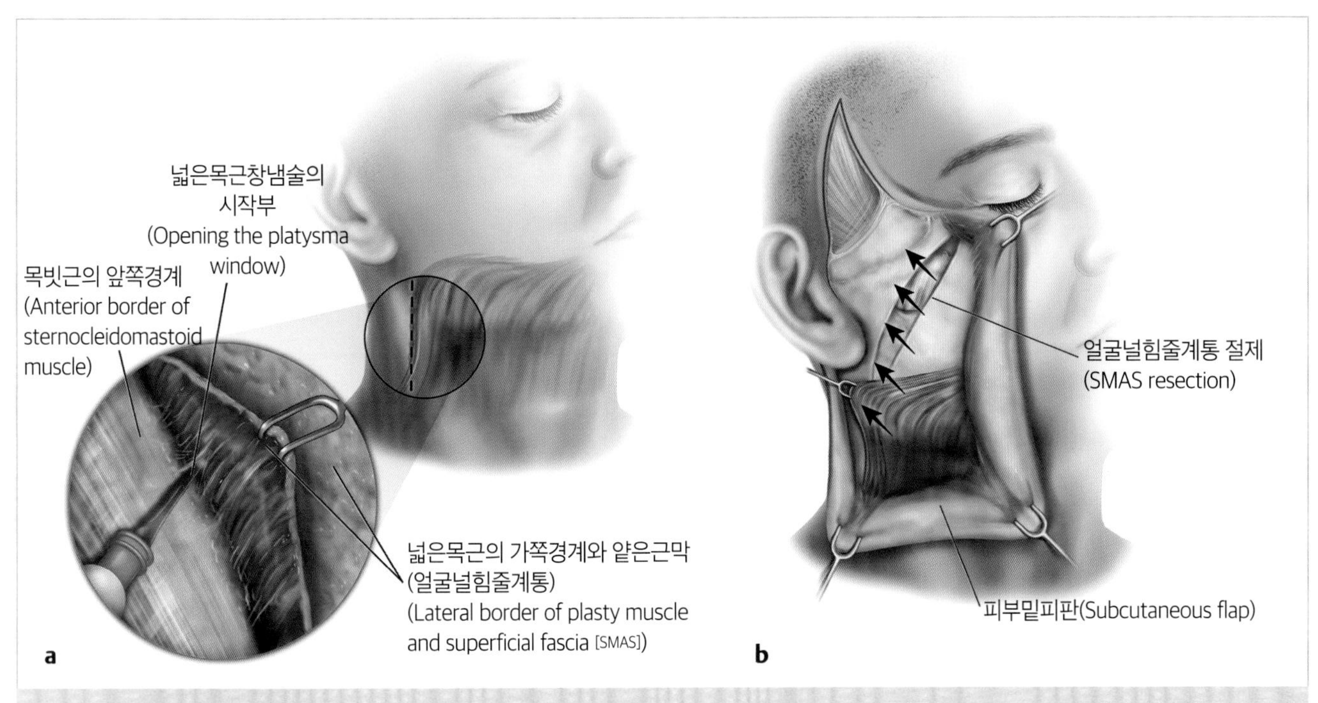

그림 8.5 **(a, b)** 얼굴널힘줄계통 절제를 하는 동안 깊은근막과 귀밑샘피막의 평면을 인식하고 이러한 구조보다 얕게 절제하는 것이 필수적이다. 과체중 환자에서는 얼굴널힘줄계통 절제 후 얕은근막을 조심스럽게 복원하여 얼굴지방을 적절하게 가쪽볼로 재배치한다. 마른 환자의 경우 가쪽볼에 부피를 추가하기 위해 여분의 얼굴널힘줄계통을 그 자리에 남기고, 절개를 봉합한다. 넓은목근창냄술이 가쪽얼굴널힘줄계절제와 함께 수행된 경우, 넓은목근을 꼭지돌기(mastoid) 근막의 위쪽/가쪽으로 고정한다.

이다. 효과적이 되려면 얼굴널힘줄계박리의 꼬리쪽 범위가 얼굴널힘줄계통의 가동부를 따라가야 한다.

- 가쪽얼굴널힘줄계절제술을 시행할 때, 얕은근막을 절개한다. 얕은근막 바로 아래 깊이의 얼굴널힘줄계통 절제를 하는데 주의를 기울인다. 가쪽얼굴널힘줄계절제술을 시행할 때 안전의 핵심은 깊은얼굴근막과 귀밑샘피막을 침범하지 않아, 신경 손상과 귀밑샘샛길(parotid fistula)을 모두 피하는 것이다.
- 넓은목근창냄술은 주로 가쪽얼굴널힘줄계절제술과 함께 시행하여 턱선과 목의 윤곽을 개선한다. 정식 얼굴널힘줄계박리를 하지 않는 가쪽얼굴널힘줄계절제술과 달리, 넓은목근창냄술은 귓불에서 목 아래로 수 센티미터 연장되는 넓은목근의 외측 경계선을 절개해야 한다.
- 넓은목근을 절개한 후, 목빗근의 앞쪽 경계를 따라 유지인대에서 넓은목근을 박리하여 분리한다. 일반적으로 이동성 확보를 위해 단지 몇 센티미터 정도의 앞쪽 박리가 필요하며, 일단 목빗근 앞쪽의 성긴평면에 도달하면, 둔탁한박리를 시행할 수 있다. 넓은목근창냄술은 앞에서 설명한 확대얼굴널힘줄계기법의 가쪽/아래쪽 박리와 유사하다(그림 8.3).

8.5 가쪽얼굴널힘줄계절제술/넓은목근창냄술: 안전 고려사항
(Lateral SMASectomy/Platysma Window: Safety Considerations)

- 가쪽얼굴널힘줄계절제술 시 얼굴널힘줄계통 고정부와 가동부 사이 연결부가 표시된다(그림 8.4).
- 귀밑샘 앞쪽에 있는 얼굴널힘줄계통 가동부는 얼굴신경이 덜 보호되는 부위에 해당된다.
- 얼굴널힘줄계박리술을 시행할 때 얼굴널힘줄계통과 깊은근막 사이의 평면을 식별한다. 얼굴널힘줄

동영상 8.1

동영상 8.2

동영상 8.3

계절개 후, 얼굴널힘줄계통 바로 아래로 하는 둔탁한박리는 적절한 절제면을 식별하는 데 유용하다. 깊은근막보다 얕게 얼굴널힘줄계통 절제를 시행한다.

- 깊은근막에 얼굴널힘줄계밑지방을 그대로 두어 얼굴널힘줄계통을 절제하는 중에 밑에 있는 운동가지를 보호한다.
- 가쪽얼굴널힘줄계절제술 시 귀밑샘피막을 침범하거나 귀밑샘 실질내를 박리하여 귀밑샘샛길이 생기는 것을 피하도록 한다(그림 8.5).
- 가쪽얼굴널힘줄계절제술을 할 때, 과체중 환자에서 일반적으로 사용하는 것처럼 여분의 지방을 절제하거나, 마른 환자에게 적합한 가쪽볼 부피를 추가하기 위해 그대로 둘 수 있다(얼굴널힘줄계 포개기라고 함). 얼굴널힘줄계박리술의 절개선이 봉합됨에 따라 두 방법 모두 얼굴지방을 재배치한다(동영상 8.1–8.3).
- 넓은목근창냄술을 시행할 때, 목빗근에 부착된 넓은목근의 가쪽 경계를 박리할 때, 가쪽넓은목근에 가깝게 위치할 수 있는 큰귓바퀴신경을 다치지 않도록 하기 위해서 넓은목근의 밑면을 따라 바로 박리한다. 넓은목근이 목빗근으로부터 분리되면, 성긴평면을 만나며, 목가지의 손상을 피하기 위해 추가적인 박리는 둔탁하게 진행해야 한다.

8.6 가쪽얼굴널힘줄계절제술 박리: 술기 고려사항

(Dissection Lateral Smasectomy: Technical Considerations)

- 가쪽얼굴널힘줄계절제술에는 얼굴널힘줄계통 가동부와 고정부 사이의 연결부에 도안한 타원형 얼굴널힘줄계박리술이 수반된다.
- 얼굴널힘줄계 절제 후에는 앞쪽 얼굴지방이 봉합선을 향하여 재배치되어 아래볼을 조이고 광대덩이를 높이는 데 도움이 된다.
- 효과적인 술기를 위해, 고정 얼굴널힘줄계통과 가동 얼굴널힘줄계통의 연결부를 인지해야 하며, 가쪽얼굴널힘줄계절제술을 위한 절개 디자인은 확대얼굴널힘줄계박리술의 앞쪽 한계범위와 유사하다(귀밑샘의 앞쪽 경계, 위깨물근인대, 및 가쪽광대뼈).
- 이러한 이유로 타원형 절개는 귓불의 바닥에서 광대 융기의 위쪽 면까지 디자인한다.
- 타원형 절제를 디자인한 후에, 국소마취제를 얕은근막으로 침윤시킨다. 그런 다음 의사는 얕은근막과 깊은근막 사이를 둔탁하게 박리하여 평면을 확인하고, 타원 안의 얕은근막을 절제한다.
- 깊은근막 위에 있는 얼굴널힘줄계밑지방을 그대로 남기는데 주의를 기울여라. 이는 깊숙이 위치한 얼굴신경가지에 대한 보호 요소가 된다. 가쪽얼굴널힘줄계절제술을 수행할 때 귀밑샘 실질, 특히 귀밑샘꼬리부위를 박리하지 않도록 하여 부주의에 의한 귀밑샘샛길을 방지하는 것이 중요하다. 유사하게, 광대가지가 이 위치에 얕게 위치하기 때문에 광대뼈 가쪽부위에서 얕은 절제가 강조 된다.
- 절제선 사이에 남는 여분의 얼굴널힘줄계통은 환자의 부피 필요도에 따라 절제되거나 제자리에 남겨 놓을 수 있다. 비만 환자의 경우 일반적으로 얼굴널힘줄계통을 절제하는 반면, 마른 환자의 경우 얼굴널힘줄계통을 포개서 가쪽볼에 부피를 더한다(동영상 8.4).
- 넓은목근창냄술은 턱선과 목의 윤곽을 개선하기 때문에 가쪽얼굴널힘줄계절제술과 자주 같이 시행한다. 넓은목근창냄술의 절개와 박리는 확대얼굴널힘줄계박리술에서 넓은목근의 가쪽/아래쪽 박리와 유사하다. 일단 목빗근의 앞쪽 경계를 따라 넓은목근이 유지인대에서 분리되면 넓은목근을 위/가쪽으로 회전 하여 큰귓바퀴신경의 경로를 주의하며 꼭지돌기근막에 봉합한다(동영상 8.5).

동영상 8.4

동영상 8.5

Suggested Readings

Aston S, Walden J. Facelift with Smas technique and FAE. In: Aston S, Steinbrech D, Walden J, eds. Aesthetic Plastic Surgery. London, Saunders Elsevier; 2009

Baker DC. Lateral SMASectomy. Plast Reconstr Surg. 1997; 100(2):509–513

Baker DC. Minimal incision rhtyidectomy with lateral SMASectomy. Aesthet Surg J. 2001; 21:68

Baker TJ, Gordon HL, Stuzin JM. Surgical Rejuvenation of the Face. 2nd ed. St Louis, Mosby Year-Book; 1996

Barton FE, Jr. The SMAS and the nasolabial fold. Plast Reconstr Surg. 1992; 89(6):1054–1057, discussion 1058–1059

Connell B. Marten, T the trifurcated SMAS flap for improved results in the midface, cheek, and neck. Aesthetic Plast Surg. 1995; 19:415

Hamra ST. The deep-plane rhytidectomy. Plast Reconstr Surg. 1990; 86(1):53–61, discussion 62–63

Lemmon ML. Superficial fascia rhytidectomy. A restoration of the SMAS with control of the cervicomental angle. Clin Plast Surg. 1983; 10(3):449–478

Marten TJ. High SMAS facelift: combined single flap lifting of the jawline, cheek, and midface. Clin Plast Surg. 2008; 35(4):569–603, vi–vii

Mendelson BC. Surgery of the superficial musculoaponeurotic system: principles of release, vectors, and fixation. Plast Reconstr Surg. 2001; 107(6):1545–1552, discussion 1553–1555, 1556–1557, 1558–1561

Owsley JQ, Jr. Platysma-fascial rhytidectomy: a preliminary report. Plast Reconstr Surg. 1977; 60(6):843–850

Owsley JQ. Lifting the malar fat pad for correction of prominent nasolabial folds. Plast Reconstr Surg. 1993; 91(3):463–474, discussion 475–476

Rohrich RJ, Narasimhan K. Long-Term Results in Face Lifting: Observational Results and Evolution of Technique. Plast Reconstr Surg. 2016; 138(1):97–108

Stuzin JM, Baker TJ, Gordon HL, Baker TM. Extended SMAS dissection as an approach to midface rejuvenation. Clin Plast Surg. 1995; 22(2):295–311

Stuzin JM. Restoring facial shape in face lifting: the role of skeletal support in facial analysis and midface soft-tissue repositioning. Plast Reconstr Surg. 2007; 119(1):362–376, discussion 377–378

Stuzin JM. MOC-PSSM CME article: Face lifting. Plast Reconstr Surg. 2008; 121(1, Suppl):1–19

Tonnard P, Verpaele A, Monstrey S, et al. Minimal access cranial suspension lift: a modified S-lift. Plast Reconstr Surg. 2002; 109(6):2074–2086

II

필러 및 신경조절제

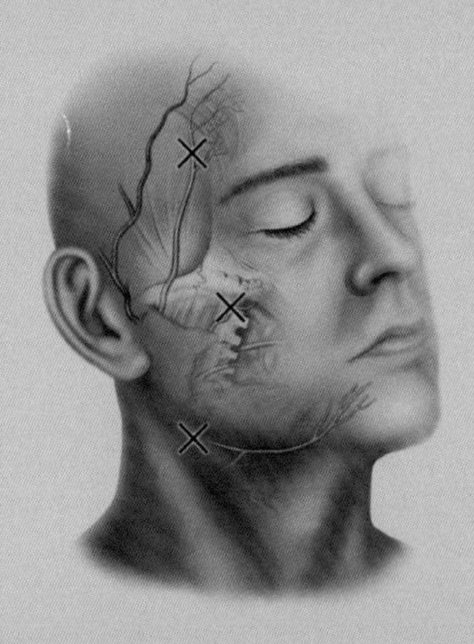

Fillers and Neuromodulators

얼굴위험구역

Facial Danger Zones

9. 서론(Introduction)

- Rod J. Rohrich and Dinah Wan / 박동권 역

초록

얼굴부위 필러나 신경조절물질(Neuromodulator)을 주입하는 과정에서 발생하는 얼굴 혈관에 대한 우발적인 손상은 원하지 않은 결과를 초래하게 된다. 이상적인 결과를 내기 위해서는 얼굴의 풍부한 혈관망에 대한 해부학을 적절히 아는 것과 안전한 주입 기법을 시행하는 것이 중요하다.

키워드: 얼굴위험구역(facial danger zones), **주입 기법**(injection technique), **혈관내 주입**(intravascular injection)

얼굴당김술(facelift)을 시행할 때 얼굴의 손상 위험부위를 설명함에 있어 주된 관심은 신경해부학, 특히 얼굴신경(facial nerve)의 가지들인데 반해 비수술적인 얼굴 주입 기법들을 논할 때는 혈관 해부학이 가장 중요하다. 얼굴 주입물에 대한 최대한의 염려는 특별히 풍부한 얼굴 혈관망의 의도치 않은 손상이다. 이물질의 혈관내 주입은 심하지 않은 멍에서부터 조직괴사, 실명, 뇌졸중 그리고 사망에 이르는 정도로 위협적인 합병증에 이르는 결과도 초래한다.

Part II에서 저자들은 의도치 않은 관삽입(cannulation)의 위험이 있는 특별한 얼굴 혈관들과 이 혈관들을 식별하는데 사용되는 해부학적 랜드마크에 초점을 맞춰, 필러나 신경조절제(Neuromodulator)들을 주입하는 것과 관련된 얼굴위험구역에 대해 설명하려 한다. 저자들은 또한 다음의 여섯 부위의 얼굴위험구역 각각에 대한 안전한 주입 기법에 대해 논의할 것인데, 그 부위들은 다음과 같다(그림 9.1).

1. 미간부위(Glabellar region)
2. 관자부위(Temporal region)
3. 입주변부위(Perioral region)
4. 코입술부위(Nasolabial region)
5. 코부위(Nasal region)
6. 눈확아래부위(Infraorbital region)

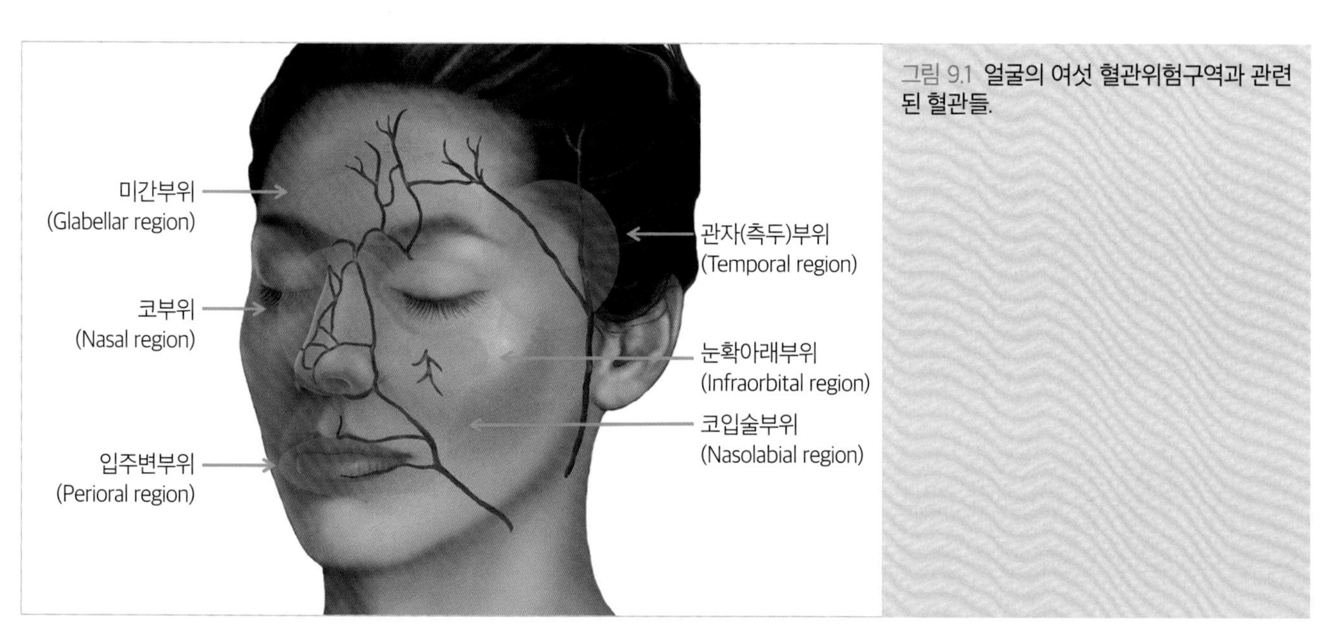

그림 9.1 얼굴의 여섯 혈관위험구역과 관련된 혈관들.

9.1 일반적인 안전원칙(General Safety Principles)

해부학적인 구역을 제외하고, 다음과 같은 일반적인 안전원칙들은 모든 얼굴부위 주입 시 핵심적으로 유지해야 한다.

- 돌이킬 수 있는 필러(reversible filler)를 사용한다(예. 하이알유론산 필러).
- 혈관수축을 위해 에피네프린이나 얼음을 사용한다.
- 작은 주사기(0.5~1 mL)를 사용하고 소량씩 주입한다.
- 작은 바늘을 사용한다(27 G 또는 더 작은 바늘).
- 필요 시 캐뉼라를 사용한다.
- 선행 - 역행(anterograde-retrograde) 주입법을 사용한다.
- 일정하고, 지속적이며, 느린 동작으로 주입한다.
- 낮은 압력으로 주입한다: 높은 압력을 필요로 하는 주입은 위험하거나 주입하기에 부적절한 위치라는 것을 시사한다.
- 이전에 외상이 있으면, 조직의 층에 흉터가 있고 불분명할 수 있기 때문에 주입 시 주의해야 한다.
- 혈관위험구역의 해부학에 대해 적절히 알고 있어야 한다.
- 필러 구조 키트를 항상 사용할 수 있도록 해야 한다(하이알유론산 분해효소, 아스피린, 니트로글리세린 연고).

References

1. Seckel BR. Facial Danger Zones: Avoiding nerve injury in facial plastic surgery. 2nd ed. New York, NY: Thieme Medical Publishers, Inc.; 2010
2. Roostaeian J, Rohrich RJ, Stuzin JM. Anatomical considerations to prevent facial nerve injury. Plast Reconstr Surg. 2015; 135(5):1318–1327
3. Scheuer JF, III, Sieber DA, Pezeshk RA, Gassman AA, Campbell CF, Rohrich RJ. Facial Danger Zones: Techniques to Maximize Safety during Soft-Tissue Filler Injections. Plast Reconstr Surg. 2017; 139(5):1103–1108
4. Scheuer JF, III, Sieber DA, Pezeshk RA, Campbell CF, Gassman AA, Rohrich RJ. Anatomy of the Facial Danger Zones: Maximizing Safety during Soft-Tissue Filler Injections. Plast Reconstr Surg. 2017; 139(1):50e–58e
5. Kurkjian TJ, Ahmad J, Rohrich RJ. Soft-tissue fillers in rhinoplasty. Plast Reconstr Surg. 2014; 133(2):121e–126e
6. Rohrich RJ. Personal Communication. Nov 2017

10. 얼굴위험구역 1 – 미간부위
(Facial Danger Zone 1 – Glabellar Region)

- Rod J. Rohrich and Dinah Wan / 박동권 역

초록

미간부위는 도르래위동맥(supratrochlear artery), 눈확위동맥(supraorbital artery) 그리고 콧등동맥(dorsal nasal artery) 사이의 풍부한 혈관 네트워크로 인해 필러 주입으로 인한 실명이 가장 흔하게 일어나는 곳이다. 이 혈관들 중 어느 곳이든 예상치 못하게 주입이 되는 경우에는 눈동맥(ophthalmic artery)으로 들어가는 역행성 색전을 만들 수 있다. 도르래위동맥은 매우 얕게 주행하여, 종종 미간 주름 안으로 주행한다. 미간 주름에 주입할 때는 낮은 압력으로, 연속천자법(serial puncture technique)을 사용하여 진피 내에 매우 얕게 시행되어야 한다. 미간에 주입할 때는 눈확위둘레(supraorbital rim)를 손가락으로 눌러서 도르래위 혈관과 눈확위 혈관을 폐색해야 한다.

키워드: 필러 주입(filler injection), **미간 찌푸린 주름**(glabellar frown lines), **눈확위동맥**(supraorbital artery), **도르래위동맥**(supratrochlear artery), **실명**(blindness)

필러 시술 시 안전을 극대화하기 위한 중요한 점

- 미간부위에는 우선적으로 얕은 라인을 채우기 위한 필러를 사용한다.
- 주름을 따라 진피 내에 작은 점적물(aliquots)을 놓기 위해 연속천자법(serial puncture technique)을 사용한다.
- 눈확위둘레에서 눈확위혈관(supraorbital vessel)과 도르래위혈관(supratrochlear vessel)을 폐색시키기 위해 손가락으로 눌러준다.
- 미간부위의 깊은 주름을 과교정하려는 시도를 하지 않는다.

10.1 미간부위의 안전 고려사항(Safety Considerations in the Glabellar Region)

- 미간부위는 실명을 유발하는 가장 흔한 필러 주입부위이며, 피부괴사가 두번째로 흔하게 일어나는 곳이다.
- 도르래위동맥과 눈확위동맥 그리고 콧등동맥 사이의 풍부한 연결이 존재하며, 이들은 모두 눈동맥의 가지들이다(그림 10.1 a).
- 예상치 못한 코-미간 연속활(nasoglabellar arcade)안으로의 혈관내 주입은 이물질이 눈동맥으로 역행성 전파되도록 한다(그림 10.1 b).
- 뒤 이은 눈동맥의 말단부 색전증은 시력 상실 및/또는 조직 괴사를 유발할 수 있다.

10.2 눈썹과 미간부위 관련해부학
(Pertinent Anatomy of the Brow and Glabellar Region)

사체 박리를 통해 미간과 눈썹부위의 관련 동맥과 근육을 다음 그림에서 보여준다(그림 10.2).

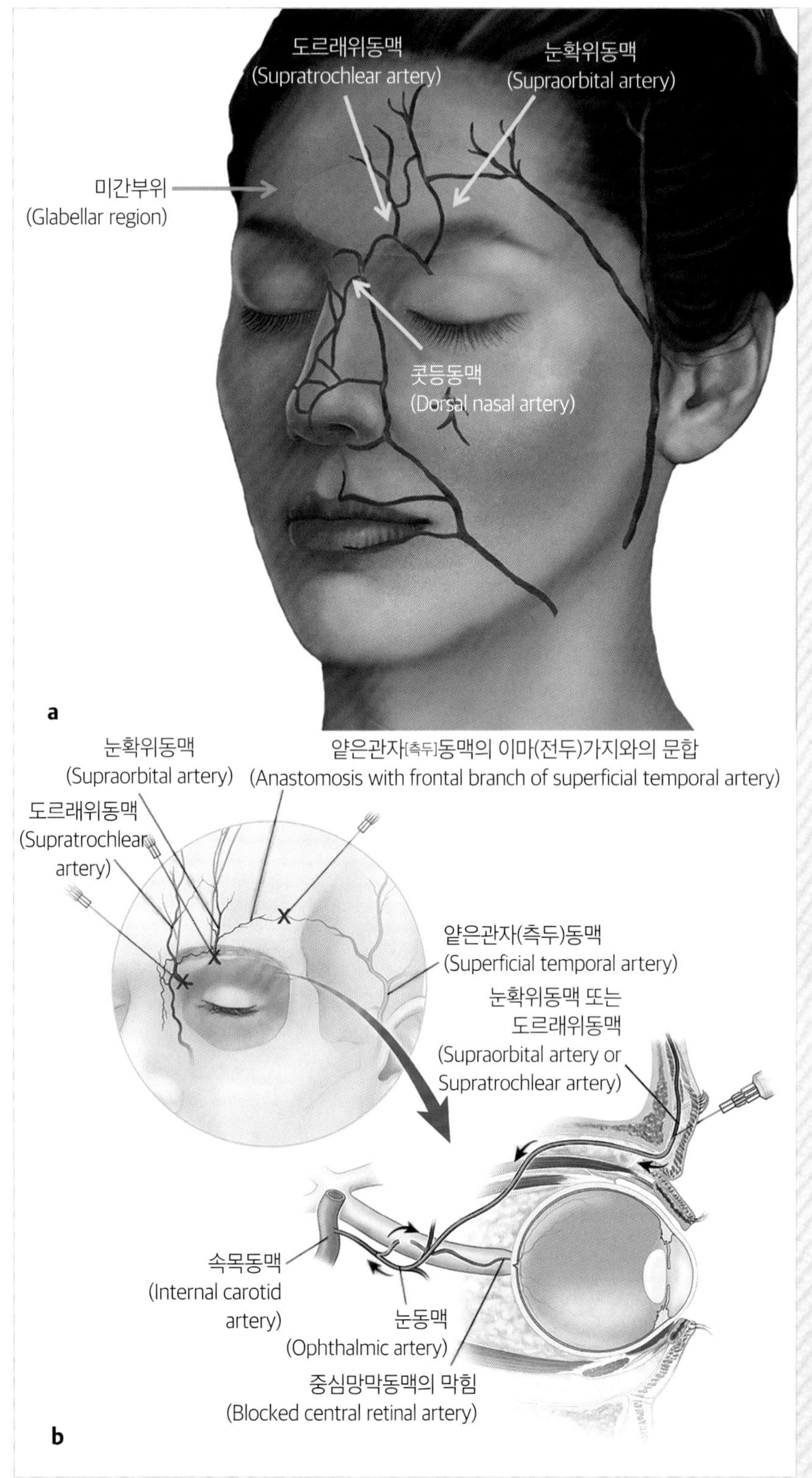

그림 10.1 **(a)** 미간부위에 존재하는 도르래위동맥(supratrochlear artery)과 눈확위동맥(supraorbital artery) 그리고 콧등동맥(dorsal nasal artery)사이의 풍부한 연결이 눈동맥(ophthalmic artery)로의 역행성 색전형성의 잠재적인 경로를 생성한다.
(b) 눈확위동맥(supraorbital artery) 또는 도르래위동맥(supratrochlear artery)으로의 예상치 못한 혈관내 주입은 이물질이 눈동맥으로의 역행성 전파를 가능하게 한다. 이어지는 눈동맥의 말단부 색전은 중심망막동맥으로 들어가서 시력상실을 유발할 수 있다.

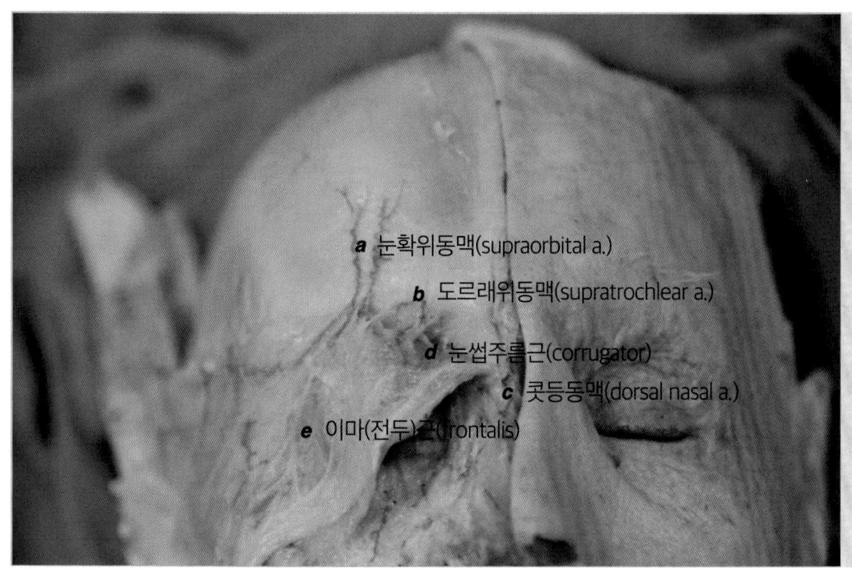

그림 10.2 **(a)** 눈확위동맥(supraorbital artery)이 눈썹 위로 나오면서 머리덮개널힘줄밑(subgaleal)으로 주행하기 전에 뼈막으로 가지를 내고 있는 것이 보인다. **(b)** 도르래위동맥(supratrochlear artery)은 안쪽에 위치하고, **(d)** 눈썹주름근(corrugator)으로 들어가서 **(c)** 콧등동맥(Dorsal nasal a.)과 **(a)** 눈확위동맥(supraorbital artery)과 **연결**(anastomoses)한다. **(e)** 이마근은 머리덮개널힘줄이 비쳐보이며, 근육의 아랫면이 보여지고 있다.

10.2.1 동맥(Arteries) (그림 10.3)

도르래위동맥(Supratrochlear Artery)

- 눈동맥의 가지
- 내안각의 +/– 3 mm 또는 중앙선에서 가쪽으로 17~22 mm의 위치와 일직선을 이루는 위안쪽눈확(superomedial orbit)으로 나간다.
- 눈썹주름근(corrugator)을 수직으로 통과해서 주행한 뒤, 이마근(frontalis)과 눈둘레근(orbicularis oculi)을 통과하여 눈확둘레(orbital rim)에서 15~25 mm 상방의 피부밑평면으로 들어간다.
- 중앙선에서 15~22 mm 범위의 이마의 정중부위의 피부밑평면(subcutaneous plane) 안에서 상방으로 계속 주행한다.

눈확위동맥(Supraorbital Artery)

- 눈동맥의 가지

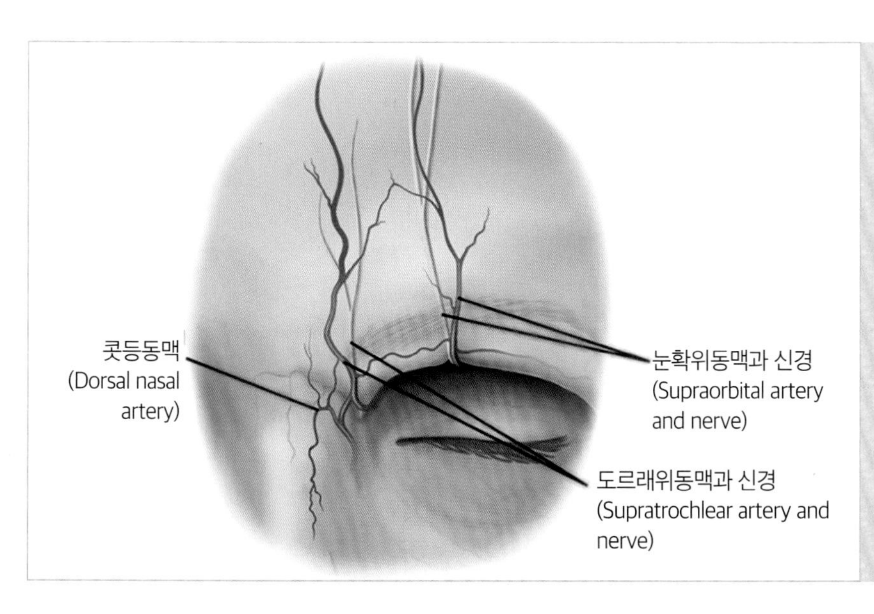

그림 10.3 **미간부위의 주요 신경혈관 구조를 보여주는 그림.** 도르래위동맥(Supratrochlear artery)과 신경은 내안각(medial canthus)과 일직선을 이루는 위안쪽 눈확(superomedial orbit)으로 나간다. 눈확위동맥(supraorbital artery)과 신경은 안쪽 각막 가장자리와 일직선을 이루는 눈확위로 나간다. 콧등동맥(Dorsal nasal artery)은 안쪽 눈확에서 나와서 코끝을 향해 코뿌리(Nasal radix)를 지나 아래쪽으로 주행한다.

- 안쪽각막가장자리(medial limbus) 또는 중앙선에서 가쪽으로 32 mm 위치와 일직선을 이루는 눈확위로 나간다.
- 눈확둘레의 20~40 mm 상방에서 이마근으로 들어가고 눈확둘레의 40~60 mm 상방에서 피부밑지방층으로 빠져나온다.

콧등동맥(Dorsal Nasal Artery)

- 눈동맥의 말단 가지
- 안쪽 눈확에서 나온다.
- 안쪽으로는 근육층 위의 코뿌리(nasal radix) 위로 주행한 뒤, 코 끝을 향해 아래로 계속 주행한다.

10.2.2 근육(Muscles) (그림 10.4 a)

눈썹주름근(Corrugator Supercilii)

- 이마뼈의 코돌기(nasal process)에서 시작한다.
- 눈썹의 진피층에 위가쪽(superolaterally)으로 부착한다.
- 눈썹의 수직과 사선의 주름선을 만든다.

눈살근(Procerus)

- 코뼈의 아랫부분에서 시작한다.
- 눈썹 사이의 이마부분의 진피층에 부착한다.
- 콧등의 수평 주름 또는 "bunny line"이라 불리는 주름을 만든다.

이마근(Frontalis)

- 이마 머리덮개 널힘줄에서 시작한다.

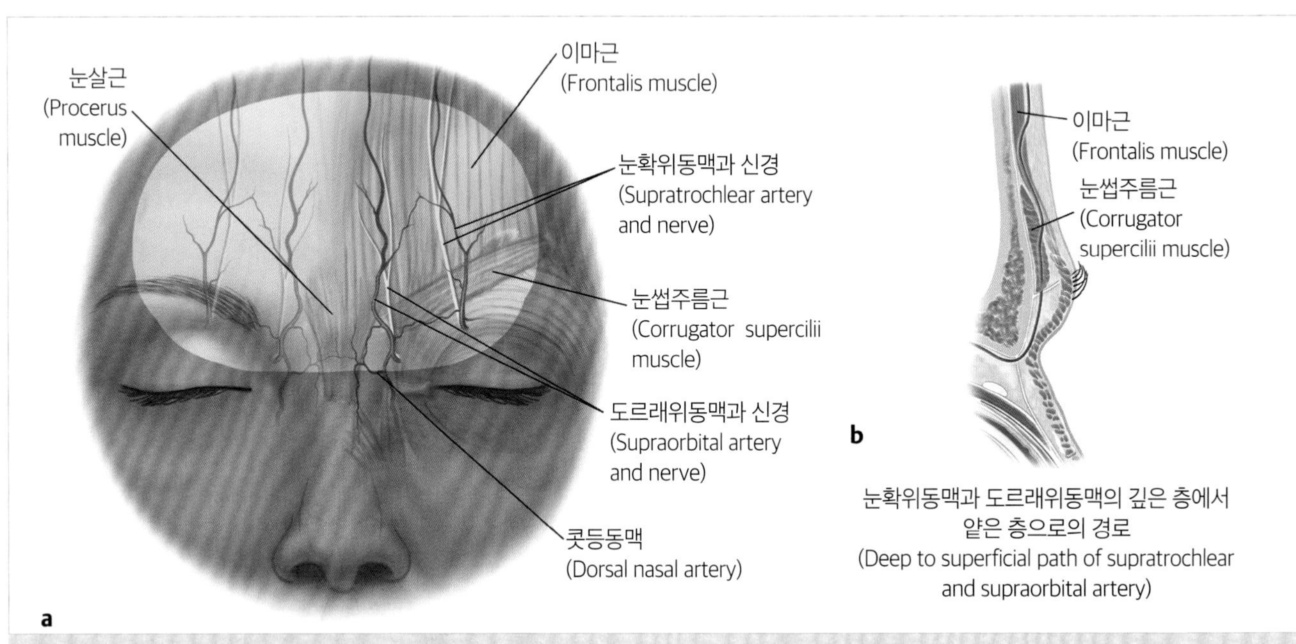

그림 10.4 **(a)** 미간과 이마부위의 표정짓는 근육을 보여주는 그림. 눈썹주름근(Corrugator Supercilii muscle)은 미간의 수직과 사선의 주름을 만든다. 눈살근(procerus)은 콧등의 수평 주름을 만든다. 이마 근육은 이마의 수평 주름을 만든다. **(b)** 가로단면은 도르래위동맥과 눈확위 동맥이 눈확위둘레(supraorbital rim)를 나오면서 깊은 층에서 얕은 층으로의 경로를 보여준다.

- 눈썹부위에서 눈둘레근, 눈썹주름근 그리고 눈살근과 깍지 끼듯 맞물린다.
- 이마의 수평 주름으로 만든다.

10.3 혈관위험구역과 임상적 연관성 (Vascular Danger Zones and Clinical Correlations)

- 미간부위의 동맥들은 눈확(orbit)에서 나온 뒤 빠르게 표재성으로 되어 종종 피부의 주름에 밀접하게 위치하여, 상대적으로 얕은 주입 시에도 혈관의 손상에 취약하게 만든다(그림 10.4 b).
- 이는 도르래위동맥의 경우에는 더욱 명백하여, 50%의 케이스에서 미간 주름 안에 위치한다(그림 10.5).
- 눈확위동맥의 해부학적 변이 역시 이를 손상에 취약하게 만드는데, 혈관이 근육층 밑에서 피부밑평면으로 이행이 눈확둘레에서 다양한 거리에서 일어나며, 표재성 가지는 눈확둘레 위에서 15 mm 정도로 낮게 나오기도 한다.
- 콧등동맥은 수평 콧등 주름 바로 아래의 진피밑평면에서 코뿌리 위로 지나가는데, 이는 bunny line에 필러를 주입할 때 혈관손상이 가능한 또 다른 구역이 된다. 이 구역에서 주입은 중앙선에 가까운 곳에서 연골 위 또는 뼈막 위에 주입하여야 하는데, 손상 가능한 혈관들보다 깊게 유지해야 한다.
- 눈확둘레에서 손가락으로 눌러서 눈확위혈관과 도르래위혈관을 막아서 의도치 않은 혈관내 주입이 일어났을 때 이물질이 눈동맥으로 역류하는 것을 방지해야 한다(그림 10.6) (동영상 10.1).

동영상 10.1

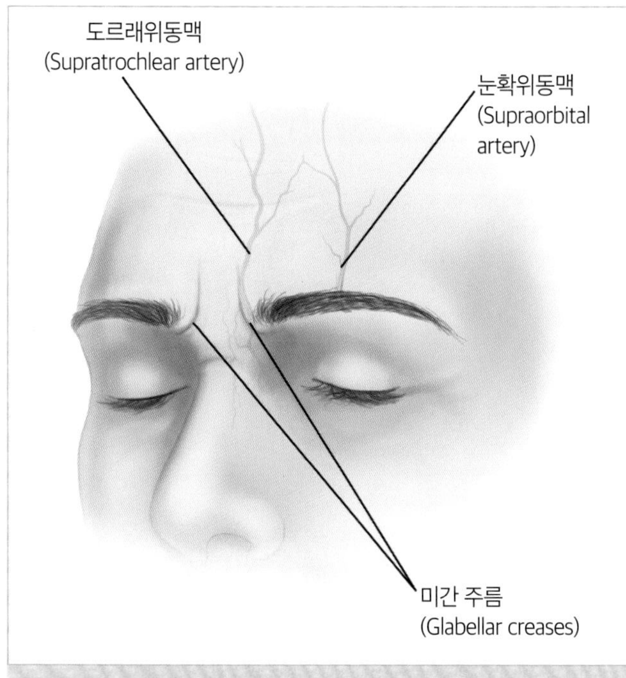

그림 10.5 도르래위동맥(supratrochlear artery)은 눈확(orbit)을 나온 뒤 피부에 가깝게 위치하고, 때때로 미간주름에 아주 가깝게 인접하여 진피층 바로 아래에 위치한다.

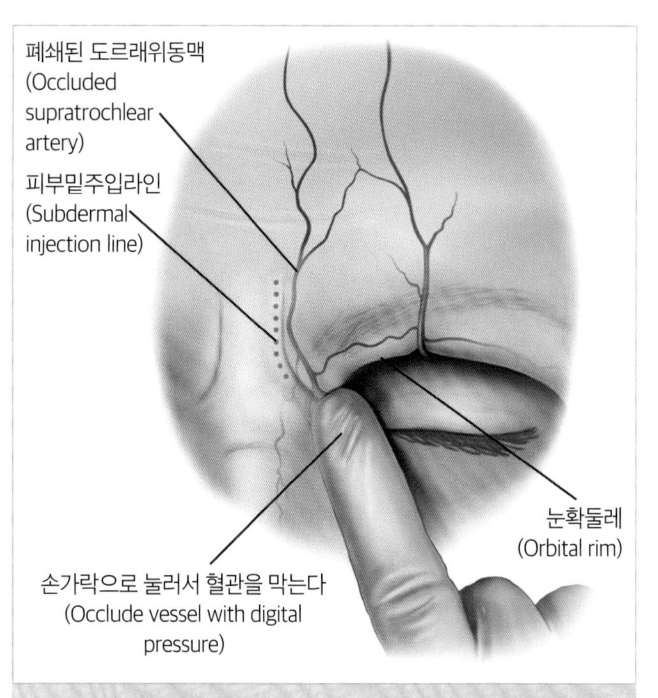

그림 10.6 도르래위동맥은 눈확둘레(orbital rim)의 위안쪽에서 손가락으로 눌러 막아서 이물질이 의도치 않게 혈관 내로 들어가는 일이 발생했을 때 눈동맥(ophthalmic artery)으로 역행성 유입이 되는 것을 방지한다.

10.4 미간부위에 필러주입을 위한 술기 요점 (Technical Points for Filler Injection in the Glabellar Region)

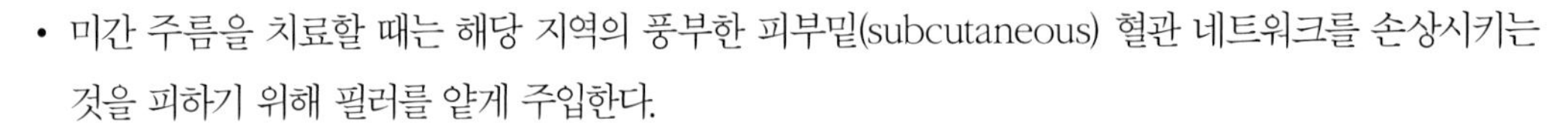

- 미간 주름을 치료할 때는 해당 지역의 풍부한 피부밑(subcutaneous) 혈관 네트워크를 손상시키는 것을 피하기 위해 필러를 얕게 주입한다.

동영상 10.2

- 틴들 현상을 예방하기 위해 낮은 G' 값의 필러를 사용한다.
- 미간 주름에 90도 각도로 주름에 따라 연속천자법을 이용해서 작은 용량을 진피 내로 주입한다(그림 10.7)(동영상 10.2).
- 적은 압력으로 주입한다.
- 눈확위둘레에 손가락으로 눌러서 미간부위에 주입하는 동안 눈확위혈관과 도르래위혈관을 막아 둔다.

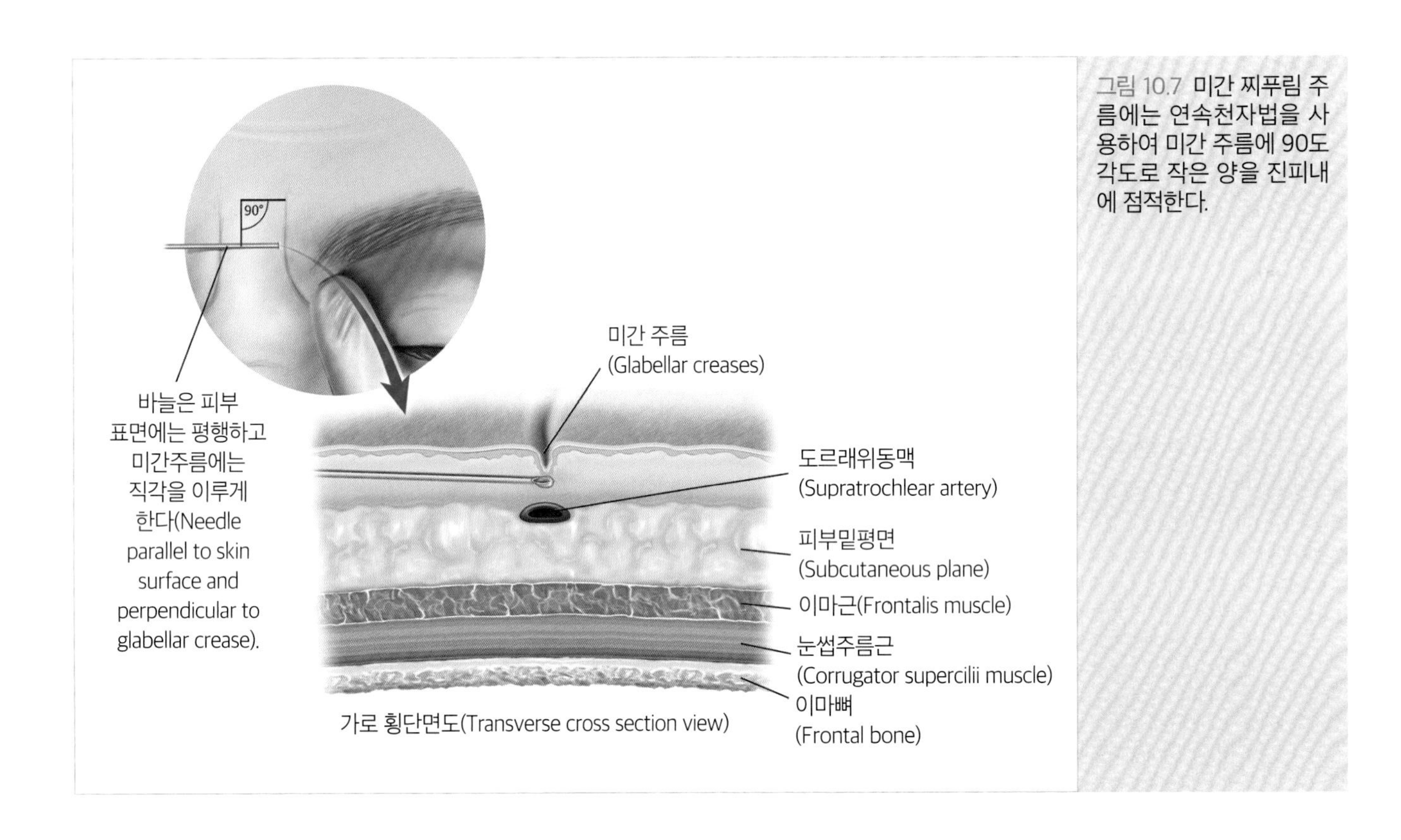

그림 10.7 미간 찌푸림 주름에는 연속천자법을 사용하여 미간 주름에 90도 각도로 작은 양을 진피내에 점적한다.

References

1. Scheuer JF, III, Sieber DA, Pezeshk RA, Campbell CF, Gassman AA, Rohrich RJ. Anatomy of the Facial Danger Zones: Maximizing Safety during Soft-Tissue Filler Injections. Plast Reconstr Surg. 2017; 139(1):50e–58e
2. Li X, Du L, Lu JJ. A Novel Hypothesis of Visual Loss Secondary to Cosmetic Facial Filler Injection. Ann Plast Surg. 2015; 75(3):258–260
3. Ozturk CN, Li Y, Tung R, Parker L, Piliang MP, Zins JE. Complications following injection of soft-tissue fillers. Aesthet Surg J. 2013; 33(6):862–877
4. Park KH, Kim YK, Woo SJ, et al; Korean Retina Society. Iatrogenic occlusion of the ophthalmic artery after cosmetic facial filler injections: a national survey by the Korean Retina Society. JAMA Ophthalmol. 2014; 132(6):714–723
5. Park SW, Woo SJ, Park KH, Huh JW, Jung C, Kwon OK. Iatrogenic retinal artery occlusion caused by cosmetic facial filler injections. Am J Ophthalmol. 2012; 154(4):653–662.e1
6. Carruthers JD, Fagien S, Rohrich RJ, Weinkle S, Carruthers A. Blindness caused by cosmetic filler injection: a review of cause and therapy. Plast Reconstr Surg. 2014; 134(6):1197–1201
7. Scheuer JF, III, Sieber DA, Pezeshk RA, Gassman AA, Campbell CF, Rohrich RJ. Facial Danger Zones: Techniques to Maximize Safety during Soft-Tissue Filler Injections. Plast Reconstr Surg. 2017; 139(5):1103–1108
8. Ugur MB, Savranlar A, Uzun L, Küçüker H, Cinar F. A reliable surface landmark for localizing supratrochlear artery: medial canthus. Otolaryngol Head Neck Surg. 2008; 138(2):162–165
9. Kleintjes WG. Forehead anatomy: arterial variations and venous link of the midline forehead flap. J Plast Reconstr Aesthet Surg. 2007; 60(6):593–606
10. Shumrick KA, Smith TL. The anatomic basis for the design of forehead flaps in nasal recon- struction. Arch Otolaryngol Head Neck Surg. 1992; 118(4):373–379
11. Webster RC, Gaunt JM, Hamdan US, Fuleihan NS, Giandello PR, Smith RC. Supraorbital and supratrochlear notches and foramina: anatomical variations and surgical relevance. Laryngoscope. 1986; 96(3):311–315
12. Erdogmus S, Govsa F. Anatomy of the supraorbital region and the evaluation of it for the reconstruction of facial defects. J Craniofac Surg. 2007; 18(1):104–112
13. Toriumi DM, Mueller RA, Grosch T, Bhattacharyya TK, Larrabee WF, Jr. Vascular anatomy of the nose and the external rhinoplasty approach. Arch Otolaryngol Head Neck Surg. 1996; 122(1):24–34
14. Vural E, Batay F, Key JM. Glabellar frown lines as a reliable landmark for the supratrochlear artery. Otolaryngol Head Neck Surg. 2000; 123(5):543–546

11. 얼굴위험구역 2 - 관자부위
(Facial Danger Zone 2 - Temporal Region)

- *Rod J. Rohrich and Dinah Wan* / 박동권 역

초록

얕은관자동맥(superficial temporal artery)과 중간관자정맥(middle temporal vein)은 관자오목(temporal fossa)의 중간평면에 위치한다. 얕은관자동맥의 이마가지로의 의도치 않은 주입은 눈확위혈관계를 통한 역행성 색전에 의해 눈 손상을 유발할 수 있다. 중간관자동맥으로의 주입은 내경정맥(internal jugular vein)으로의 전향성 정맥 혈류로 의해 비혈전성 폐색전증을 일으킬 수 있다. 관자부위의 필러 주입은 중간층에 있는 혈관들에 삽입되는 위험을 피하도록 피부밑조직(subcutaneous tissue)으로 얕게 주입되거나 뼈막 위(preperiosteal plane)로 깊게 주입 되어야만 한다.

키워드: **필러 주입**(filler injections), **관자(측두)오목**(temporal fossa), **얕은관자동맥 이마(전두)가지**(frontal branch of superficial temporal artery), **중간관자(측두)정맥**(middle temporal vein), **실명**(blindness), **폐색전증**(pulmonary embolus)

관자부위 필러 시술 안전을 극대화하기 위한 중요한 점

- 관자부위의 손상되기 쉬운 혈관들이 있는 중간평면에 주입을 피한다.
- 피부밑조직으로 얕게 주입하거나 뼈막 앞면으로 깊게 주입한다.
- 선행/역행(anterograde/retrograde)하는 동작으로 낮은 압력으로 주입한다.

11.1 관자부위의 안전 고려사항(Safety Considerations in the Temporal Region)

- 얕은관자동맥과 중간관자정맥은 관자오목의 중간평면에 위치한다(그림 11.1).

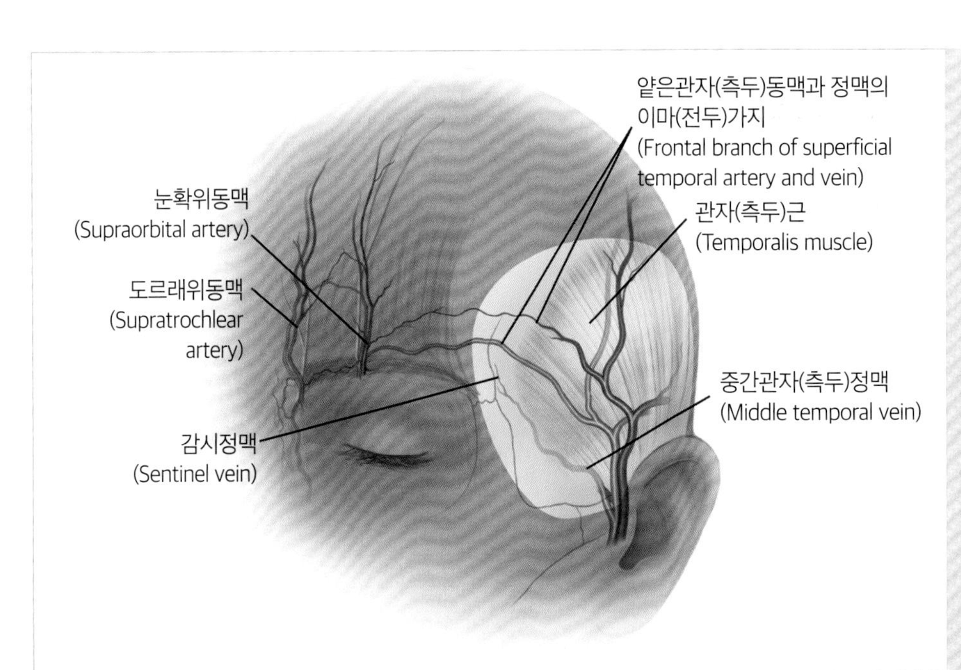

그림 11.1 얕은관자동맥(Superficial temporal artery)의 이마가지와 중간관자정맥(Middle temporal vein)은 관자부위 주입 중에 혈관 손상이 일어날 가능성이 있는 곳이다.

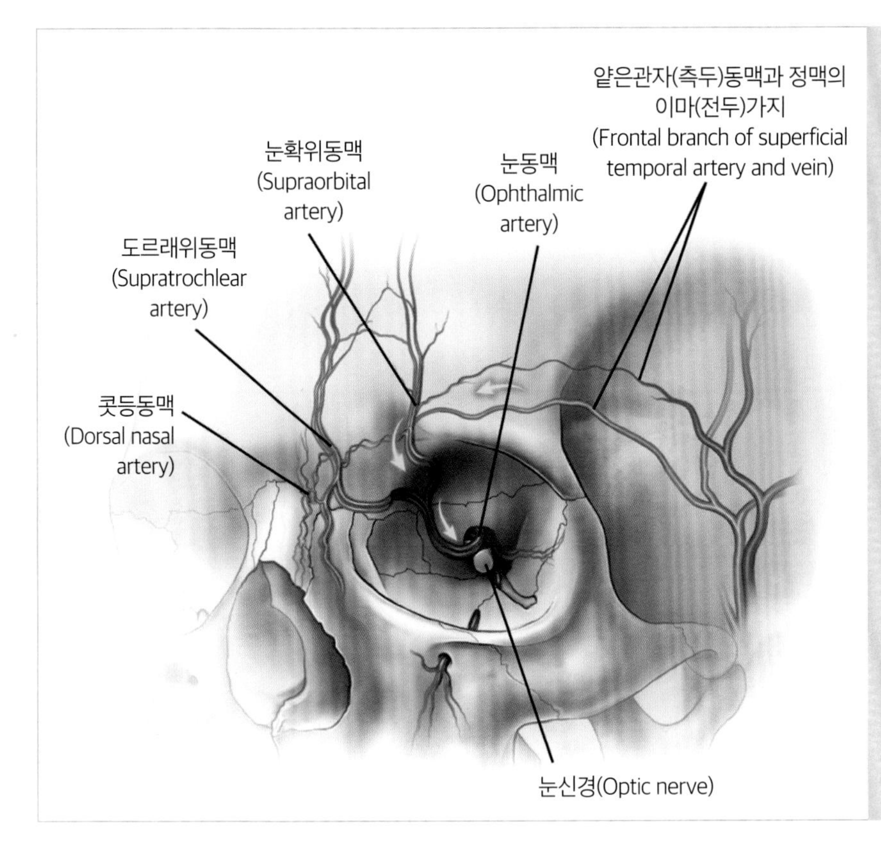

그림 11.2 얕은관자동맥(superficial temporal artery)의 이마가지는 관자오목(temporal fossa)에 위치하여 관자부위 주입 도중 의도치 않은 관삽입(cannulation)의 위험이 있다. 이 가지는 눈썹 바깥쪽에서 눈확위혈관들과 나뭇가지 같은 연결을 만들어서 눈혈관계(ophthalmic system)로의 역행성 색전의 잠재적 경로를 생성한다.

- 얕은관자동맥의 이마가지로 혈관내 이물질이 주입되면 눈확위혈관계를 통한 역행성 색전으로 눈손상을 유발할 수 있다(그림 11.2).
- 사체 연구에서 얕은관자동맥으로 주입한 염료는 같은 쪽 및 심지어 양쪽 눈에서 발견되었다.
- 극히 드문 경우지만, 중간관자정맥으로 혈관내 주입이 되는 경우 내경정맥으로 선행하는 정맥 혈류로 인해 비혈전성 폐색전증을 유발할 수 있다.

11.2 관자부위 관련해부학(Pertinent Anatomy of the Temporal Region)

11.2.1 얕은관자동맥(Superficial Temporal Artery) – 이마가지(그림 11.3) (동영상 11.1)

동영상 11.1

- 주행경로는 얼굴신경(facial nerve)의 관자가지와 유사하다.
- 귀구슬(tragus)에서 앞쪽으로 손가락 너비 하나, 위쪽으로 손가락 너비 2개의 위치에서 시작한다.
- 광대활(zygomatic arch) 위 2 ㎝의 관자마루근막(temporoparietal fascia)안의 중간평면을 지나간다.
- 이마근(frontalis)의 가쪽 경계 근처의 눈썹의 정점에서 손가락 너비 하나 위에서 피부밑평면(subcutaneous plane)으로 이행한다.
- 가쪽 눈썹(lateral brow) 위에서 눈확위동맥(supraorbital artery)과 연결된다(anastomoses).

11.2.2 중간관자정맥(Middle Temporal Vein) (그림 11.3)

- 광대활 20 mm 상방에서 광대활과 평행하게 주행한다(그림 11.4 a).
- 얕은관자지방덩이(superficial temporal fat pad) 안에 존재한다.

그림 11.3 얕은관자정맥(d)이 이마가지(b)를 내는 것이 보인다. 피부밑조직(c)은 얕은관자근막안에서의 이마가지동맥의 경로를 묘사하기 위해 전방 및 후방으로 젖혀졌다. 이마가지동맥(frontal branch artery)(b)은 피부밑지방층으로 이행한 다음 이마근육보다 얕은 층에 있는 눈확위동맥(supraorbital artery)과 연결(anastomoses)되는 것을 분명히 볼 수 있다.

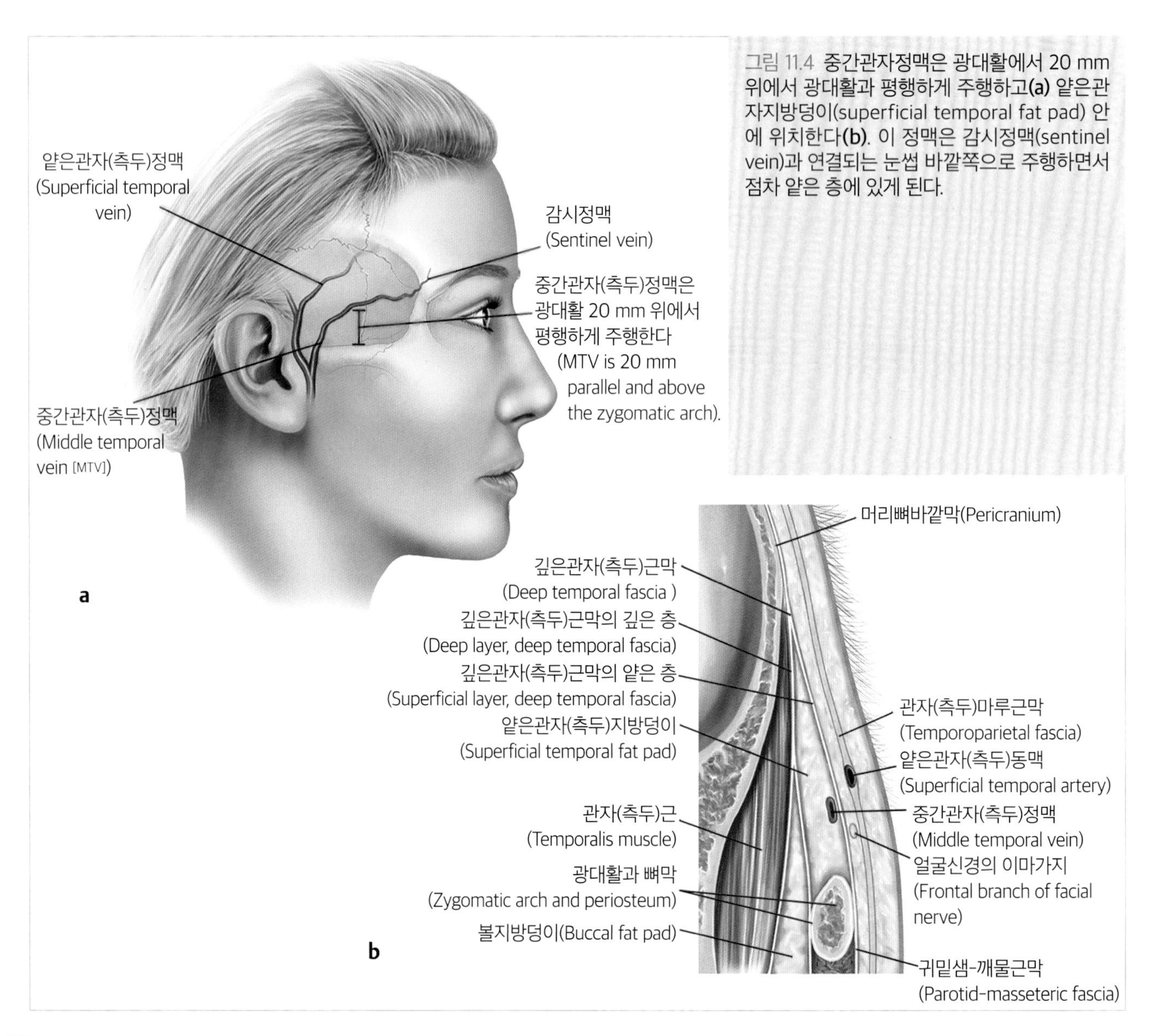

그림 11.4 중간관자정맥은 광대활에서 20 mm 위에서 광대활과 평행하게 주행하고(a) 얕은관자지방덩이(superficial temporal fat pad) 안에 위치한다(b). 이 정맥은 감시정맥(sentinel vein)과 연결되는 눈썹 바깥쪽으로 주행하면서 점차 얕은 층에 있게 된다.

- 평균 크기는 5 mm이고 9 mm까지 커질 수 있다.
- 감시정맥과 해면정맥동(cavernous sinus)과 연결된다.
- 혈류가 내경정맥으로 선행하여 흘러들어간다.

11.3 혈관위험구역과 임상적 연관성 (Vascular Danger Zones and Clinical Correlations)

- 관자부위에서 위험성이 있는 혈관들은 중간평면에 위치한다.
- 필러를 주입할 때 중간평면으로 주입되는 것은 피하기 위해 진피층 바로 밑으로 주입하거나 뼈막 앞면(preperiosteal plane) 정도로 깊게 주입한다.
- 만약에 얕게 주입하는 경우, 진피층 바로 밑의 매우 얕은 층에 머물러야 중간평면에 있는 얕은관자동맥(superficial temporal artery)의 이마가지로 주입되는 것을 방지할 수 있다. 바늘을 진피층과 거의 평행한 방향이 되도록 유지하면서 선행-역행 방식으로 주입한다(그림 11.5)(동영상 11.2).
- 만약 뼈막 앞면으로 깊게 주입하는 경우, 중간관자정맥에 의도치 않게 관삽입되는(cannulation) 것을 피하기 위해 광대활에서 손가락 한 개 너비 또는 25 mm 이상 상방을 유지한다(그림 11.6).

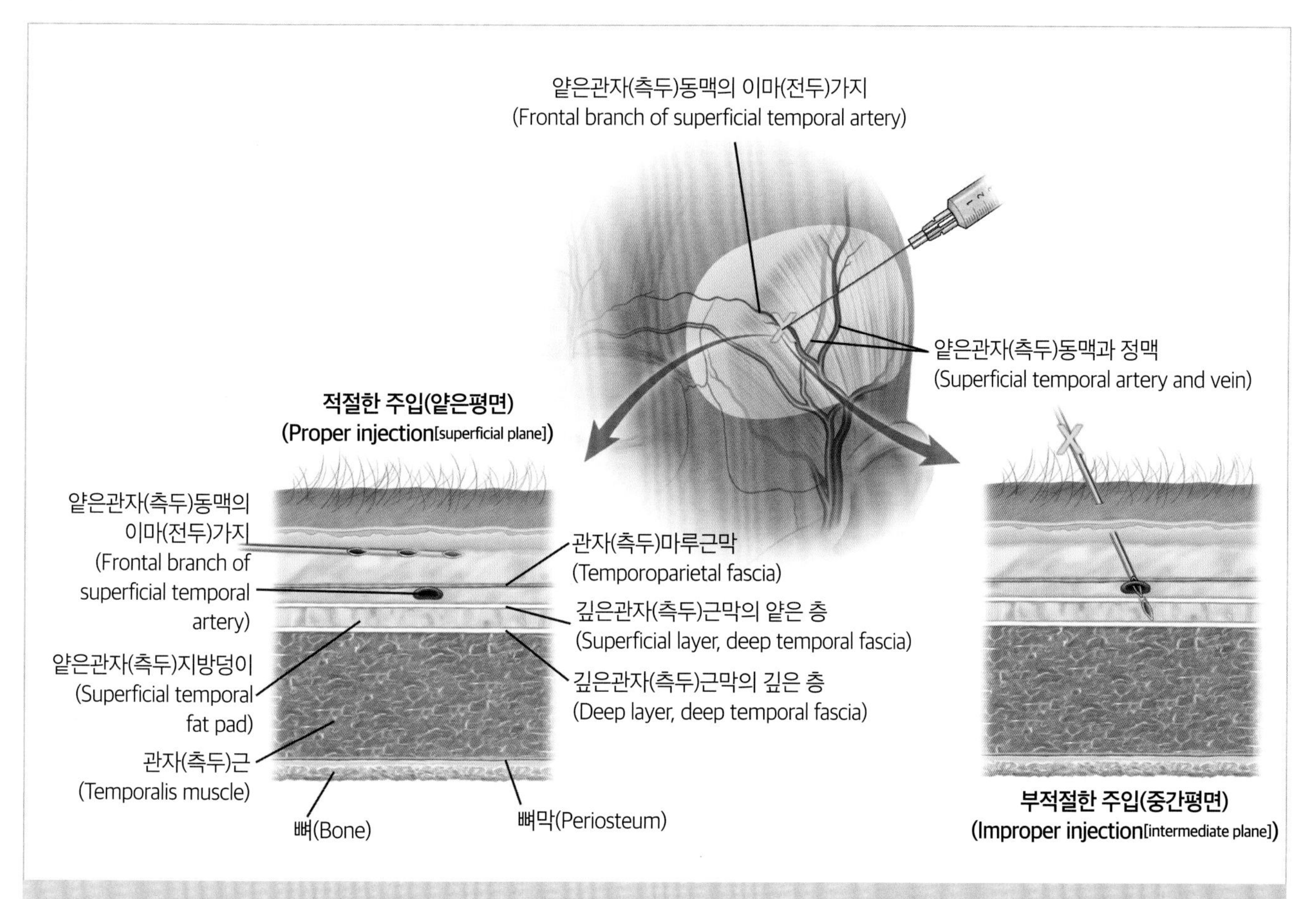

그림 11.5 관자부위에 얕게 주입하는 경우, 진피층 바로 밑으로 매우 얕게 유지하며 주입한다. 바늘을 진피층에 거의 평행으로 유지하면서 선행-역행(anterograde-retrograde) 방식으로 주입한다.

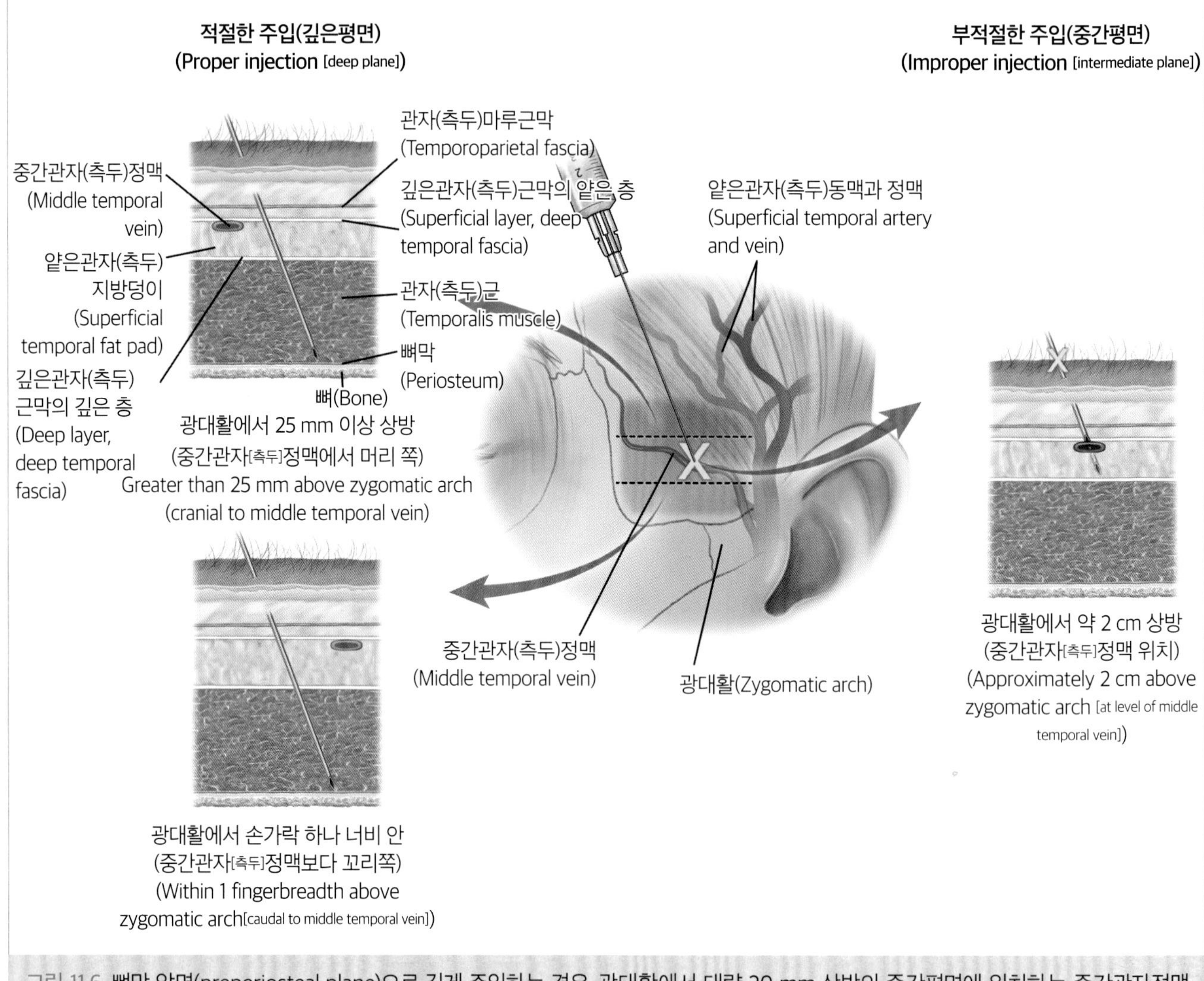

그림 11.6 뼈막 앞면(preperiosteal plane)으로 깊게 주입하는 경우, 광대활에서 대략 20 mm 상방의 중간평면에 위치하는 중간관자정맥에 의도치 않는 관삽입(cannulation)을 피하기 위해, 광대활에서 손가락 하나 너비 또는 25 mm 이상 위를 유지한다.

11.4 관자부위 필러 주입을 위한 술기 요점 (Technical Points for Filler Injection in the Temporal Region)

동영상 11.2

- 관자부위에서는 깊게 또는 얕게 주입한다. 중간 정도의 깊이에 주입하는 것을 피한다.
- 얕게 주입하는 경우에는, 진피층 바로 아래 얕은피부밑조직(subcutaneous tissue)에 주입한다(동영상 11.2).
- 헤어라인 앞(Pretrichial area)에서 시작에서 안쪽으로 진행한다.
- 천천히 주입하며 선행-역행 동작을 유지한다.
- 혈관을 찌르는 가능성을 줄이기 위해 캐뉼라를 사용하는 것을 고려한다.
- 깊게 주입하는 경우에는 광대활 손가락 하나 너비 또는 최소한 2.5 cm 위를 유지하며, G'값이 높은 필러를 사용해서 뼈막 앞면으로 주입한다.

References

1. Scheuer JF, III, Sieber DA, Pezeshk RA, Gassman AA, Campbell CF, Rohrich RJ. Facial Danger Zones: Techniques to Maximize Safety during Soft-Tissue Filler Injections. Plast Reconstr Surg. 2017; 139(5):1103–1108
2. Tansatit T, Moon HJ, Apinuntrum P, Phetudom T. Verification of Embolic Channel Causing Blindness Following Filler Injection. Aesthetic Plast Surg. 2015; 39(1):154–161
3. Jiang X, Liu DL, Chen B. Middle temporal vein: a fatal hazard in injection cosmetic surgery for temple augmentation. JAMA Facial Plast Surg. 2014; 16(3):227–229
4. Jang JG, Hong KS, Choi EY. A case of nonthrombotic pulmonary embolism after facial injection of hyaluronic Acid in an illegal cosmetic procedure. Tuberc Respir Dis (Seoul). 2014; 77(2):90–93
5. Lee JG, Yang HM, Hu KS, et al. Frontal branch of the superficial temporal artery: anatomical study and clinical implications regarding injectable treatments. Surg Radiol Anat. 2015; 37(1):61–68
6. Trussler AP, Stephan P, Hatef D, Schaverien M, Meade R, Barton FE. The frontal branch of the facial nerve across the zygomatic arch: anatomical relevance of the high-SMAS technique. Plast Reconstr Surg. 2010; 125(4):1221–1229
7. Jung W, Youn KH, Won SY, Park JT, Hu KS, Kim HJ. Clinical implications of the middle temporal vein with regard to temporal fossa augmentation. Dermatol Surg. 2014; 40(6):618–623
8. Tansatit T, Apinuntrum P, Phetudom T. An Anatomical Study of the Middle Temporal Vein and the Drainage Vascular Networks to Assess the Potential Complications and the Preven- tive Maneuver During Temporal Augmentation Using Both Anterograde and Retrograde Injections. Aesthetic Plast Surg. 2015; 39(5):791–799

12. 얼굴위험구역 3 – 입주변부위 (Facial Danger Zone 3 – Perioral Region)

- *Rod J. Rohrich and Dinah Wan* / 박동권 역

초록

위입술동맥과 아랫입술동맥은 각각 위아래 입술의 입둘레근(orbicularis oris muscle)과 구강 점막 사이의 깊은평면 안에서 주행한다. 입술의 필러 주입은 과도한 멍이 발생하는 것을 피하기 위해 입술동맥위치보다 얕게 유지해야 한다. 주입은 입술의 홍순(vermilion) 또는 피부에서 3 mm이상 깊게 찌르지 않아야 하며, 피부밑 또는 얕은근육내평면에서 시행되어야 한다. 얼굴동맥(facial artery)은 입술연결부(oral commissure)에서 가쪽(lateral)으로 대략 15 mm위치에서 주행하여 입꼬리 근처에 주입할 때, 손상받을 위험 및 그에 따르는 원위 색전의 위험이 존재한다. 이 구역에서는 반드시 얕은피부밑조직(subcutaneous tissue)에 주입되어야 하고, 입술연결부에서 하나의 엄지너비 안에서 이뤄져야 한다.

키워드: 필러 주입(filler injections), **입술**(lips), **입술연결부**(oral commissure), **입꼬리**(corner of mouth), **위/아래입술동맥**(superior/inferior labial artery), **얼굴동맥**(facial artery), **조직 괴사**(tissue necrosis), **멍**(bruising)

입주변부위의 필러 시술 시 안전을 극대화하기 위한 중요한 점

- 위, 아랫입술의 필러 주입은 피부 또는 입술 홍순에서부터 3 mm 이상 깊지 않게 찔러야 하며, 피부밑 또는 얕은근육내평면에 있어야 한다.
- 입술연결부부위에 주입 시 입꼬리에서 하나의 엄지 너비 안의 얕은피부밑평면에서 이뤄져야 한다.
- 낮은 압력의 선행/역행(anterograde/retrograde) 방식으로 주입한다.

12.1 입주변부위의 안전 고려사항(Safety Considerations in the Perioral Region)

- 위/아래입술동맥은 각각 위, 아랫입술 안에서 주행한다. 입술 확대를 위한 필러 주입 시 이 혈관들을 피하는 것이 조직 허혈 및/또는 과도한 멍을 예방하는데 중요하다(그림 12.1).
- 얼굴동맥은 입술연결부 바로 가쪽에서 주행하여, 입꼬리 주변에 주입할 때는 손상의 위험이 있다.

12.2 입주변부위 관련해부학(Pertinent Anatomy of the Perioral Region)

12.2.1 윗입술(Upper Lip)

위입술동맥(Superior Labial Artery)

- 입술연결부(oral commissure) 상방 5~9 mm, 가쪽 10~12 mm에 위치한 얼굴동맥(Facial artery)에서 시작한다(그림 12.2).
- 아랫입술동맥의 아랫입술에서의 경로와 비교할 때, 윗입술동맥은 궤적은 더 큰 변동성이 있다.
- 처음에는 윗입술의 바깥쪽 1/3까지 입술 홍순 경계(vermilion border)의 윗부분을 따라 주행하다가, 중간 1/3 또는 입술산(Cupid's bow)으로 다가가면서 홍순 경계 아래로 내려간다.
- 피부에서 3~7.6 mm 깊이까지 주행한다.

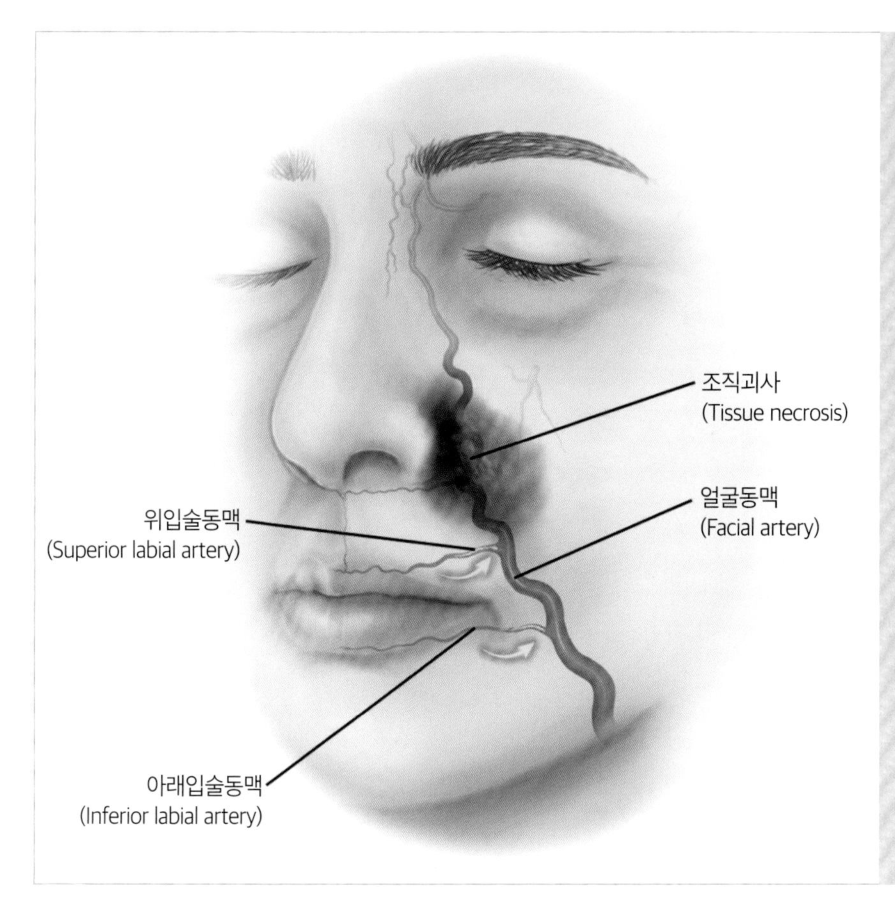

그림 12.1 위/아래입술동맥은 각기 위아래입술로 주행한다. 입술에 필러 주입 시 손상의 위험이 있다. 얼굴동맥(facial artery)은 입술동맥가지를 내고, 입술연결부에 가깝게 진행하기 때문에 필러 주입이 입주변부위의 너무 바깥쪽에서 이루어지면 혈관이 손상될 수 있다. 이 혈관들에 필러가 의도치 않게 주입되는 경우 원위 색전을 만들어 눈구석동맥(angular artery)부위의 조직 괴사를 유발할 수 있다.

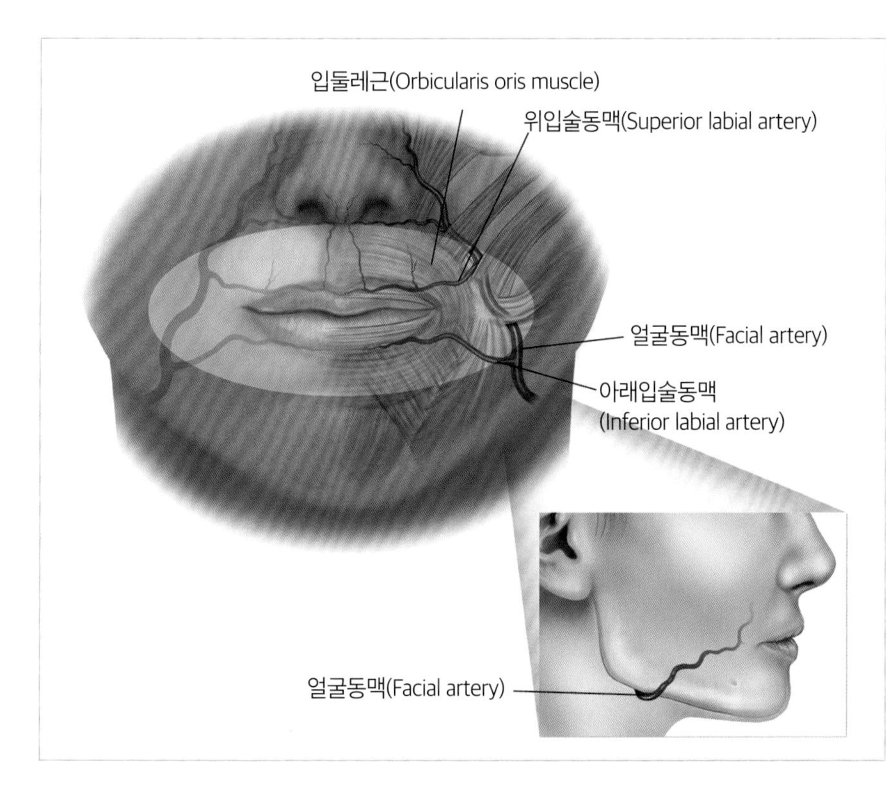

그림 12.2 위입술동맥(superior labial artery)은 입술연결부의 가쪽(lateral to) 그리고 위쪽(above)의 얼굴동맥(facial artery)에서부터 시작되는 반면, 아랫입술동맥(inferior labial artery)은 입술연결부의 아래가쪽(inferolateral) 측에서 얼굴동맥(facial artery)으로부터 분지되어 나오는 경우가 흔하다.
얼굴동맥(facial artery)은 아래턱각에서 표정근육 아래의 깊은 층에서 나와 입술연결부쪽을 향해 가면서 얕은 층으로 주행한다.

- 입둘레근과 구강 점막 사이의 평면에서 가장 흔하게 발견되고, 입둘레근 안에서는 가장 적게 발견된다(그림 12.3).

12.2.2 아랫입술(Lower Lip)

아래입술동맥(Inferior Labial Artery)

- 일관되지 않는 명명법으로 인한 다양한 기원이 있으나 일반적으로 입술연결부의 아래가쪽(inferolateral)의 얼굴동맥에서 가지한다(그림 12.2).
- 아랫입술의 수평 궤적은 입술 홍순과 피부의 접합부(vermilion/cutaneous junction) 수준에 있다.
- 입둘레근과 구강 점막 사이의 평면에서 가장 흔하게 발견되고, 입둘레근 안에서는 가장 적게 발견된다(그림 12.3).

12.2.3 입술연결부(Oral Commissure)

얼굴동맥(Facial Artery)

- 아래턱각에서 표정근육 아래의 깊은 층에서 올라온다(그림 12.2)(동영상 12.1).
- 입술연결부로 다가감에 따라 점차 얕은 층으로 주행하며 윗입술동맥가지를 낸다.
- 입술연결부에서 한 엄지너비 또는 14~16 mm 가쪽에 위치한다.

12.3 혈관위험구역과 임상적 연관성(Vascular Danger Zones and Clinical Correlations)

- 아래/위입술동맥은 78.1%에서 입둘레근과 구강 점막 사이에 있고, 17.5%에서는 입둘레근 안에 있다.
- 입술동맥의 깊이는 중앙 입술에서는 다양하고 정중 위치에서는 얕은 층에서 가장 흔하게 발견된다.
- 필러는 위/아랫입술에서는 입술동맥보다 얕게 주입되어야 한다. 일반적으로 필러는 피부밑(subcutaneous) 또는 얕은근육층에 있어야만 하고, 피부에서 깊이가 3 mm를 넘지 않아야 한다(그림 12.4).
- 중간입술부위에 필러를 주입할 때는 좀 더 얕은 층을 유지해야 하고, 입술 정중선에서 좀 더 얕은 혈관 구조를 갖고 있을 가능성 때문에 입술연결부에서 입술산의 중간 지점은 주입을 피한다.

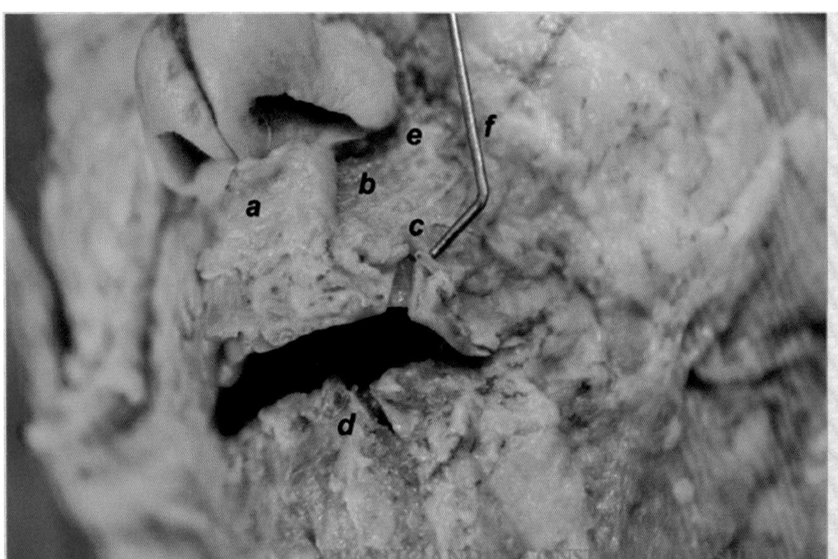

그림 12.3 **입주변부위 사체 박리.** 피부밑조직**(a)**은 젖혀져서 입둘레근(orbicularis oris muscle)**(b)**이 노출되어 있다. 윗입술동맥(superior labial artery)**(c)**은 아랫입술 경계 위쪽의 입술 점막 위의 입둘레근(orbicularis oris muscle) 깊숙이 주행하는 것을 볼 수 있다. 아랫입술동맥(inferior labial artery)**(d)**은 아랫입술에서 비슷한 방식으로 주행하는 것을 보여 준다. 얼굴동맥**(f)**이 코입술주름(nasolabial fold)의 상부 1/3에서 아래콧방울동맥(inferior alar artery)**(e)**으로 가지를 내는 것이 보인다.

- 입술연결부에서의 필러 주입은 입꼬리에서 하나의 엄지너비 안에서 얕은 층을 유지해야 한다. 필러는 너무 깊게 또는 입꼬리에서 너무 바깥쪽으로(한 엄지너비 이상) 주입을 한다면 얼굴동맥을 손상시킬 위험이 있다(그림 12.5).

12.4 입주변부위 필러 주입을 위한 술기 요점
(Technical Points for Filler Injection in the Perioral Region)

12.4.1 위/아랫입술(Upper and Lower Lip)

동영상 12.2

- G'값이 낮거나 중간 값을 갖는 필러를 사용한다.
- 입술 홍순과 피부 경계(vermilion/cutaneous border) 또는 마른 입술 홍순(dry vermilion) 안에 주입하도록 선형후진주사법(linear threading technique) 사용한다(동영상 12.2).
- 부드럽게, 낮은 압력으로 선행-역행(anterograde-retrograde) 방식을 사용한다.
- 피부밑(subcutaneous)이나 얕은근육층안에서 3 mm 이상 깊게 찌르지 않는다(그림 12.4).
- 입술의 중앙에서는 좀 더 얕은 층을 유지하는 것을 고려한다.

동영상 12.3

12.4.2 입술연결부(Oral Commissure)

- 얕은피부밑조직에 주입한다(그림 12.5)(동영상 12.3).

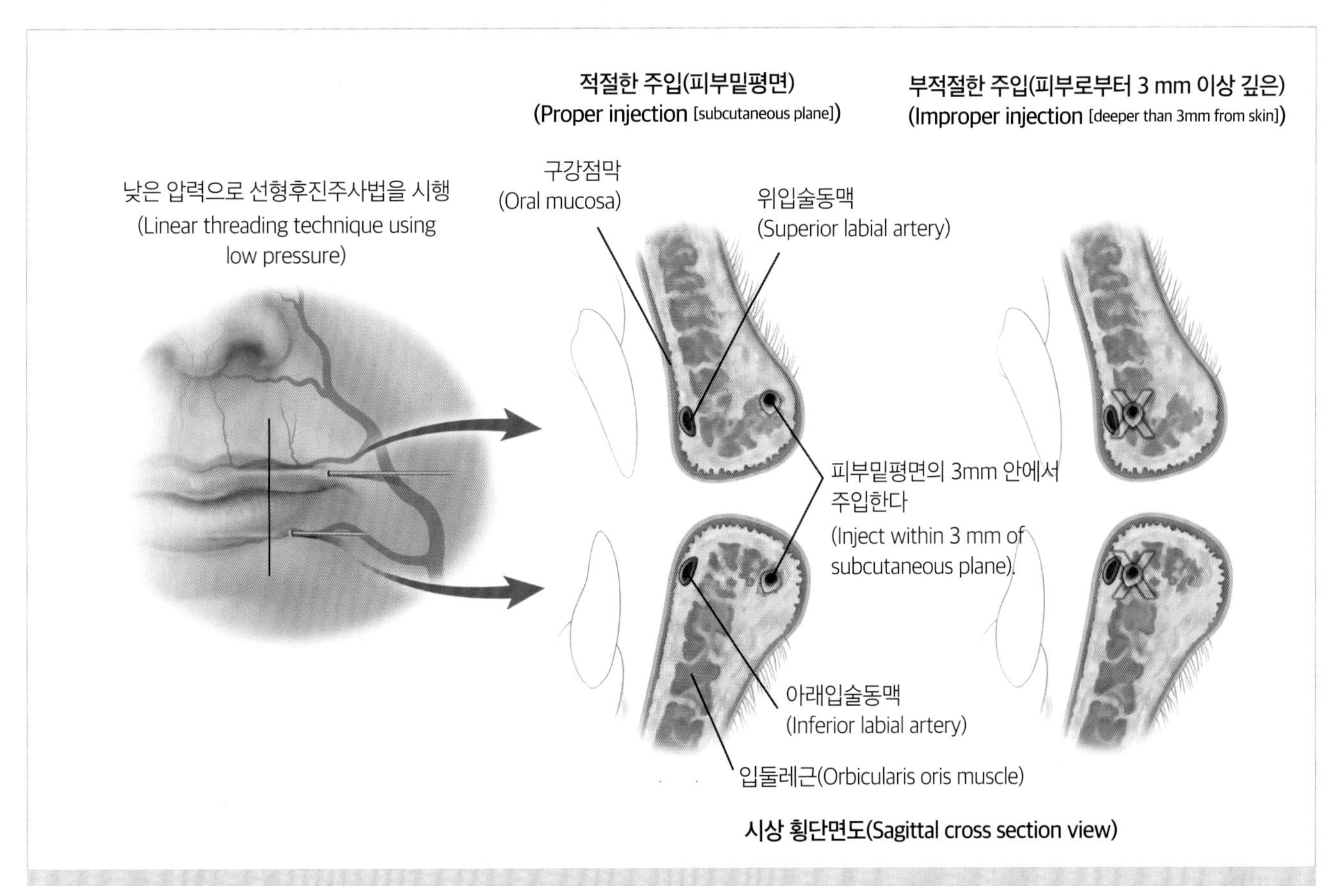

그림 12.4 위/아랫입술 필러 주입. 필러는 위/아랫입술의 동맥보다 얕게 주입해야 한다. 일반적으로 필러는 피부밑(subcutaneous) 또는 입둘레근의 얕은근육층 또는 피부에서 깊이가 3 mm되지 않는 곳에 있어야 한다.

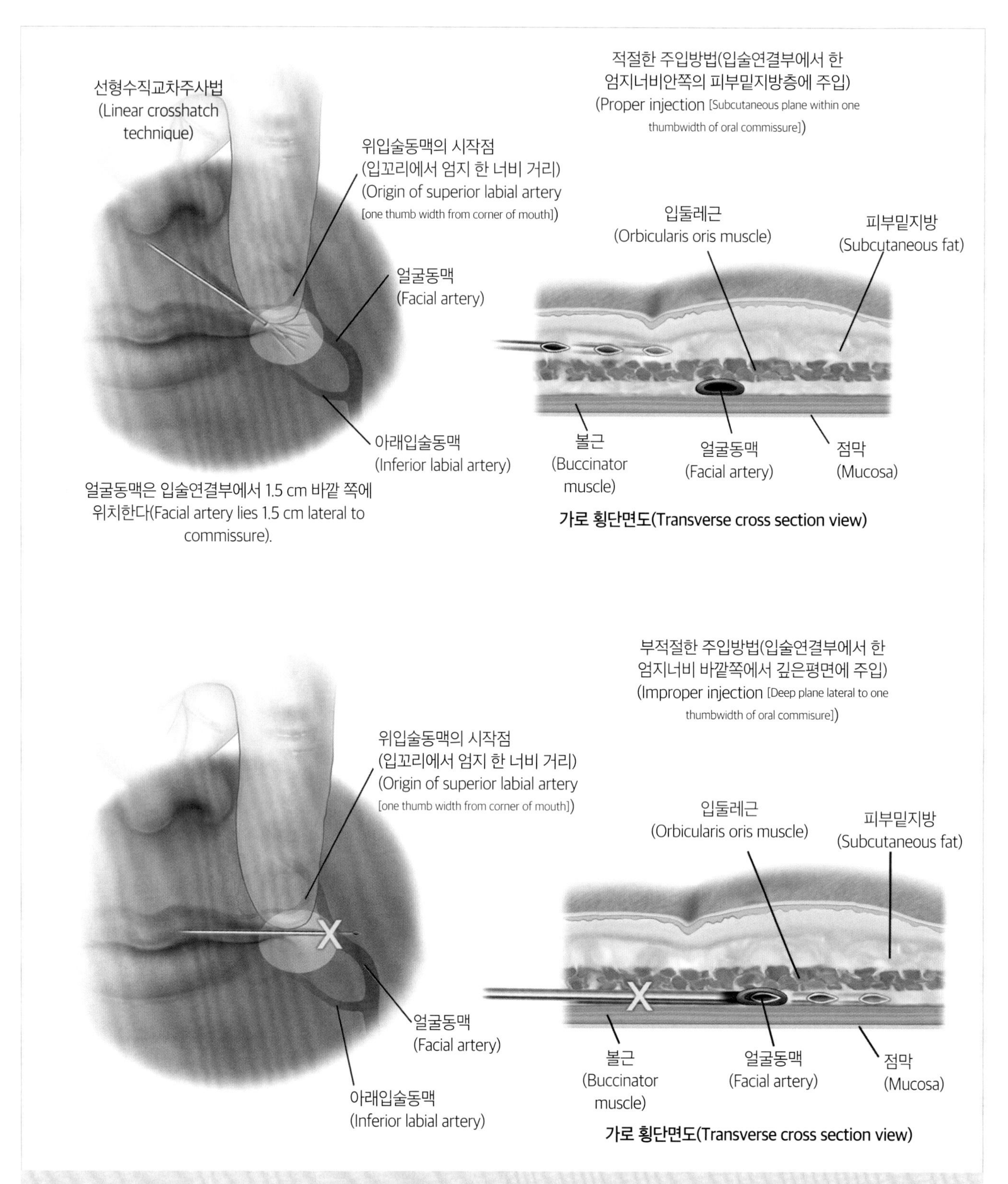

그림 12.5 **입술연결부(oral commissure)에 주입. (a)** 얼굴동맥(facial artery)은 입술연결부(oral commissure)에서 한 엄지 너비 또는 1.5 cm 바깥쪽에 위치한다. 입술연결부(oral commissure)에 필러 주입을 할 때는 입꼬리에서 한 엄지너비 안쪽에서 얕은주입평면을 유지해야 한다. **(b)** 필러를 너무 깊게 또는 너무 바깥쪽으로(입꼬리에서 엄지너비 하나 이상의 거리) 주입하는 경우 얼굴동맥(facial artery)을 손상시킬 위험이 있다.

- 입술연결부에서 엄지너비 하나 안쪽의 거리를 유지한다.
- 선형수직교차주사법을 사용해서 주입한다.

References

1. Scheuer JF, III, Sieber DA, Pezeshk RA, Campbell CF, Gassman AA, Rohrich RJ. Anatomy of the Facial Danger Zones: Maximizing Safety during Soft-Tissue Filler Injections. Plast Reconstr Surg. 2017; 139(1):50e–58e
2. Scheuer JF, III, Sieber DA, Pezeshk RA, Gassman AA, Campbell CF, Rohrich RJ. Facial Danger Zones: Techniques to Maximize Safety during Soft-Tissue Filler Injections. Plast Reconstr Surg. 2017; 139(5):1103–1108
3. Mağden O, Edizer M, Atabey A, Tayfur V, Ergür I. Cadaveric study of the arterial anatomy of the upper lip. Plast Reconstr Surg. 2004; 114(2):355–359
4. Tansatit T, Apinuntrum P, Phetudom T. A typical pattern of the labial arteries with implication for lip augmentation with injectable fillers. Aesthetic Plast Surg. 2014; 38(6):1083–1089
5. Al-Hoqail RA, Meguid EM. Anatomic dissection of the arterial supply of the lips: an anatom- ical and analytical approach. J Craniofac Surg. 2008; 19(3):785–794
6. Lee SH, Gil YC, Choi YJ, Tansatit T, Kim HJ, Hu KS. Topographic anatomy of the superior labial artery for dermal filler injection. Plast Reconstr Surg. 2015; 135(2):445–450
7. Cotofana S, Pretterklieber B, Lucius R, et al. Distribution Pattern of the Superior and Inferior Labial Arteries: Impact for Safe Upper and Lower Lip Augmentation Procedures. Plast Reconstr Surg. 2017; 139(5):1075–1082
8. Lee SH, Lee HJ, Kim YS, Kim HJ, Hu KS. What is the difference between the inferior labial artery and the horizontal labiomental artery? Surg Radiol Anat. 2015; 37(8):947–953
9. Pinar YA, Bilge O, Govsa F. Anatomic study of the blood supply of perioral region. Clin Anat. 2005; 18(5):330–339
10. Edizer M, Mağden O, Tayfur V, Kiray A, Ergür I, Atabey A. Arterial anatomy of the lower lip: a cadaveric study. Plast Reconstr Surg. 2003; 111(7):2176–2181

13. 얼굴위험구역 4 – 코입술부위 (Facial Danger Zone 4 – Nasolabial Region)

- *Rod J. Rohrich and Raja Mohan* / 박동권 역

초록

이 챕터에서는 코입술부위(nasolabial region)에 연부조직 필러를 주입하는 방법에 대해 요약 정리한다. 환자들은 나이가 들어감에 따라 코입술주름(nasolabial fold)이 두드러지는 것을 종종 호소하며, 이에 대한 한 가지 치료 방법이 연부조직 필러를 주입하는 것이다. 얼굴동맥(facial artery)의 해부학적인 위치는 코입술주름의 위치와 밀접한 관련이 있다. 주요 얼굴혈관이 의도치 않게 손상되는 것을 방지하기 위한 안전한 연부조직 필러 주입 기법을 소개한다.

키워드: 필러(filler), **주사 가능한**(injectable), **코입술주름**(nasolabial fold), **코입술부위**(nasolabial region), **얼굴동맥**(facial artery)

코입술부위(Nasolabial region) 필러 시술 시 안전을 극대화하기 위한 중요한 점

- 얼굴의 대부분의 부위에는 FDA 승인을 받은 가역적인 하이알유론산 필러만을 사용한다.
- 혈관 문제가 생긴 경우 하이알유론산 필러는 가역적인데 왜냐하면 하이알유론산 분해효소로 되돌릴 수 있기 때문이다.
- 코입술주름의 아랫쪽 2/3에서는, 코입술주름 바로 안 쪽의 진피층 또는 얕은피부밑평면(subcutaneous plane)으로 주입한다(그림 13.1).
- 콧방울바닥(alar base) 근처에서는, 진피층 안으로 또는 뼈막 앞면(preperiosteal plane)으로 주입한다. 치근첨단주위(periapical area)에서는 점진적인 깊은저장주사법(deep depot injection technique)을 사용한다.
- 항상 부드럽게, 1 mL 주사기를 이용하여 낮은 압력의 일정한 움직임으로 선행/역행(anterograde/retrograde) 주사법을 수행한다.
- 혈관계가 해당 부위에서는 얕게 있기 때문에 콧방울둘레(alar rim), 콧방울고랑(alar groove), 코곁벽(nasal sidewall)을 따라 주입하지 않는다.

13.1 코입술부위 안전 고려사항(Safety Considerations in the Nasolabial Region)

- 코입술부위에 주입할 때, 혈관내 손상과 관련된 부작용들을 예방하기 위해 얼굴동맥의 주행 경로와 깊이를 아는 것이 무엇보다 중요하다(그림 13.2).
- 코입술주름의 아랫쪽 2/3에서는 얼굴동맥이 근육 밑 또는 근육 위 깊은평면을 주행한다(그림 13.3).
- 얼굴동맥은 코입술주름 위쪽 1/3에서 얕게 나오게 되고 이 근방에서 손상에 취약하게 된다(그림 13.3)(동영상 13.1).

동영상 13.1

- 코입술주름 위쪽 1/3에서 피부밑(subcutaneous)으로 주입하는 것은 만약 혈관내 손상이 일어난다면 콧방울 또는 광대뼈부위의 연부조직 괴사를 유발할 수 있다(그림 13.4).
- 코입술주름의 위쪽 1/3과 그보다 더 위쪽에서, 눈구석동맥(angular artery)으로 혈관내 주입되는 경우, 눈색전증(ocular embolism)을 유발할 수 있다(그림 13.4).

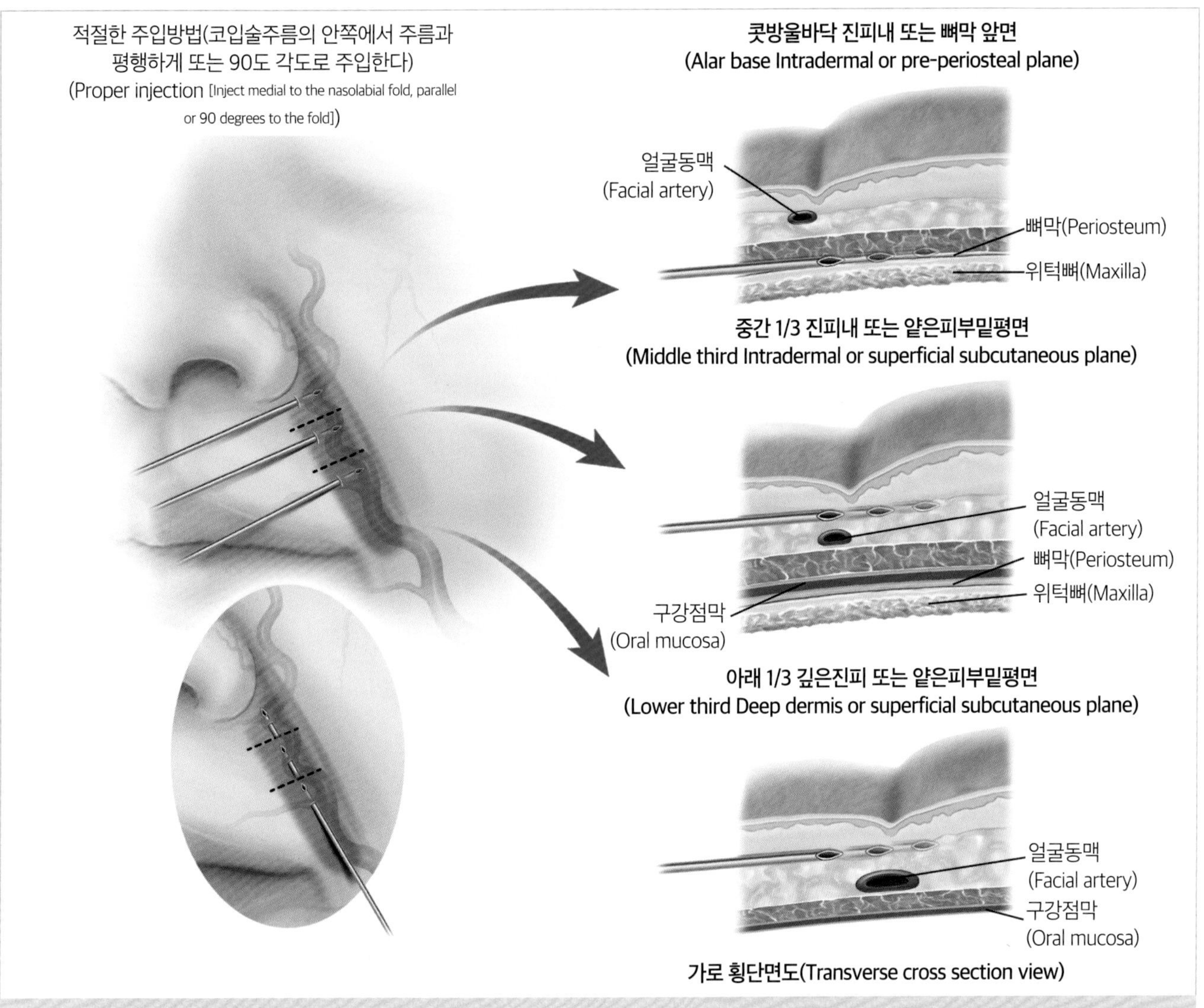

그림 13.1 **코입술주름(nasolabial fold)에 적절한 주입법.** 코입술주름(nasolabial fold)을 개선시키는 방법의 핵심은 주름의 안쪽에(medial to the fold) 머물러 의도치 않는 혈관의 손상이나 주변 혈관으로의 주입을 예방하는 것이다. 코입술부위(nasolabial region)의 위쪽 1/3에서는, 주입이 뼈막 앞면으로 깊게 이뤄지거나, 진피내평면으로 매우 얕게 시행되어야 한다. 동맥은 피부밑조직(subcutaneous tissue) 안에 위치한다. 중간 1/3에서는 동맥은 좀 더 깊게 위치하고, 따라서 주입은 진피내 또는 얕은피부밑평면(subcutaneous plane) 내에서 이뤄져야 한다. 마지막으로 코입술주름의 아랫쪽 1/3에서는 동맥은 근육층 안 또는 근육과 피부밑조직(subcutaneous tissue) 사이에 존재해 좀 더 얕게 주입하는 것을 추천한다.

- 코입술주름은 두번째로 흔하게 조직 괴사가 발생하는 곳이고, 세번째로 흔하게 시력 손실을 유발하는 곳이다.

13.2 코입술부위 관련해부학(Pertinent Anatomy of the Nasolabial Region)

13.2.1 근육(Muscles) (그림 13.2)

입둘레근(Orbicularis Oris)

- 위턱뼈와 아래턱뼈에서 시작한다.
- 입주변부위 피부에 부착된다.
- 입술을 오므리게 한다.

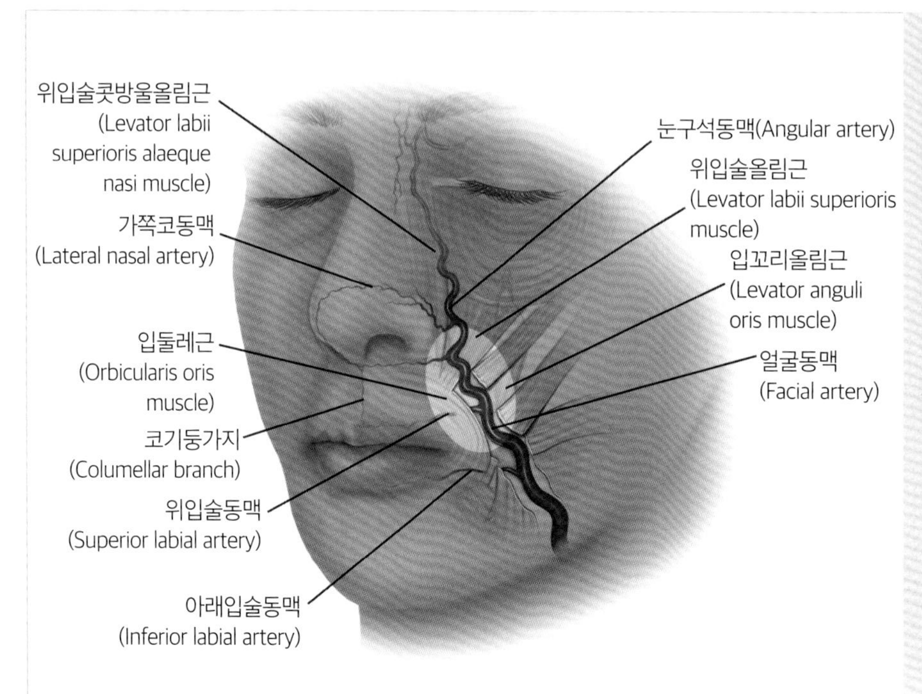

그림 13.2 **코입술부위(nasolabial region) 위험구역.** 코입술부위 위험구역을 그림에서 강조했다. 얼굴동맥의 구불구불한 주행경로가 보인다. 아랫쪽에서는 동맥은 깊게 위치하고 콧방울바닥(alar base) 주위로 오면서 점차 얕은 층으로 나오게 된다. 혈관의 위치는 코입술주름(nasolabial fold)과 가까워서 주름을 교정할 때 주의를 기울여야 한다. 얼굴동맥(facial artery)은 아랫입술동맥(inferior labial artery), 윗입술동맥(superior labial artery) 그리고 가쪽코동맥(lateral nasal artery)과 같은 중요한 가지들을 많이 갖고 있다.

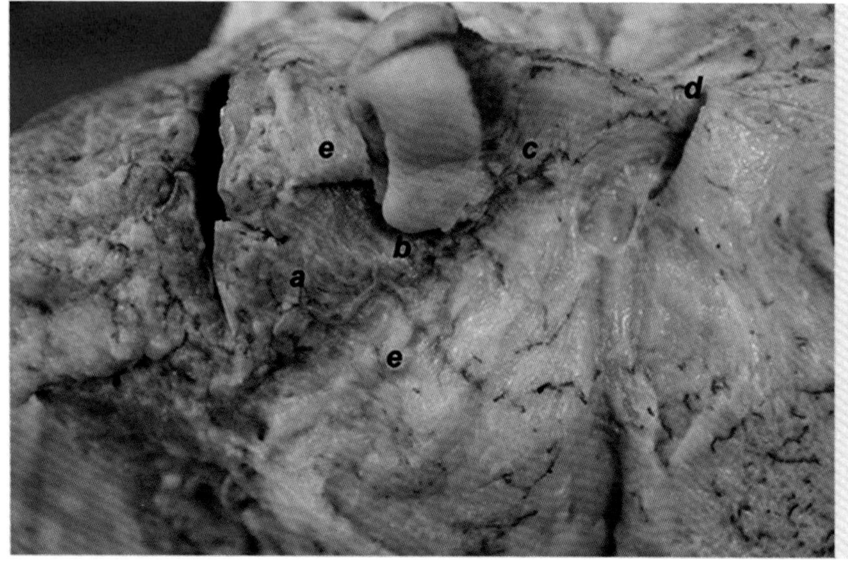

그림 13.3 **얼굴동맥 해부학의 세부사항을 강조한 사체 얼굴 박리.**
피부밑조직(subcutaneous tissue) **(e)**이 젖혀진 상태로, 얼굴동맥**(a)**이 코입술주름(nasolabial fold)에서 주행하는 것이 보이는데, 때때로 근육안에서 발견되나 대부분은 피부밑조직(subcutaneous tissue)과 근육층 사이에서 보인다. 얼굴동맥은 코입술주름(nasolabial fold) 위쪽 1/3에서 얕은 층으로 나오게 되고, 얕게 주입 시 위험할 수 있다. 얼굴동맥(facial artery)이 눈구석동맥(angular artery)**(c)**으로 전환되고 콧등동맥(dorsal nasal artery) **(d)**과 연결(anastomosis)하는 것이 보여진다. 참고로 얼굴동맥(facial artery)은 입술연결부(oral commissure)에서 대략 1.5 cm 바깥쪽에 있다.

위입술올림근(Levator Labii Superioris)

- 윗입술 근육과 피부에서 시작한다.
- 안쪽 눈확아래경계(infraorbital margin)에 부착된다.
- 윗입술을 올리게 한다.

위입술콧방울올림근(Levator Labii Superioris Alaeque Nasi)

- 코뼈에서 시작한다.
- 콧구멍과 윗입술에 부착한다.
- 콧구멍을 넓혀주고 윗입술을 올려준다.

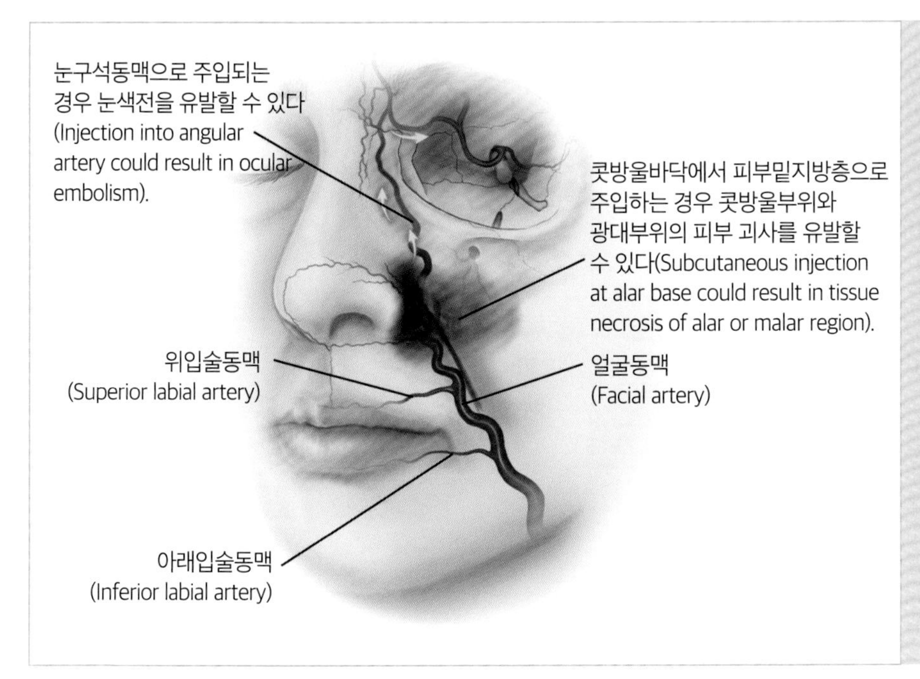

그림 13.4 **코입술주름(nasolabial fold) 주입의 위험성.** 눈혈관(ophthalmic vessel)으로의 역행성 색전의 가능한 경로가 그림에 나타나고 있다. 콧방울바닥(alar base) 주변에서 얕게 주입하는 경우 눈구석동맥(angular artery)로 들어가서 역행성 패턴으로 이동할 수 있다. 콧방울바닥(alar base) 주변에서 얕게 주입하는 것은 콧방울과 광대 연부조직의 혈관 문제를 야기할 수 있다.

입꼬리올림근 (Levator Anguli Oris)

- 위턱뼈에서 시작한다.
- 볼굴대(modiolus)에 부착한다.
- 미소를 짓기 위해 입꼬리를 올려준다.

13.2.2 혈관(Vessels) (그림 11.2, 그림 11.3)

얼굴동맥(Facial Artery) (동영상 11.1)

동영상 11.1

- 입꼬리에서부터 콧방울바닥까지 동맥의 부분은 얼굴동맥으로 간주되고 코입술주름 근처에 있게 된다. 이것은 입술연결부(oral commissure)에서 대략 1.5 cm 바깥쪽에 있다.
- 얼굴동맥은 코입술주름보다 안쪽에(42.9%), 바깥쪽에(23.3%) 또는 가로질러서(33.9%) 있다.
- 코입술주름의 위쪽 1/3과 아래쪽 1/3이 전환될 때, 얼굴동맥은 평균적으로 안쪽에서 1.7 mm 그리고 코입술주름에서 0.3 mm 안쪽에 위치한다.
- 얼굴동맥은 입술연결부에서 윗입술동맥(superior labial artery)으로 가지를 내고 위쪽으로 진행한다.
- 콧방울부위에서 얼굴동맥은 더 얕은평면으로 나오면서 아래콧방울동맥(inferior alar artery)과 가쪽코동맥(lateral nasal artery)으로 가지를 낸다. 콧방울부위를 넘어서는 눈구석동맥(angular artery)으로 간주된다.
- 같은 쪽에, 중복된 얼굴동맥이 얼굴의 아랫부분에서 가지를 내고 눈확아래부위까지 주행하고 안쪽으로 가로질러 주행하여 눈구석동맥이 되는 대체 해부학적 패턴이 있다.
- 눈구석동맥이 존재하지 않거나 눈동맥(ophthalmic artery)에서부터 시작하는 해부학적 변형이 있다.
- 콧방울바닥과 볼굴대 사이에서, 얼굴동맥은 표정근육보다 얕은 층에 있거나(85.2%), 완전히 피부밑에 있거나(16.7%) 표정근육보다 더 깊은 층에 있다(14.8%).

위입술동맥(Superior Labial Artery)

- 윗입술을 따라가는 얼굴동맥의 가지
- 근육과 점막층 사이에 위치한다.

가쪽코동맥(Lateral Nasal Artery)

- 얼굴동맥의 가지로 콧방울과 콧등의 혈관공급을 한다.
- 눈동맥의 가지인 콧등동맥과 연결된다.

13.3 혈관위험구역과 임상적 연관성(Vascular Danger Zones and Clinical Correlations)

- 코입술주름의 위쪽 1/3에서 얼굴동맥은 얕은평면으로 나오게 되고, 상대적으로 얕은주입 시 손상

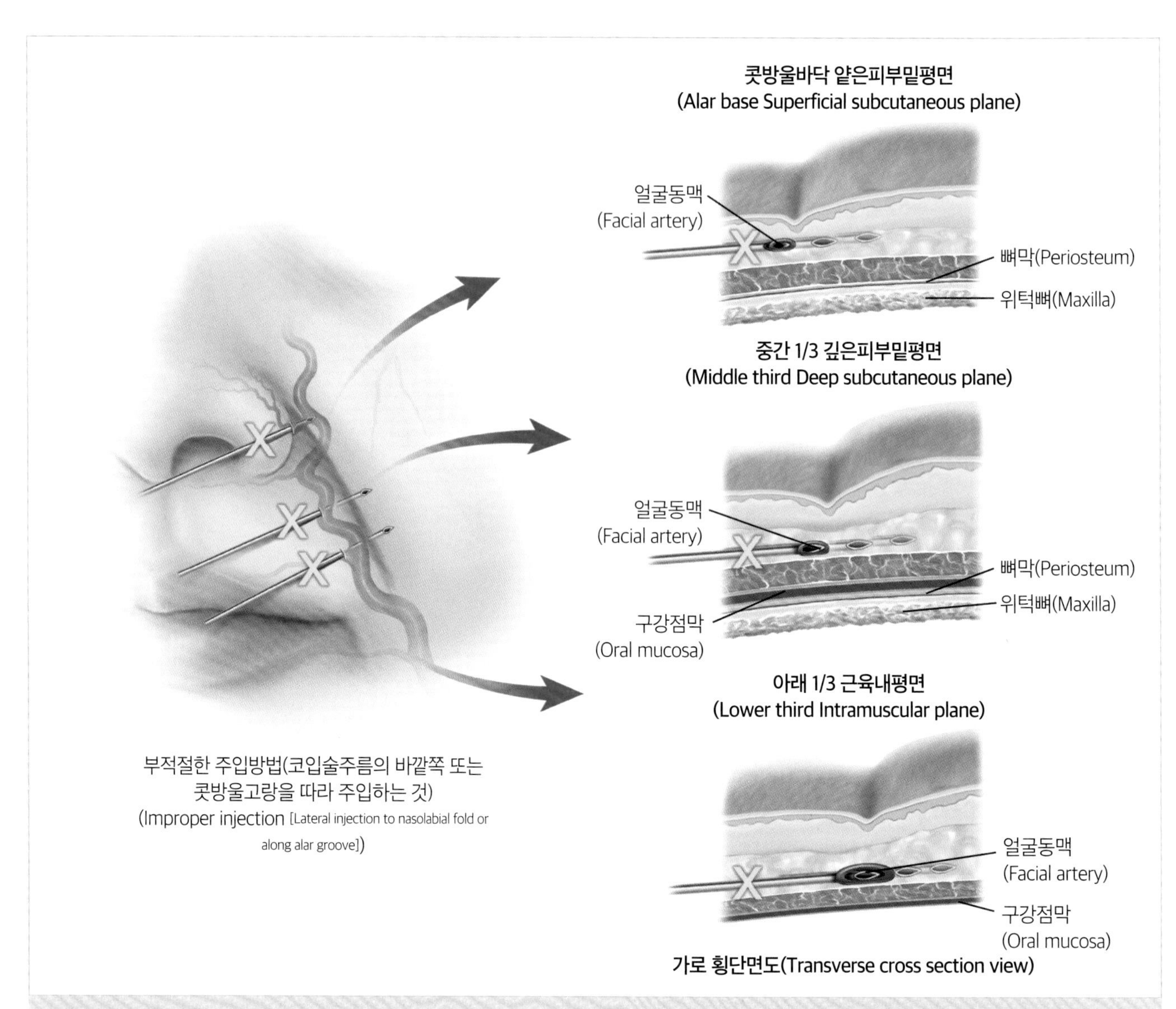

그림 13.5 부적절한 코입술주름(nasolabial fold)의 주입 기법. 코입술(nasolabial)구역의 위쪽 1/3에서 피부밑조직(subcutaneous tissue) 안으로 얕게 주입하는 경우 얼굴동맥(facial artery)을 손상시킬 수 있는 위험을 제기하게 된다. 중간 1/3지점에서는 피부밑(subcutaneous)에 깊게 주입하는 경우 혈관 손상의 위험이 있는 반면 아랫쪽 1/3에서는 근육내 또는 그보다 깊은 주입의 경우 얼굴동맥(facial artery)을 손상시킬 수 있다. 혈관손상을 예방하기 위해 주입점 근처의 얼굴동맥(facial artery)의 단면구조해부학(cross-sectional anatomy)을 이해하는 것이 중요하다.

에 취약하게 된다(그림 13.5).

- 코입술주름 아랫쪽 2/3에서는 코입술주름보다 안쪽에서 그리고 입술연결부보다는 가쪽에서 주입한다. 얼굴동맥의 구불구불한 경로보다는 상대적으로 얕은평면에 주입하고 코입술주름 치료를 위해 과교정하지 않는다(동영상 13.2).
- 코입술주름의 위쪽 1/3에서는 대략적으로 콧방울에서 손가락마디 하나 너비에서 시작하고, 얼굴동맥은 좀 더 얕은 층에 있기 때문에 이 부위를 치료하기 위해서는 매우 깊은평면에 주입하거나 매우 얕은 층에 사용하는 필러를 사용한다(동영상 13.2).
- 전체 코입술주름을 교정하기 위해 선형주사법(linear injection technique)을 사용하고, 코입술주름의 위쪽 1/3에서는 좀 더 깊은평면에 교차부챗살주사법(cross-radial technique)을 사용한다(동영상 13.2).
- 풍만한 얼굴에서는, 얼굴동맥은 코입술주름의 위쪽 1/3에서는 좀 더 가쪽에 있고, 이뿌리끝주위 저하(periapical hypoplasia)가 더 많은 얼굴에서는 얼굴동맥이 좀 더 안쪽에 있다.

References

1. Ozturk CN, Li Y, Tung R, Parker L, Piliang MP, Zins JE. Complications following injection of soft-tissue fillers. Aesthet Surg J. 2013; 33(6):862–877
2. Li X, Du L, Lu JJ. A Novel Hypothesis of Visual Loss Secondary to Cosmetic Facial Filler Injection. Ann Plast Surg. 2015; 75(3):258–260
3. Yang HM, Lee JG, Hu KS, et al. New anatomical insights on the course and branching patterns of the facial artery: clinical implications of injectable treatments to the nasolabial fold and nasojugal groove. Plast Reconstr Surg. 2014; 133(5):1077–1082
4. Nakajima H, Imanishi N, Aiso S. Facial artery in the upper lip and nose: anatomy and a clinical application. Plast Reconstr Surg. 2002; 109(3):855–861, discussion 862–863
5. Kim YS, Choi DY, Gil YC, Hu KS, Tansatit T, Kim HJ. The anatomical origin and course of the angular artery regarding its clinical implications. Dermatol Surg. 2014; 40(10):1070–1076
6. Niranjan NS. An anatomical study of the facial artery. Ann Plast Surg. 1988; 21(1):14–22
7. Lee JG, Yang HM, Choi YJ, et al. Facial arterial depth and relationship with the facial muscula- ture layer. Plast Reconstr Surg. 2015; 135(2):437–444

14. 얼굴위험구역 5 – 코부위 (Facial Danger Zone 5 – Nasal Region)

- *Rod J. Rohrich and Raja Mohan* / 박동권 역

초록

이 챕터에서는 코에 연부조직 필러를 주입하는 법에 대해서 요약한다. 많은 환자들은 수술을 받지 않으면서 코성형을 희망하고, "액체 코성형술"(liquid rhinoplasty)의 개념은 연부조직필러를 사용하여 코의 모양을 향상시키는 것이 연관되어 있다. 코부위는 매우 혈관이 많은 구역으로 이 챕터에는 이런 혈관 구조를 손상시키는 것을 방지하기 위한 안전한 필러 시술법을 소개한다. 핵심은 주입하는 동안 깊은 층을 유지하는 것이다.

키워드: **필러**(filler), **주사 가능한**(injectable), **코**(nose), **코부위**(nasal region), **비침습적인 코성형술**(noninvasive rhinoplasty)

코부위의 필러 시술 시 안전을 극대화하기 위한 중요한 점

동영상 14.1

- 하이알유론산 분해효소로 되돌릴 수 있기 때문에, 하이알유론산 필러 사용을 추천한다. 지연성 부종을 예방하기 위해 친수성이 적은 필러를 사용한다.
- 연속후진주사법(serial threading)으로 한번에 적은 양을 주입하고, 각 주입 이후 마사지를 해준다.
- 코끝부위와 콧방울부위는 연속천자법(serial puncture technique)을 사용한다(**동영상 14.1**).
- 가쪽(lateral)에서 주입하는 경우 항상 콧방울고랑(alar groove)보다 위쪽으로 깊게 주입한다. 가쪽코동맥(lateral nasal artery)이 위치하는 곳이기 때문에, 콧방울고랑에는 어느 층이든 절대로 주입하지 않는다(그림 14.1, 그림 14.2, 그림 14.3, 그림 14.4).
- 중앙선에서는 얕은평면의 혈관계를 손상시키는 것을 피하기 위해 깊은 층의 주입을 유지한다(**그림 14.4**)(**동영상 14.1**).
- 안쪽코밸브(internal nasal valve)는 코의 중간부위(midvault)에 작은 양을 깊게 주입하는 것만으로 넓힐 수 있다.
- 콧방울둘레(alar rim) 또는 코곁벽(nasal sidewall)을 따라서 주입하지 않아야 하는데 왜냐하면 이 구역의 혈관계는 얕은 층에 있기 때문이다(**그림 14.4**).
- 콧등동맥(dorsal nasal artery)과 눈구석동맥(angular artery) 주변에 주입하는 경우에는 혈관을 압박해준다.
- 이전에 코 성형술을 받았던 환자의 경우에 주의해야 하는데, 왜냐하면 해부학적인 평면구조가 수술 반흔에 의해 이차적으로 왜곡되기 때문이다.

14.1 코부위의 안전 고려사항(Safety Considerations in the Nasal Region)

동영상 14.2

- 코의 층은 다음과 같다: 표피층, 진피층, 피부밑지방(subcutaneous fat), 근육, 근막, 성긴 조직, 연골막/뼈막 그리고 연골/뼈(그림 14.5, 그림 14.6)
- 코의 혈관계는 진피층 아래 얕게 위치한다. 필러는 근육널힘줄층(musculoaponeurotic layers)까지 깊게 주입해야 한다(동영상 14.2).
- 콧방울고랑 또는 코끝에는 얕게 주입하지 않는다.
- 코부위 주입은 조직괴사가 가장 많이 일어나고 시력 손실이 두번째로 많이 일어나는 장소이다.

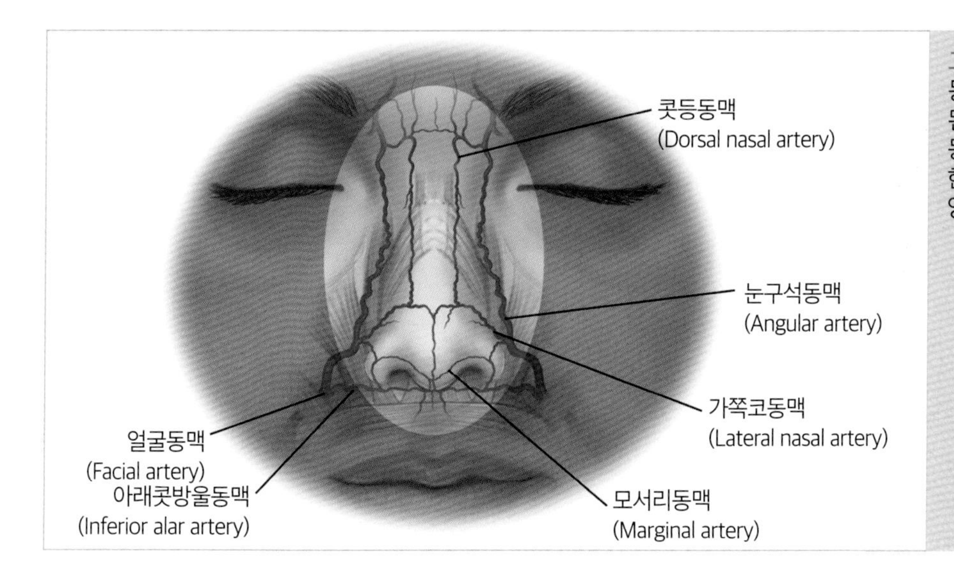

그림 14.1 **코 미용 단위의 혈관구조.** 얼굴동맥은 위쪽으로 이동하여 눈구석동맥이 된다. 얼굴동맥의 중요한 가지는 가쪽코동맥과 아래콧방울동맥을 포함한다. 한쌍의 콧등동맥은 코의 등쪽에 있는 중앙선의 가쪽에 위치한다.

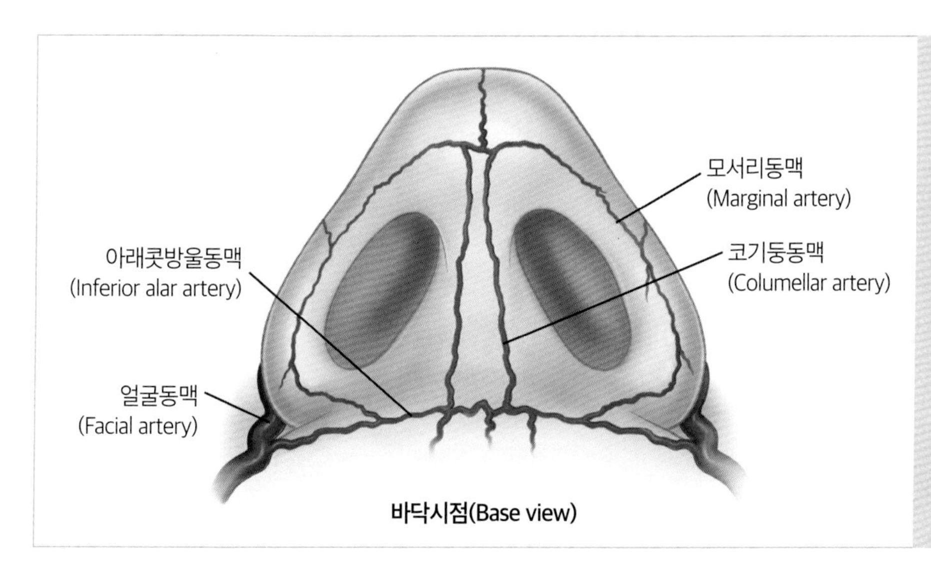

그림 14.2 **아래에서 바라본 코의 혈관계.** 아래콧방울동맥(inferior alar artery)은 얼굴동맥(facial artery)의 가지로, 코의 바닥부위를 주행한다. 코기둥동맥(columellar artery)은 아래콧방울동맥(inferior alar artery)의 가지로 개방형 코성형술 중에 잘라진다 모서리동맥(marginal artery)은 콧방울둘레(alar rim)를 따라서 얕게 주행한다.

14.2 코부위 관련해부학(Pertinent Anatomy of the Nasal Region)

14.2.1 근육(Muscles)

코근(Nasalis)

- 위턱뼈(maxilla)에서 시작한다.
- 코뼈에 부착된다.
- 수평 부분은 콧구멍을 누른다. 콧방울(alar)부위는 콧구멍을 확장시킨다.

위입술콧방울올림근(Levator Labii Superioris Alaeuque Nasi)

- 코뼈에서 시작한다.
- 콧구멍과 윗입술에 부착한다.
- 콧구멍을 확장시키고 윗입술을 올린다.

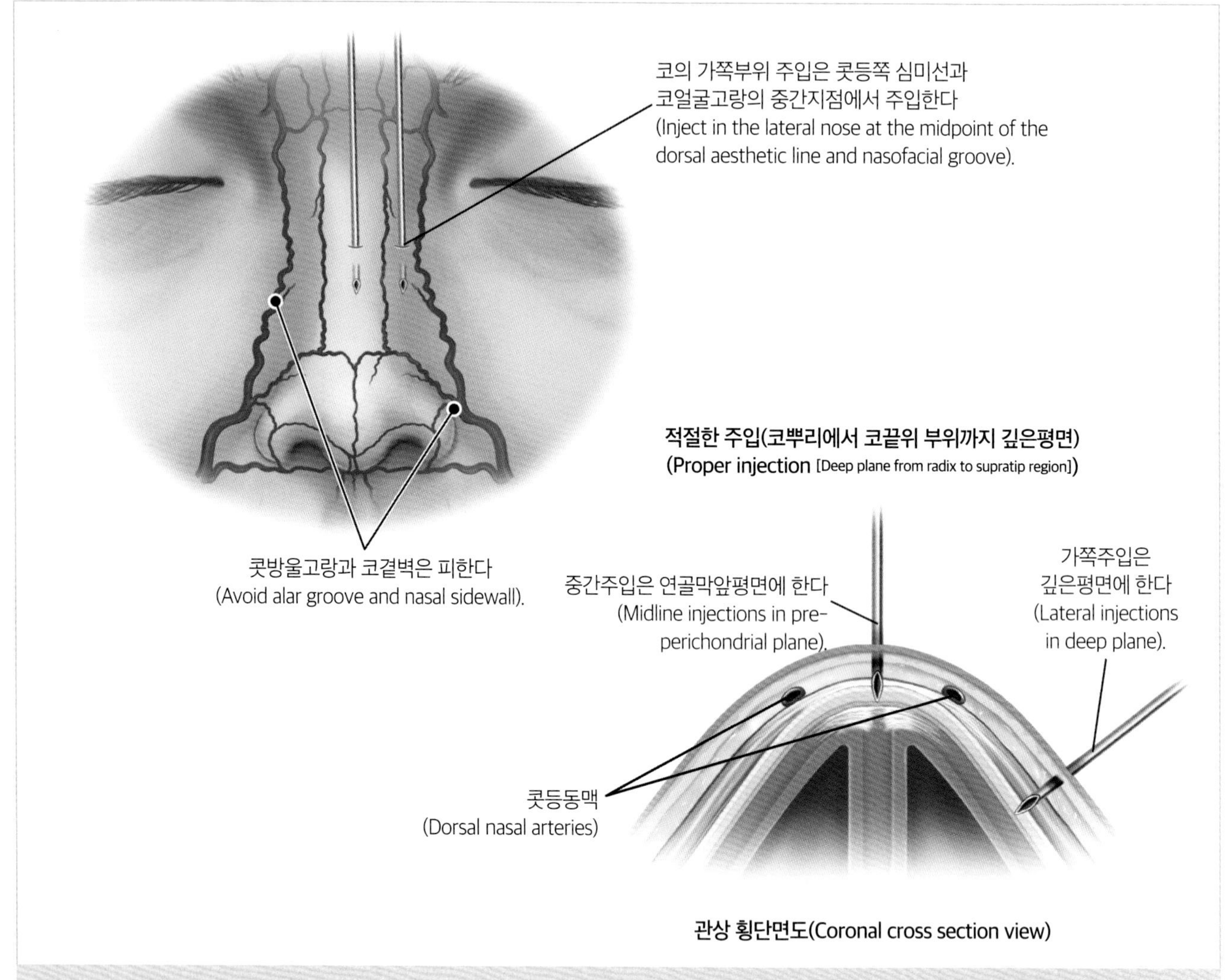

그림 14.3 **적절한 주입 기법의 도식적인 그림.** 혈관내주입을 피하기 위해 콧뿌리(radix)부터 코끝위단락(supratip break)까지 중앙선을 따라 깊은 층으로 주입한다. 만약에 바깥쪽에 주입을 한다면, 의도치 않은 콧등동맥(dorsal nasal artery)과 눈구석동맥(angular artery)의 손상을 예방하기 위해 콧등쪽 심미선과 코얼굴 고랑(nasofacial groove)의 중간지점에서 깊게 주입한다.

코중격내림근(Depressor Septi Nasi)

- 위턱뼈에서 시작한다.
- 코 중격에 부착된다.
- 코 중격을 내리게 한다.

14.2.2 혈관(Vessels)

얼굴동맥(Facial Artery)

- 입술연결부(oral commissure)에서 콧방울바닥(alar base)까지의 동맥부분은 얼굴동맥(facial artery)으로 간주되며 코입술주름(nasolabial fold)에 인접해 있다. 입꼬리에서 약 1.5 cm 바깥쪽에 위치한다.
- 콧방울부위에서 얼굴동맥은 점점 얕은 층으로 나오고 아래콧방울동맥(inferior alar artery)과 가쪽코동맥(lateral nasal artery)으로 분지를 낸다(그림 14.1 및 그림 14.8). 콧방울을 넘어서는 눈구석동

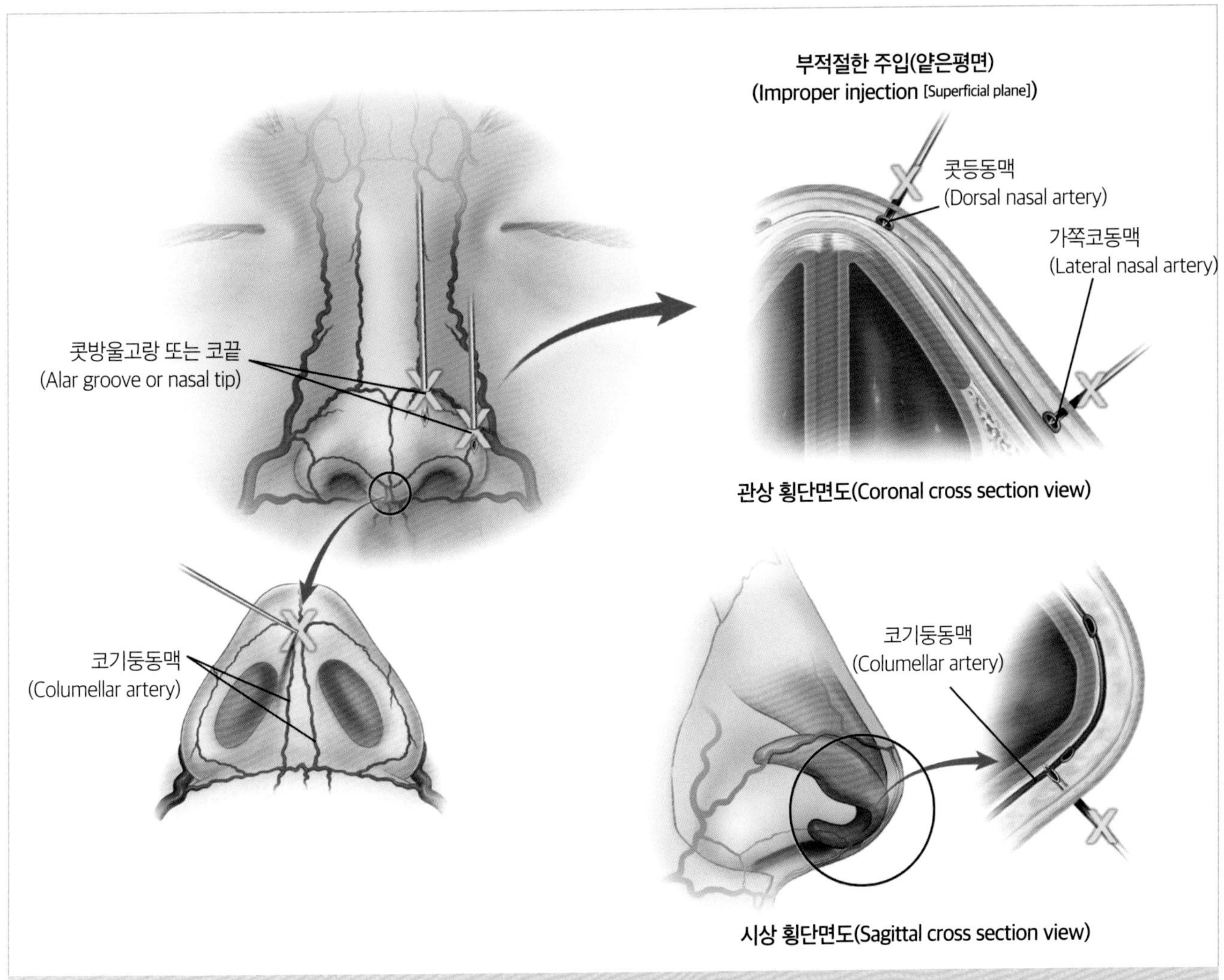

그림 14.4 **부적절한 주입 기법의 도식적인 그림.** 중안선보다 바깥쪽에서 얕게 주입한다면 콧등동맥(dorsal nasal artery)이 위험하게 된다. 코곁벽(Nasal sidewall)의 바깥쪽 벽면을 따라 얕게 주입하는 것은 눈구석동맥(angular artery)이 위험에 놓이게 된다. 콧방울고랑(alar groove)을 따라서 얕게 주입하는 것은 가쪽코동맥(lateral nasal artery)을 손상시킬 수 있다. 마지막으로 코끝의 중앙선에 얕게 주입하는 것은 코기둥동맥(columellar artery)을 손상시킬 수 있다.

맥(angular artery)으로 간주되고 안쪽 눈구석(medial canthus)으로 주행하여 콧등 동맥계와 연결(anastomoses)된다.

- 얼굴동맥은 콧방울의 가장 바깥쪽에서 대략 3.2 mm 바깥쪽에 있다.

아래콧방울동맥과 가쪽코동맥(Inferior Alar Artery and Lateral Nasal Artery)

- 아래콧방울동맥은 콧구멍의 아랫쪽 경계를 따라 주행하고 가쪽코동맥(**동영상 14.2**)은 아래가쪽연골(lower lateral cartilage)위의 콧방울고랑 위에 있는 진피밑(subdermal) 혈관계를 주행한다.

모서리동맥(Marginal Artery)

- 아래가쪽연골 위에서 발견되고, 가쪽코동맥 또는 얼굴동맥에서부터 시작된다.

콧등동맥(Marginal Artery)

- 눈확(orbit)의 안쪽(medial)에서 시작되어 콧등을 주행하여 코끝에 혈액공급을 한다(**그림 14.5**).

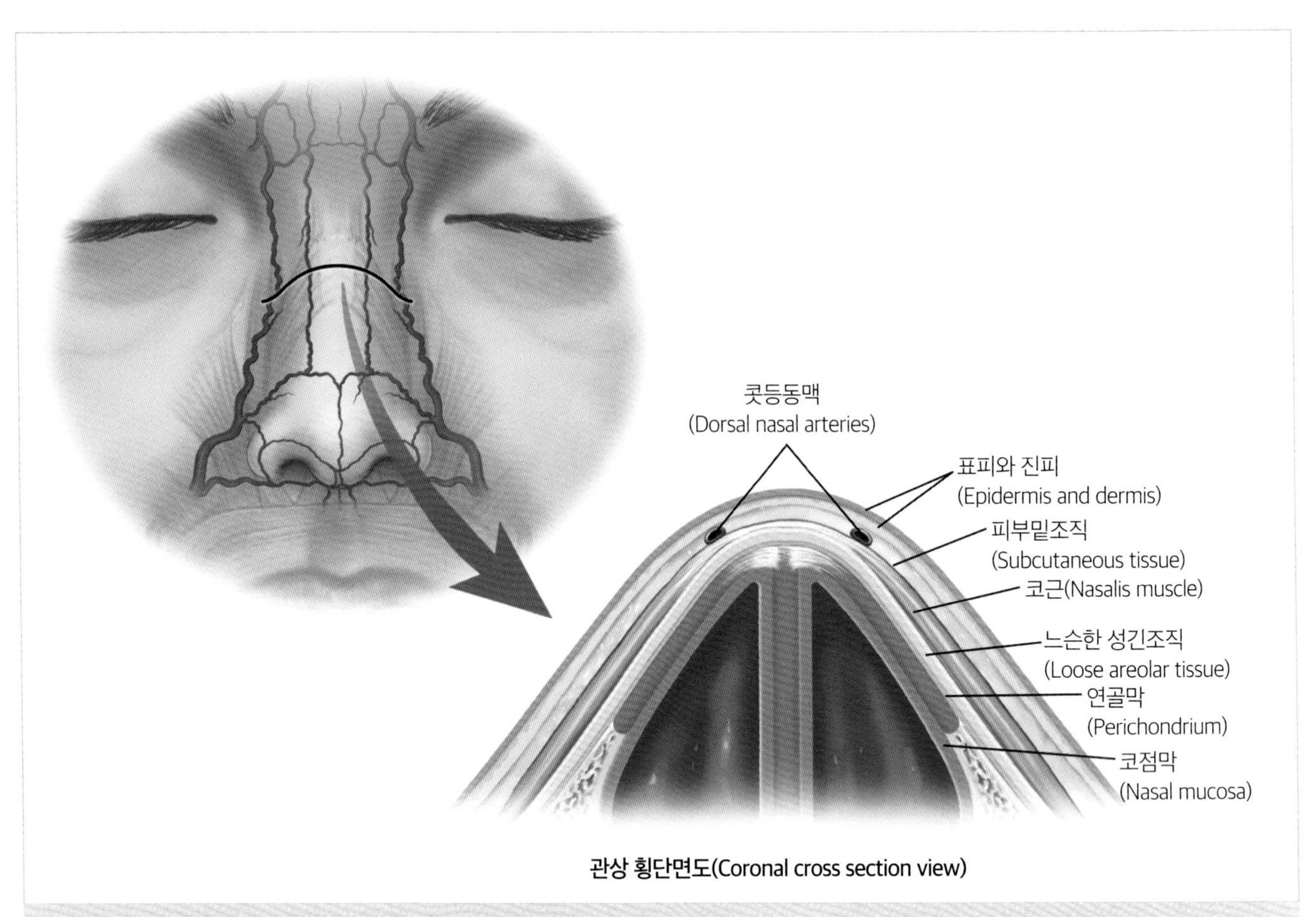

그림 14.5 **코의 층이 보이는 횡단면이 포함된 코의 정면 모습.** 코의 중간부위(midvault)에서 층은(얕은 층에서 깊은 층으로) 다음과 같다: 표피층, 진피층, 피부밑조직(subcutaneous tissue), 근육, 성긴조직 그리고 연골막. 콧등 동맥은 중앙선에서 바깥쪽에 있다는 것에 주목하면, 미간에서 코끝위단락(supratip break)까지, 코의 중앙선이 필러를 주입하기에 안전한 위치가 된다.

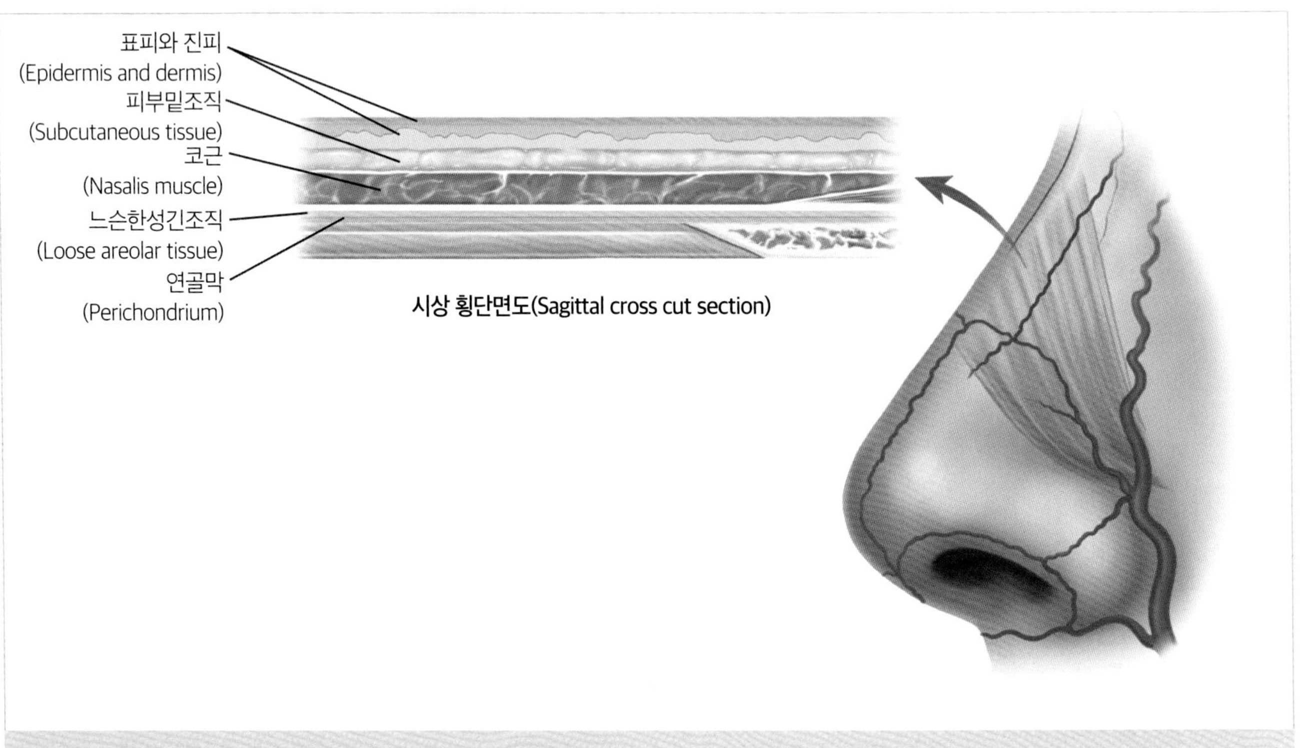

그림 14.6 **코의 층이 보이는 시상단면이 포함된 코의 바깥쪽 모습.** 코의 중간부위(midvault)에서 층은(얕은 층에서 깊은 층으로) 다음과 같다: 표피층, 진피층, 피부밑지방층, 근육, 성긴 조직 그리고 연골막.

- 눈동맥에서 시작한다.

14.3 혈관위험구역과 임상적 연관성(Vascular Danger Zones and Clinical Correlations)

- 진피밑혈관계(subdermal plexus)는 코끝에서 두드러지고, 코 피부의 큰 동맥 그리고 정맥들은 코근육들(얼굴널힘줄계층)보다 위쪽에서 발견된다.
- 코끝이나 콧방울고랑에 얕게 주입하는 것은 각기 코끝과 콧방울의 괴사를 유발할 수 있다(그림 14.9).
- 콧등, 코끝 그리고 코곁벽(nasal sidewall)의 혈관들은 눈동맥과 연결된다. 어떠한 혈관내 주입은 필러의 역행성 주입을 일으키고 이것은 실명이나 허혈을 유발할 수 있다(그림 14.7).
- 콧방울고랑에서 3 mm 위쪽에서의 측면 주입은 반드시 깊은 층에 시행되어야 한다.
- 코끝과 콧등으로 주입하는 중앙선 주입은 연골 앞면 또는 뼈막 앞면으로 깊게 주입되어야 한다(동영상 14.1).

동영상 14.1

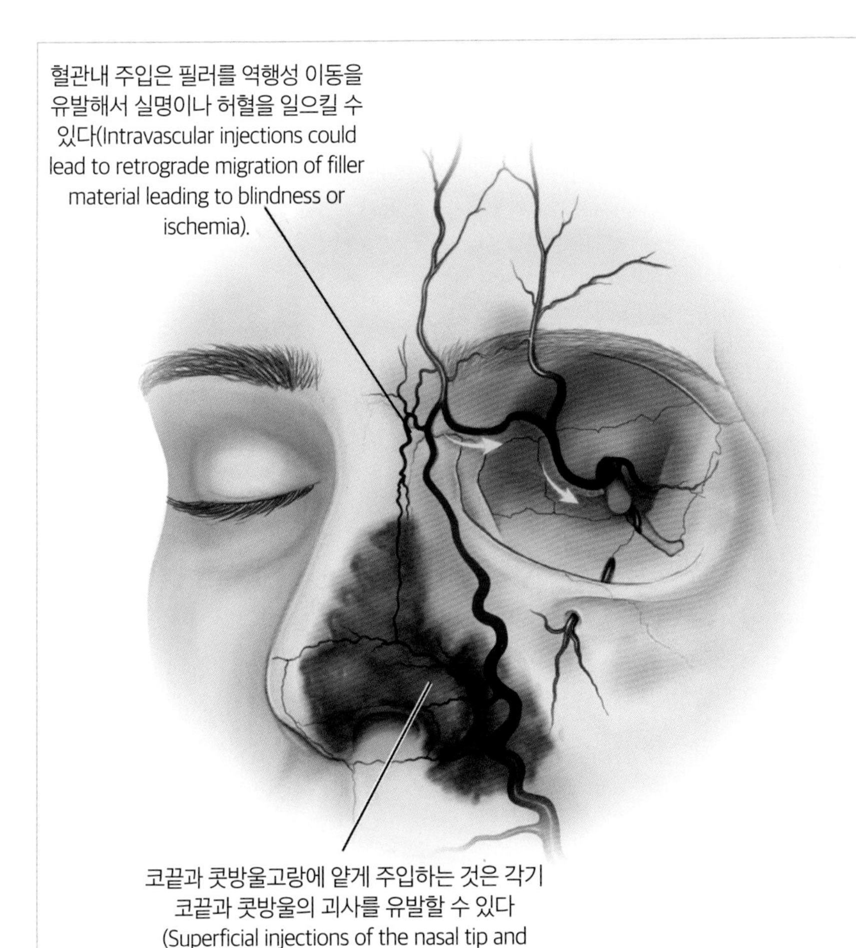

그림 14.7 눈주위와 코부위의 혈관 해부학. 눈혈관(ophthalmic vessel)에 역행성 색전을 일으킬 수 있는 많은 가능한 경로가 있는데, 눈구석동맥(angular artery)과 콧등동맥(dorsal nasal artery)이 포함된다. 코끝과 콧방울고랑(alar groove)으로 얕게 주입하는 경우 코끝, 콧방울, 곁벽(sidewall), 콧등 그리고 콧방울/볼의 접합부(alar/cheek junction)에 혈관문제를 일으킬 수 있다.

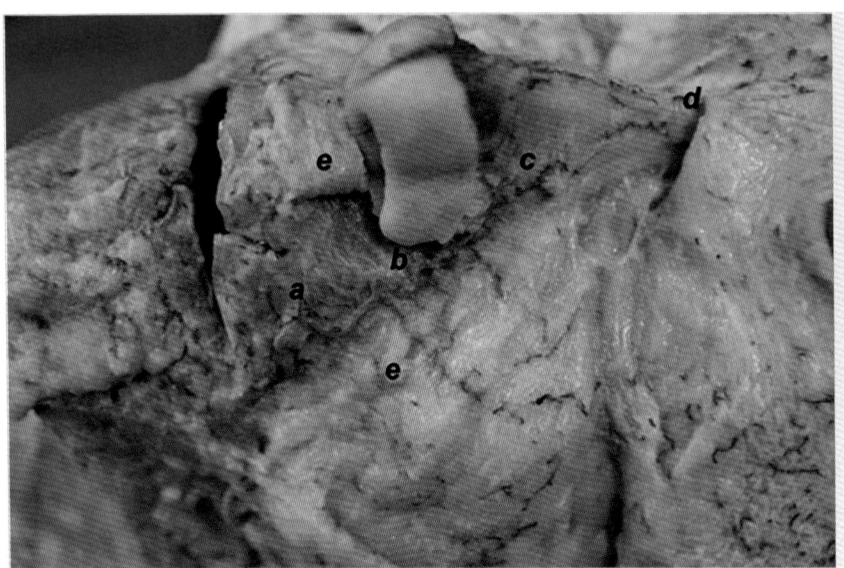

그림 14.8 피부밑조직(e)이 젖혀진 상태에서, 얼굴동맥(facial artery)(a)이 코입술주름(nasolabial fold) 내에서 주행하는데 이따금씩 근육안에서, 하지만 대부분은 근육과 피부밑조직 사이의 평면안에 있다. 동맥은 코입술주름(nasolabial fold)위쪽 1/3 지점에서 얕은 층으로 올라와서(b) 얕게 주입할 때 손상의 위험이 있다. 얼굴동맥(facial artery)이 눈구석동맥(angular artery)(c)으로 전환되고, 콧등동맥(dorsal nasal artery)(d)과 연결(anastomosis)하는 것이 보여진다. 참고로, 얼굴동맥(facial artery)은 입꼬리에서 대략 1.5 cm 바깥쪽에 있다.

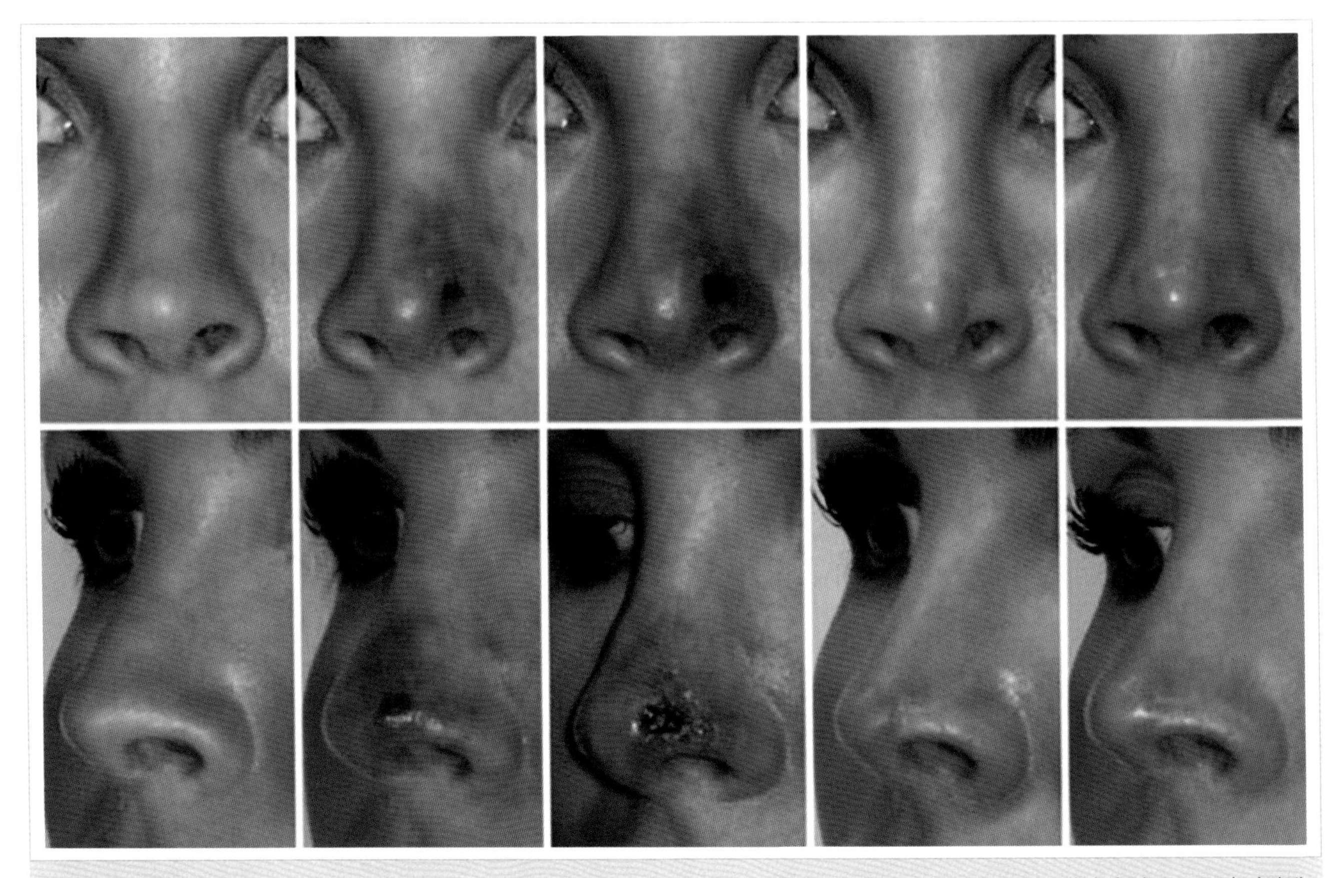

그림 14.9 36세 여자환자가 이전의 8번의 코성형수술 이후 우측 코끝과 콧방울이음부(tip/alar junction)가 불규칙하게 되고 코끝이 과하게 축소되었다. 환자는 0.1 mL 쥬비덤 볼류마(알러간)를 오른쪽 코끝/콧방울이음부(tip/alar junction)에 주입하고 0.2 mL를 코끝 위와 좌측 코끝/콧방울이음부(tip/alar junction)에 주입했다. 시술 후 6일 뒤에 환자는 조직 괴사의 징후를 보이기 시작했다. 환자는 코끝, 콧방울, 콧등 그리고 곁벽(sidewall)에 총 30 유닛의 하이알유론산 분해효소를 2% lidocaine 1.5 mL에 섞어 10분 간격으로 세 번 주사했다. 매일 81 mg의 아스피린을 복용하기 시작했고, 8시간마다 니트로글리세린 연고를 발라주었다. 고압산소치료도 시작하여 총 12번의 치료를 받았다. 시술 후 8일째 조직괴사가 가장 많이 발생한 상태였다(가운데). 첫번째 필러주입 6개월 후 환자의 외관은(오른쪽에서 두번째) 보이는 것과 같고, 그 후에 0.1 mL 쥬비덤 리파인을 우측 코끝/콧방울이음부(tip/alar junction)에 0.05 mL를 좌측 코끝/콧방울이음부(tip/alar junction)에 4주 간격으로 두 번 주입하였다(우측). 두 종류의 필러와 주입량 모두 이 합병증에 기여했을 수 있다.

References

1. Saban Y, Andretto Amodeo C, Hammou JC, Polselli R. An anatomical study of the nasal super- ficial musculoaponeurotic system: surgical applications in rhinoplasty. Arch Facial Plast Surg. 2008; 10(2):109–115
2. Ozturk CN, Li Y, Tung R, Parker L, Piliang MP, Zins JE. Complications following injection of soft-tissue fillers. Aesthet Surg J. 2013; 33(6):862–877
3. Li X, Du L, Lu JJ. A Novel Hypothesis of Visual Loss Secondary to Cosmetic Facial Filler Injection. Ann Plast Surg. 2015; 75(3):258–260
4. Nakajima H, Imanishi N, Aiso S. Facial artery in the upper lip and nose: anatomy and a clinical application. Plast Reconstr Surg. 2002; 109(3):855–861, discussion 862–863
5. Yang HM, Lee JG, Hu KS, et al. New anatomical insights on the course and branching patterns of the facial artery: clinical implications of injectable treatments to the nasolabial fold and nasojugal groove. Plast Reconstr Surg. 2014; 133(5):1077–1082
6. Toriumi DM, Mueller RA, Grosch T, Bhattacharyya TK, Larrabee WF, Jr. Vascular anatomy of the nose and the external rhinoplasty approach. Arch Otolaryngol Head Neck Surg. 1996; 122(1):24–34
7. Rohrich RJ, Gunter JP, Friedman RM. Nasal tip blood supply: an anatomic study validating the safety of the transcolumellar incision in rhinoplasty. Plast Reconstr Surg. 1995; 95(5): 795–799, discussion 800–801
8. Saban Y, Andretto Amodeo C, Bouaziz D, Polselli R. Nasal arterial vasculature: medical and surgical applications. Arch Facial Plast Surg. 2012; 14(6):429–436

15. 얼굴위험구역 6 – 눈확아래부위 (Facial Danger Zone 6 – Infraorbital Region)

- Rod J. Rohrich and Raja Mohan / 박동권 역

초록

이 챕터는 연부조직필러를 눈확아래(Infraorbital)부위에 넣는 방법에 대해 요약한다. 환자들은 때때로 눈물고랑(tear trough) 변형과 일치하는 아래눈꺼풀부위의 꺼짐에 대해 이야기한다. 눈꺼풀/볼 이음부(lid/cheek junction)를 부드럽게 하기 위해, 우리는 아래눈꺼풀과 볼을 안전하게 증대하는 기법을 소개한다. 눈확아래신경(Infraorbital nerve)과 동맥은 눈확아래부위 안에 위치하며, 실명과 같이 치명적인 손상을 주는 합병증을 예방하기 위해서는 해부학에 대한 상세한 지식이 중요하다.

키워드: 필러(filler), **주사 가능한**(injectable), **눈주변부위**(periorbital region), **눈물고랑**(tear trough), **눈확아래부위**(infraorbital region)

눈확아래(Infraorbital)부위의 필러 시술 시 안전을 극대화하기 위한 중요한 점

- 낮은 G' 값을 갖는 필러와 친수성이 적은 필러를 사용한다.
- 하이알유로닉산 필러를 사용하는 것이 좋은데 왜냐하면 하이알유로닉 분해효소로 되돌릴 수 있기 때문이다. 눈물고랑부위에서는 특별히 중요하다.
- 작은 압력으로 입력하는데, 항상 전후로 움직이는 방식을 사용한다.
- 직접적으로 눈확아래공(Infraorbital foramen)의 위치로 깊게 찌르는 것을 피한다(그림 15.1, 그림 15.2). 최선의 시술은 눈확아래공의 위치보다 아래쪽 그리고 바깥쪽으로 주입하는 것이다.
- 얼굴을 부드럽게 하기 위한 일차적으로 주입하는 장소는 광대활을 따라가며, 광대 돌출부(malar eminence)를 따라 위치한다(그림 15.3). 두번째 주입 장소는 광대활, 광대아래구역 그리고 얼굴중간(midface)부위의 얕은지방구역 아래이다(동영상 15.1).
- 눈물고랑의 바깥쪽 2/3은 바깥쪽에서 깊은평면[뼈막 앞면(preperiosteal plane)]을 유지하며 주입한다(그림 15.4).
- 눈물고랑의 안쪽 1/3은 아랫 쪽에서 깊은평면을 유지하며 주입한다. 수직교차양식(cross hatching pattern)으로 적은 양을 주입한다(동영상 15.1).

동영상 15.1

15.1 눈확아래부위에서 안전 고려사항 (Safety Considerations in the Infraorbital Region)

- 눈확아래부위에 주입할 때는 주입 깊이와 해당 부위의 해부학 지식을 하는 것이 혈관 사고를 예방하기 위해 필요하다(그림 15.1, 그림 15.2).
- 눈확아래동맥(Infraorbital artery)에 관삽입되고(cannulation) 필러가 주입되는 것은 필러의 역행성 이동으로 실명이라는 치명적인 합병증을 유발할 수 있다(그림 15.6).
- 눈확아래신경(Infraorbital nerve)에 손상을 주는 것은 감각 이상과 통증을 일으킬 수 있다.
- 어느 부위에 필러를 주입하는 것이 환자에게 이득이 될 지 결정하기 위해 광대뼈의 가장 튀어나온 부위와 눈물고랑을 평가한다. 핵심은 너무 많은 부피를 넣지 않으면서 해당 부위를 미묘하게 향상시키는 것이다.

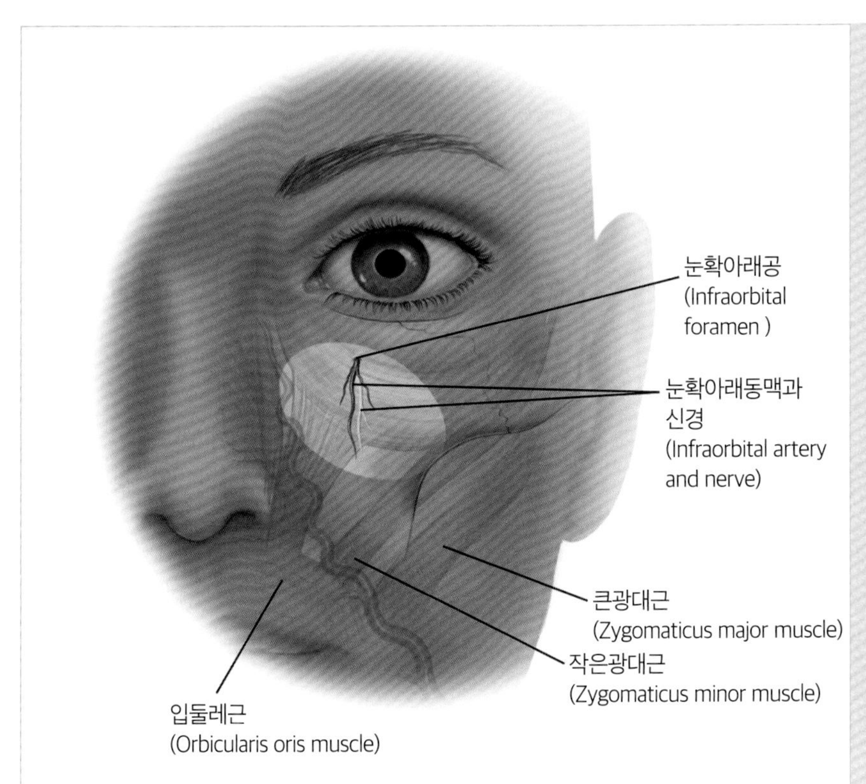

그림 15.1 **눈주변부위 해부학.** 눈확아래동맥(Infraorbital artery)과 신경은 눈확아래공(Infraorbital foramen)에서 나온다.

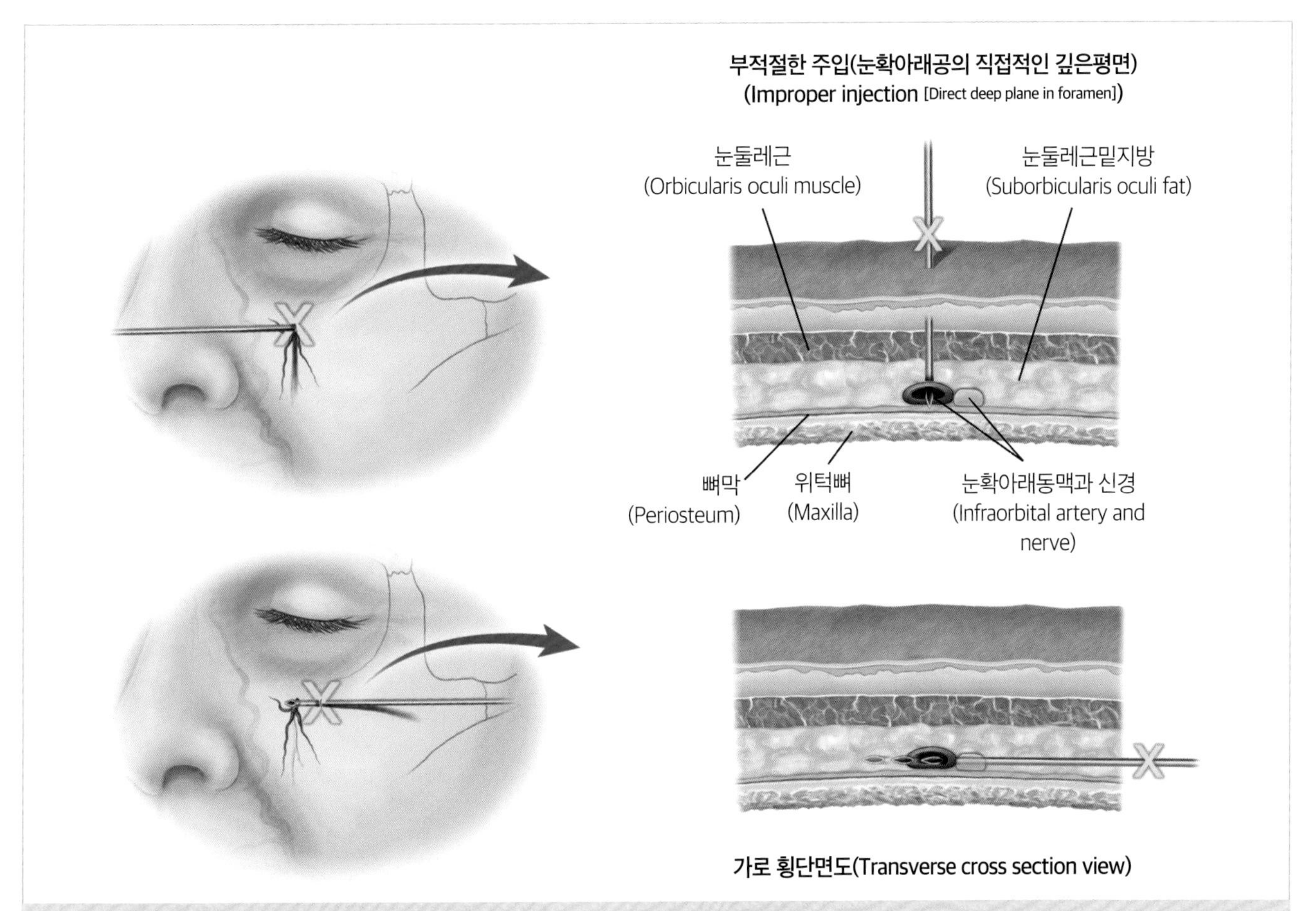

그림 15.2 **부적절한 주입 기법.** 눈확아래공(Infraorbi foramen) 바로 위에 직접적으로 주입하는 것은 하지 말아야 한다. 또한 바깥쪽에서 주입할 때는 눈확아래공(Infraorbital foramen) 근처에 필러가 놓이지 않도록 해야 한다. 눈물고랑(tear trough)을 채울 때 주의해야 하고 그 근처에 필러가 놓이지 않아야 한다. 혈관내 주입은 색전이 눈동맥으로 역행성 이동하는 결과를 초래할 수 있다.

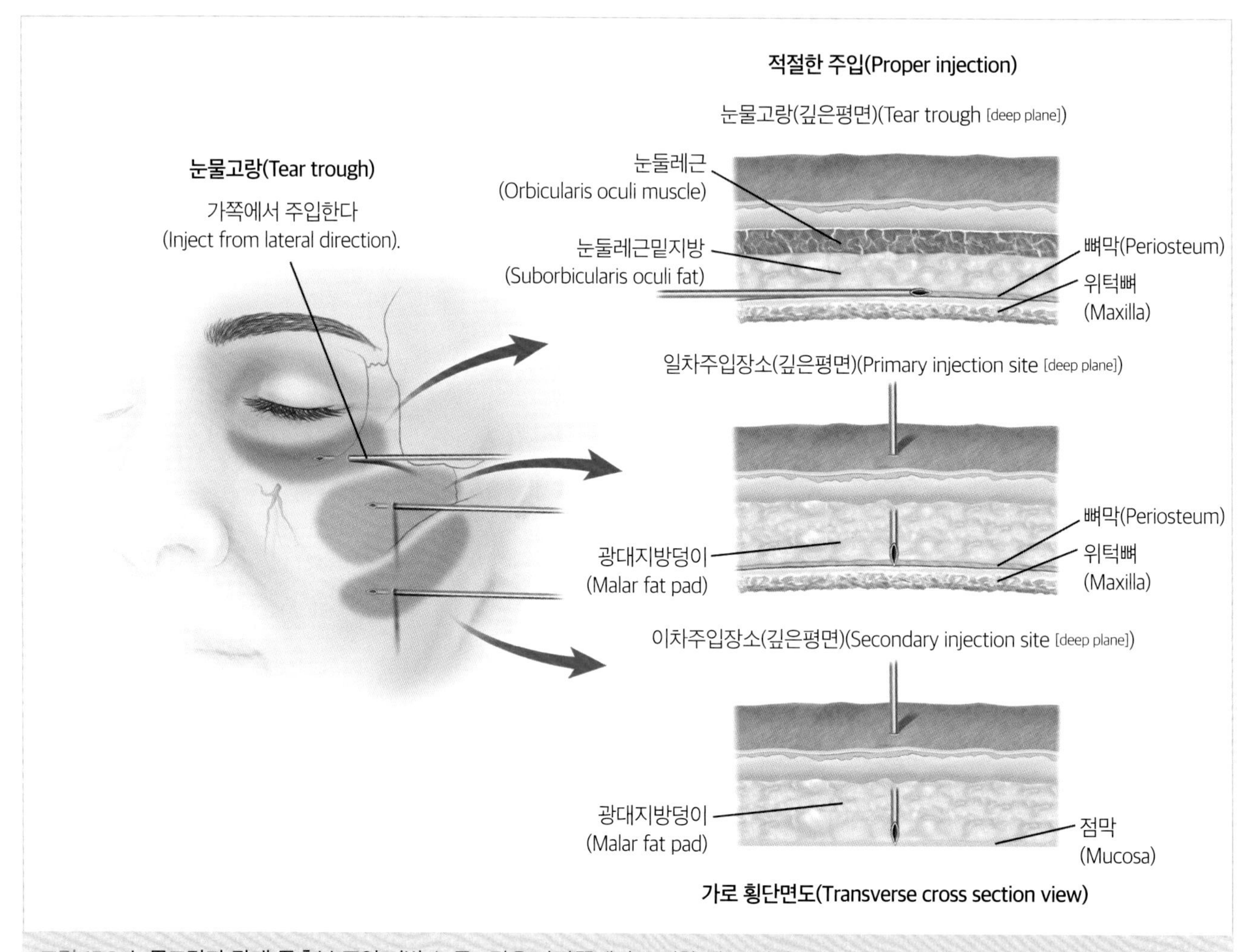

그림 15.3 **눈물고랑과 광대 돌출부 주입 기법.** 눈물고랑을 바깥쪽에서 주입할 때, 주사바늘은 깊은 뼈막 앞면(preperiosteal plane)에 있어야 한다. 주입은 눈확아래공(Infraorbital foramen) 근처에서는 시행되지 않아야 한다. 광대 돌출부는 깊은평면에서 점적 주입으로 바깥쪽에서 주입하여 채울 수 있다. 이렇게 부피를 채우는 주입을 할 때는 피부 표면에 직각을 유지해야한다.

15.2 눈확아래부위 관련해부학(Pertinent Anatomy of the Infraorbital Region)

15.2.1 근육(Muscles) (그림 15.1)

입둘레근(Orbicularis Oris)

- 위턱뼈와 아래턱뼈에서 시작한다.
- 입주변부위의 피부 둘레에 부착된다.
- 기능은 입술을 모으는 것이다.

큰광대근(Zygomaticus Major)

- 광대뼈에서 시작한다.
- 볼굴대(modiolus)에 부착된다.
- 윗입술과 입의 각도를 올린다.

작은광대근(Zygomaticus Minor)

- 광대뼈에서 시작한다.

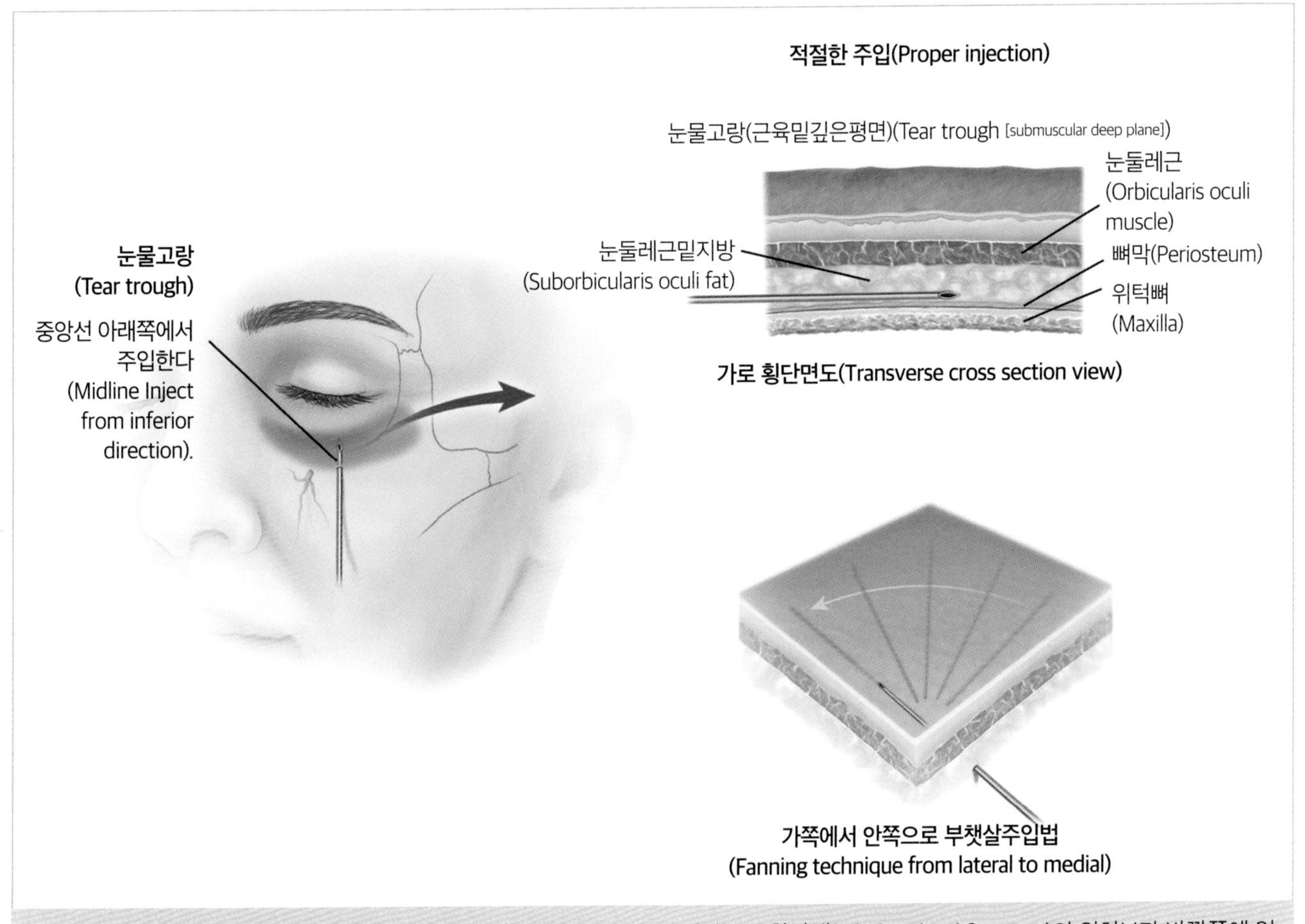

그림 15.4 **눈물고랑 주입 기법.** 눈물고랑을 아래에서 주입할 때, 바늘의 궤적은 눈확아래공(infraorbital foramen)의 위치보다 바깥쪽에 있어야한다. 바늘은 깊은 뼈막 앞면에 있어야 하고, 더 많은 부피를 더하기 위해서 바깥쪽으로 부챗살모양으로 펼치듯 이동시킨다. 주입은 눈확아래공(infraorbital foramen) 근처에서는 하지 말아야 한다.

- 윗입술에 부착된다.
- 윗입술을 올린다.

15.2.2 혈관(Vessels)

눈확아래동맥/신경(Infraorbital Artery/Nerve)

- 눈확아래공은 눈확아래둘레(infraorbital rim)에서 대략 6.3에서 10.9 mm 아래에 위치한다(그림 15.5). 이 거리는 눈구석간의 거리의 약 33에서 41%에 해당한다(동영상 15.2).
- 눈확아래공은 남자는 중앙선에서 약 25.7에서 27.1 mm, 여자는 24.2에서 26.8 mm에 있다.
- 30%에서는 눈확아래공은 눈확위공(supraorbital foramen)과 같은 수직 평면에 있다.
- 눈확아래공은 다음과 같은 치아와 같은 선상에 있다: 소구치(premolar), 두번째 소구치(2nd premolar), 송곳니(canine)
- 몇몇 환자들은 여러 개의 눈확아래공을 갖고 있다.

15.3 혈관위험구역과 임상적 연관성
(Vascular Danger Zones and Clinical Correlations)

- 눈확아래공은 수직 평면에서 안쪽각막가장자리(medial limbus)와 같은 선상에 있다. 눈확아래둘레에서 약 손가락한마디 정도 아래에 있다(그림 15.5).
- 눈확아래부위에 주입할 때는 해부학적인 측정값들을 염두에 두어야 한다.
- 눈확아래부위에 주입하는 것은 눈확아래공의 위치보다 바깥쪽에서 시행되어야 한다.
- 눈확아래부위의 위치보다 안쪽에 주입할 때는 주의하여 접근해야 한다. 이 부위에 필러는 필요하다면 깊게, 안쪽으로 누르면서 추가되어야 한다.
- 얼굴정맥은 눈확아래공보다 바깥쪽에 있고 좀 더 얕게 있다. 주입을 깊게 유지하여 이 정맥을 찌르는 것을 피해야 한다.

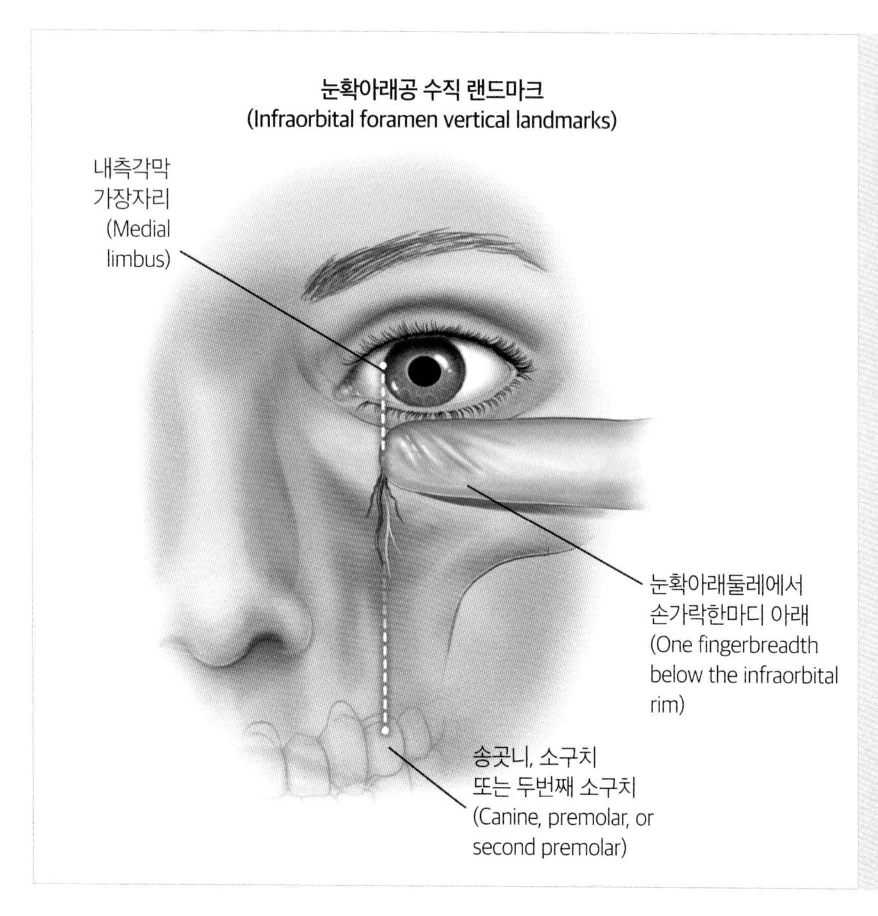

그림 15.5 **눈확아래공(infraorbital formen).** 눈확아래공(infraorbital foramen)은 눈확아래둘레(infraorbital rim)에서 약 손가락 한마디정도 아래에 위치한다. 내측 각막 가장자리에서 수직으로 내려보면 위치를 결정하는데 도움이 된다. 눈물고랑이나 광대돌출부를 채울 때는 눈확아래공(infraorbital foramen)이 위치한 곳을 염두에 두고 조심해야만 한다.

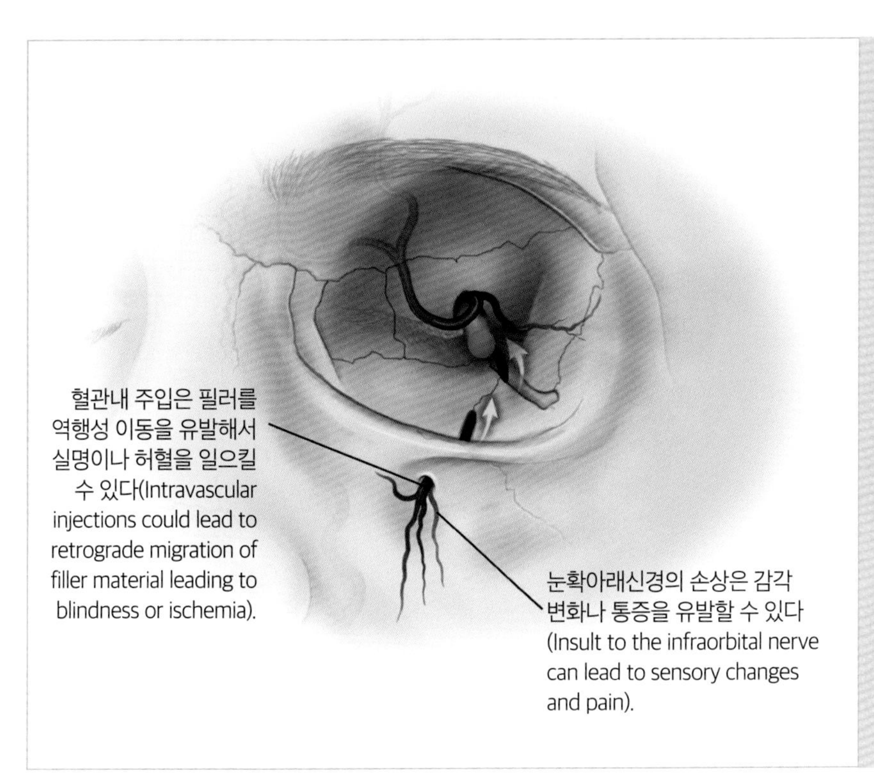

그림 15.6 **눈 혈관으로 가는 역행성 색전의 잠재적인 경로.** 눈확아래동맥(Infraorbital artery) 안으로 혈관내 주입이 되면 역행성 패턴으로 이동하여, 실명이나 허혈을 유발한다. 눈확아래신경(Infraorbital nerve)이 압박을 받거나 손상을 입으면 감각이상이나 무감각을 초래할 수 있다.

References

1. Canan S, Asim OM, Okan B, Ozek C, Alper M. Anatomic variations of the infraorbital foramen. Ann Plast Surg. 1999; 43(6):613–617
2. Aziz SR, Marchena JM, Puran A. Anatomic characteristics of the infraorbital foramen: a cadaver study. J Oral Maxillofac Surg. 2000; 58(9):992–996
3. Raschke R, Hazani R, Yaremchuk MJ. Identifying a safe zone for midface augmentation using anatomic landmarks for the infraorbital foramen. Aesthet Surg J. 2013; 33(1):13–18
4. Aggarwal A, Kaur H, Gupta T, et al. Anatomical study of the infraorbital foramen: A basis for successful infraorbital nerve block. Clin Anat. 2015; 28(6):753–760
5. Cutright B, Quillopa N, Schubert W. An anthropometric analysis of the key foramina for maxillofacial surgery. J Oral Maxillofac Surg. 2003; 61(3):354–357
6. Hwang SH, Kim SW, Park CS, Kim SW, Cho JH, Kang JM. Morphometric analysis of the infraorbital groove, canal, and foramen on three-dimensional reconstruction of computed tomography scans. Surg Radiol Anat. 2013; 35(7):565–571
7. Liu DN, Guo JL, Luo Q, et al. Location of supraorbital foramen/notch and infraorbital foramen with reference to soft- and hard-tissue landmarks. J Craniofac Surg. 2011; 22(1):293–296
8. Agthong S, Huanmanop T, Chentanez V. Anatomical variations of the supraorbital, infraorbital, and mental foramina related to gender and side. J Oral Maxillofac Surg. 2005; 63(6):800–804

III 에너지 기반 장치

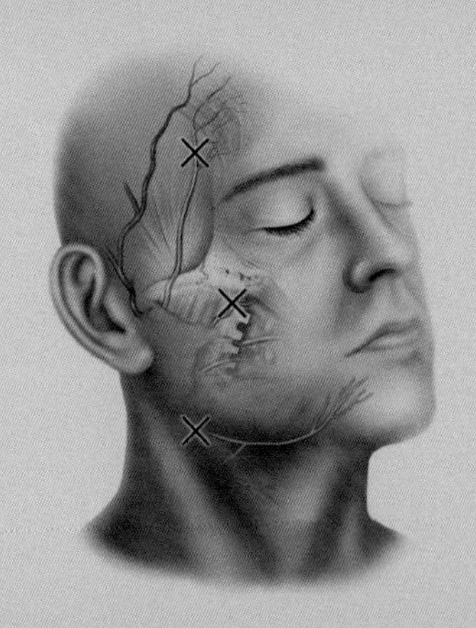

Energy-Based Devices

16. 박피성(기화성) 레이저의 사용에 있어서 안전성을 최대화하는 방법(Maximizing Safety with Ablative Lasers)

- *E. Victor Ross, Erez Dayan, and Rod J. Rohrich* / 윤원영 역

초록

레이저는 얼굴의 항노화에 사용 가능한 장비들 중 가장 정확하고 강력한 도구이다. 선택적 광열분해(융해)를 통해, 레이저는 흡수 파장에 따라 목표로 하는 특정한 조직 내의 발색단에 작용할 수 있다(예: 헤모글로빈, 물, 멜라닌). 레이저 장비의 기술력과 안전성은, 1964년 연속파 이산화탄소 레이저가 개발된 당시 에너지 변수의 조절이 어려워 피부 손상과 반흔을 흔히 일으켰던 데에 비하면 이후로 상당히 비약적으로 진화했다. 펄스파 모드(그리고 이후로 초단파와 극초단파 레이저)는 레이저의 안정성과 효과면에 있어서 눈에 띄는 발전을 가져왔다. 이 기술은 전기셔터를 이용하여 연속파의 에너지를 펄스로 변환시켜 주는 것으로, 이를 통해 열손상을 최소화하게 된다. 1990년대 중반 소개된 어븀:야그 레이저는 이산화탄소 레이저와 비교했을 때 물에 대한 더욱 선택적인 흡수도(12-18배)를 보이면서도 주변 조직으로의 부수적인 열손상은 줄였다.

아마도 레이저의 안전성과 효과 측면에서 가장 획기적인 기술의 진보는 2003년 프랙셔널 레이저의 등장일 것이다. 프랙셔널 열분해는 레이저가 목표로 하는 치료 범위의 일부(특징적으로 20%)만을 MTZ (microthermal zone)의 형태로 기화시키게 된다. 그러므로 MTZ 사이의 손상되지 않은 표피와 진피가 재상피화의 속도를 빠르게 하면서도 피부장벽의 기능은 그대로 유지시킨다.

키워드: **레이저**(laser), **선택적 광열분해**(selective photothermolysis), **레이저 박피**(laser resurfacing), **기화**(ablation), **피부 박피**(skin resurfacing), **프랙셔널 레이저**(fractional laser), **이산화탄소 레이저**(CO_2 laser), **어븀:야그 레이저**(Er, YAG laser)

요점

- 피부 미용에 있어서 가장 흔히 사용되는 박피성 레이저로는 이산화탄소 레이저와 어븀:야그 레이저가 있다. 두 레이저는 모두 물을 발색단으로 한다. 어븀:야그가 물에 대한 특이도가 더 높기 때문에(12-18배), 주변 조직으로의 열확산이나 주변 조직의 손상이 적다.
- 박피성 레이저의 치료목표는 조직의 기화와 함께 열손상에 의해 2차적으로 발생한 콜라겐 변성의 결합을 이용하여 손상된 콜라겐을 제거하거나 감소시키고 새로운 콜라겐의 합성과 리모델링을 돕는 것이다.
- 박피성 프랙셔널 레이저는 MTZ (Microthermal zone)의 손상을 일으키며, 주변 조직의 온도를 55-62도까지 증가시킨다. 이는 콜라겐의 변성을 가져와 새로운 콜라겐의 합성과 엘라스틴의 합성, 그리고 리모델링을 유도한다.
- 박피성 레이저는 모든 피부 타입에서 사용할 수 있다. 그러나 영구적인 저색소, 과색소침착이나 흉터의 생성을 피하기 위해서는 Fitzpatrick type III 이상의 환자에서는 사용을 피하거나 보다 세심한 주의를 기울여 시술해야 한다.

16.1 안전 고려사항(Safety Considerations)

- 이산화탄소 레이저 (10,600 nm)
- 이산화탄소 레이저는 어븀 레이저에 비해 더 높은 기화의 역치를 가지는데, 그러므로 치료 효과를

얻기 위해서는 더 높은 온도의 열에 도달해야 한다.

- 이산화탄소 레이저에서 피부의 기화는 5 J/cm^{2}에서 일어나며 주변부 70-150 μm로의 잔류 열확산이 발생한다.
- 피부 기화의 깊이는 레이저 시술(pass)의 횟수, 플루언스(에너지 밀도), 펄스 지속 시간, 그리고 각 패스 간의 냉각 시간의 정도에 따라 달라진다.
- 많은 pass의 이산화탄소 레이저가 시술될수록 기화되어야 할 물(목표 발색단)의 양은 줄어든다. 이는 열에너지의 잉여 축적을 야기하여 고온 손상이나 흉터 조직 발생의 가능성을 높인다.
- 임상적 치료 종료 시점(endpoint)은 조직의 색상 변화가(화학적 박피와 마찬가지로) 진피의 출혈보다 우선시되어야 한다.
- 프랙셔널 이산화탄소 레이저는 MTZ를 형성하여 픽셀화된 진피층의 조직 손상을 유도하면서 표피조직은 정상적으로 보존한다. 이러한 방식은 빠른 표피층의 상피화와 진피 콜라겐 리모델링을 돕는다. 그러므로 피부 색소의 변화에 대한 위험성은 낮추고도 다회의 치료가 가능하다. 프랙셔널 레이저로 치료 가능한 레이저 밀도는 치료부위에 따라 패스 당 10-60%에 달한다.

16.2 어븀:야그 레이저(Er:YAG laser, 2950 nm)

- 어븀야그 레이저는 이산화탄소 레이저와 동일한 발색단(물)을 가지지만 더욱 특이도가 높으므로, 고온 확산의 가능성이 적고 이론적으로 더욱 안전한 특징을 갖는다.
- 어븀 레이저에서 피부조직의 기화는 0.5 J/cm^{2}의 에너지에서 일어나며 이 때 5-20 μm 범위의 주변조직으로의 잔류 열확산을 발생시킨다.
- 이산화탄소 레이저와 비교하였을 때 열 발생이 적기 때문에, 어븀 레이저는 콜라겐 리모델링과 축적에 있어서 이산화탄소 레이저만큼의 효과를 보이기 어려우며 피부 탄력 향상에도 효과적이지 않다.
- 어븀레이저는 이산화탄소에 비해서 침투 깊이가 얕으며 따라서 주로 더 표면에 위치하는 병변들을 치료하는 데에 사용된다(예: 표피 병변, 광노화, 색소침착이상). 그러나 높은 플루언스(에너지 밀도)와 다회의 치료 차수(pass)를 거치면, 어븀레이저도 매우 깊은 박피를 일으킬 수 있고 이로 인한 흉터가 발생할 수 있다.
- 임상적인 치료 종료 시점은 유두진피층의 점상 출혈과 파편화된 진피조직의 출현이다. 어븀야그 레이저에서는 펄스 지속 시간을 연장시킬 수 있으며 이산화탄소 레이저를 사용했을 때와 비슷한 수준의 상당한 조직 응고를 달성할 수 있다.

16.3 관련해부학(Pertinent Anatomy)

- 기화 레이저(프랙셔널이든 혹은 연속성이든)를 이용한 박피 시술의 안전구역은 두꺼운 진피층의 두께와 풍부한 혈류를 가진 조직이며 얼굴 중앙부(볼), 이마, 코 등을 포함한다(그림 16.1). 이 부위에서는 최적의 결과를 얻기 위해 여러 패스의 시술을 적용할 수 있다.
- 위험구역은 진피조직이 얇은 부분이나 기존의 수술(예: 얼굴거상, 목거상 등)로 인한 박리가 이루어졌던 부분들이며 다음의 부분들을 포함한다: 목, 가슴 상부, 눈꺼풀, 그리고 눈주변부위(그림 16.1)

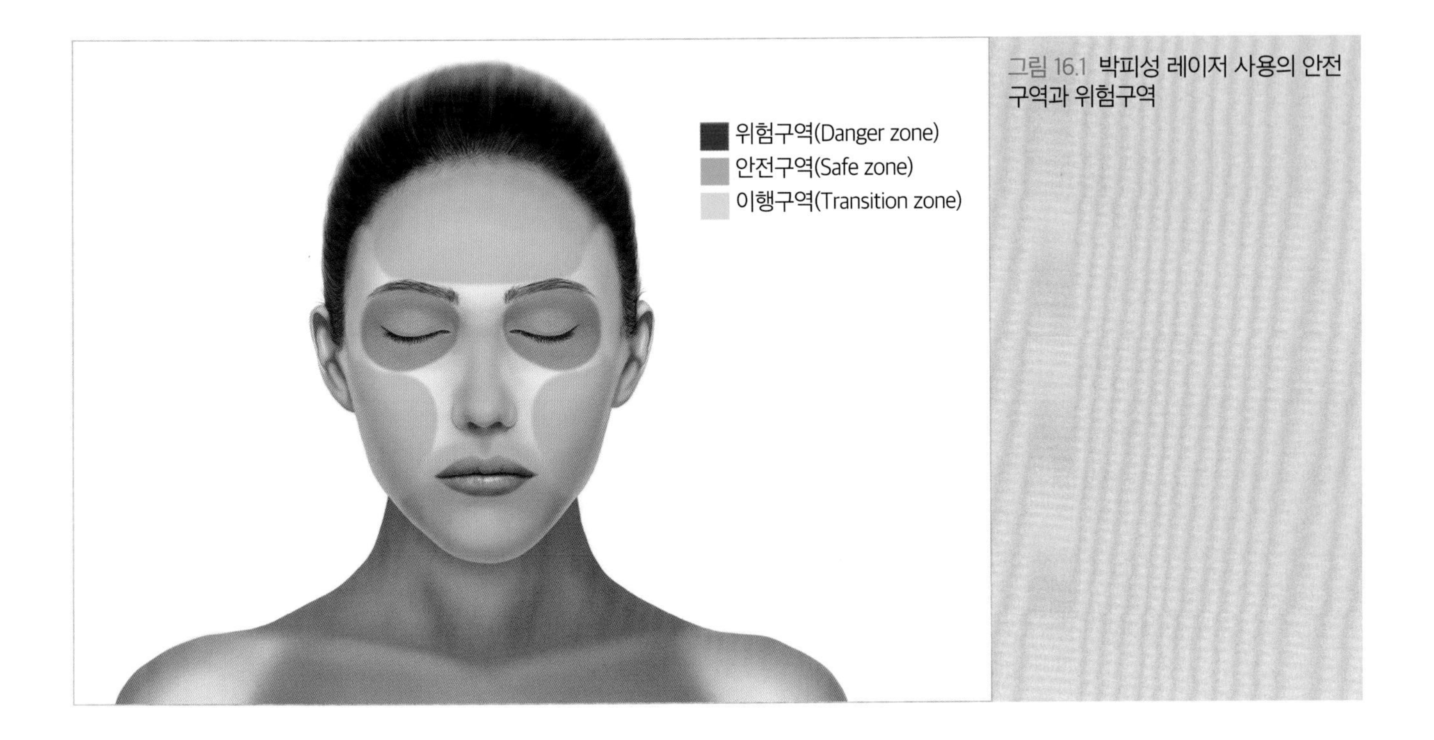

그림 16.1 박피성 레이저 사용의 안전구역과 위험구역

16.4 술기 요점(Technical Points)

- 진피층의 두께가 얇거나 기존의 수술로 인한 박리가 이루어졌던 부위에서는, 레이저를 비스듬하게 조사하여 박피의 깊이를 얕게 조절할 수 있다(그림 16.2). 이러한 부위에서는 에너지를 30-50% 정도로 낮게 설정하여야 넓은 부위의 열 손상이나 흉터를 피할 수 있다.

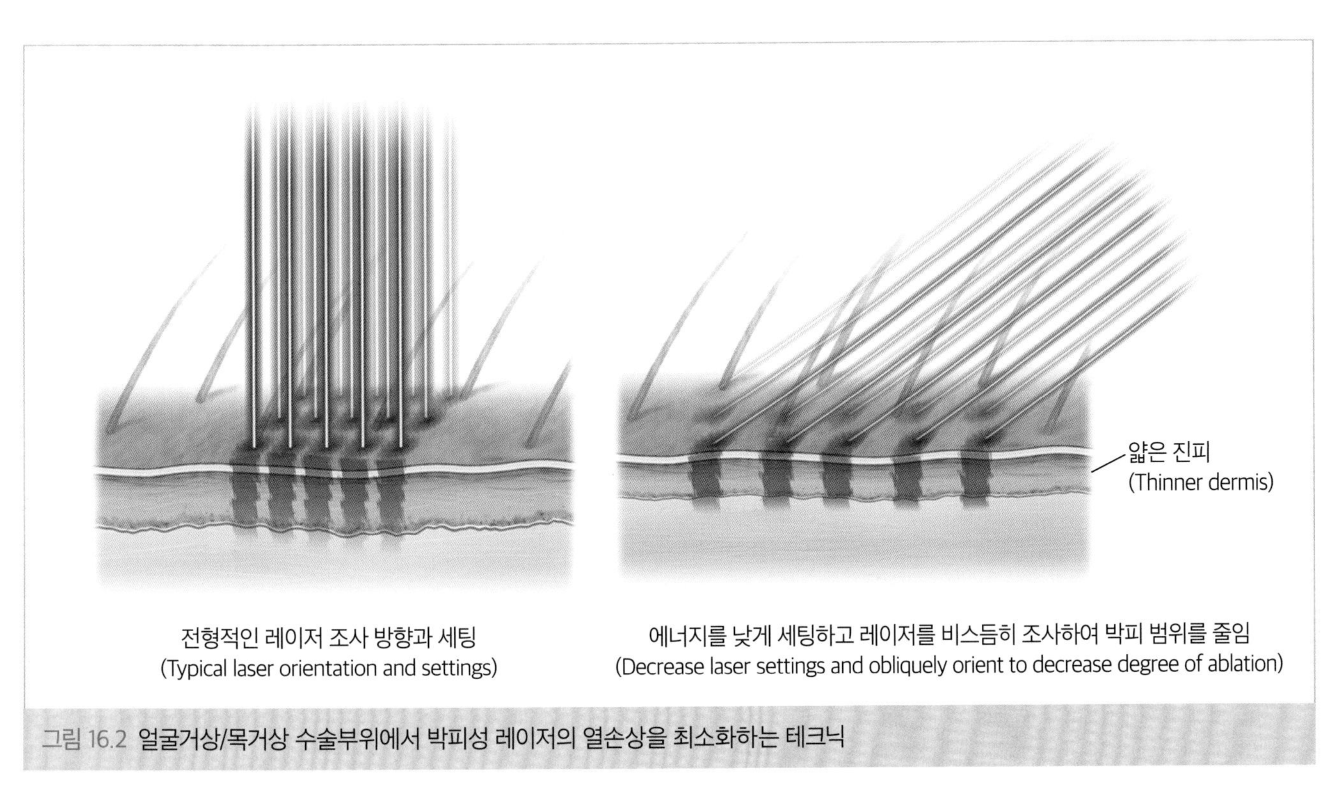

그림 16.2 얼굴거상/목거상 수술부위에서 박피성 레이저의 열손상을 최소화하는 테크닉

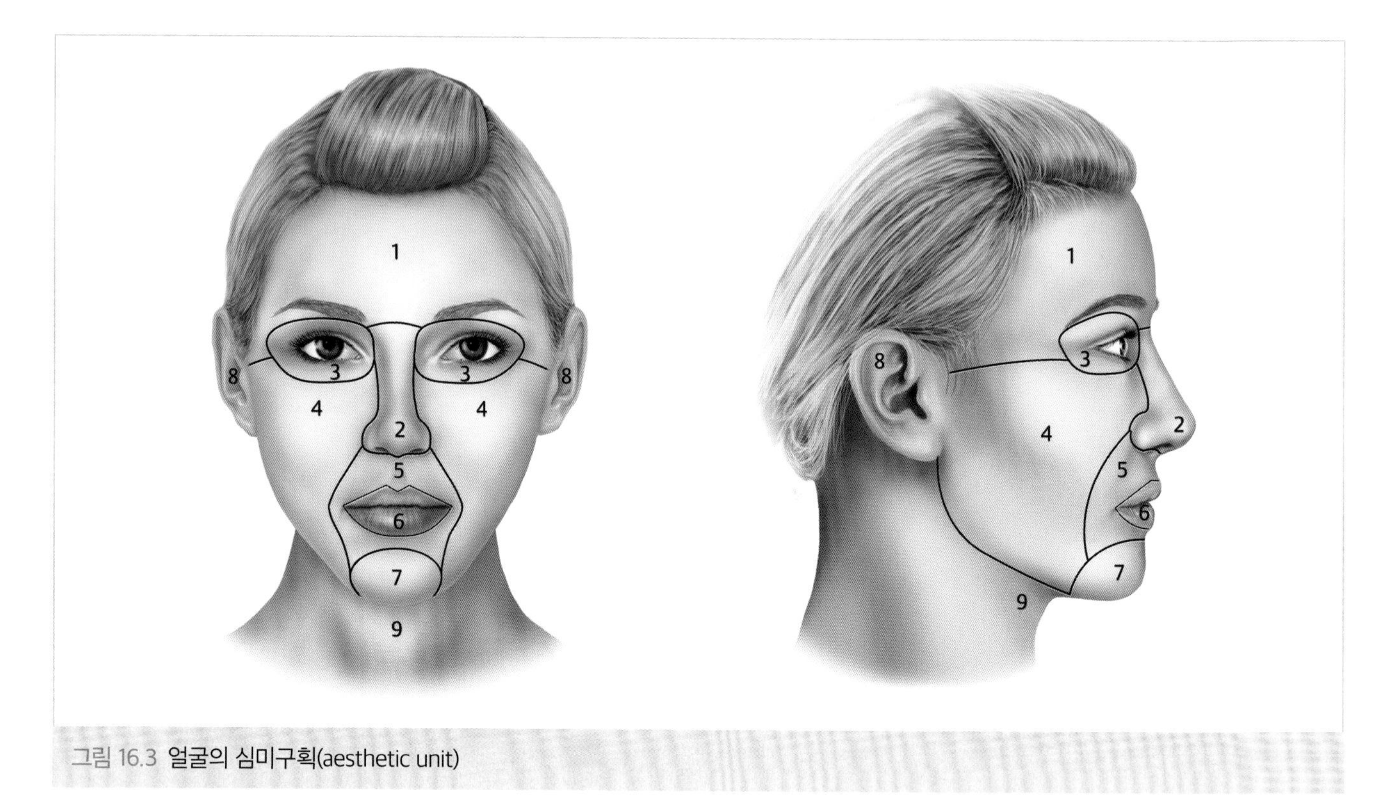

그림 16.3 얼굴의 심미구획(aesthetic unit)

- 얼굴의 각 부위는 심미구획에 따라 치료하고, 인접부위를 잘 조합하여 눈에 띄는 이행부위가 없도록 해야 한다(그림 16.3).
- 치료부위는 이산화탄소 레이저의 경우 조직이 하얗게 혹은 노랗게 변하는지, 어븀 레이저의 경우는 유두진피의 점상 출혈이 발생하는지를 임상적인 치료 종료 시점으로 판단하여 지속적으로 평가해야 한다.
- 깊은 주름의(특히 입 주변) 가장 깊은 부위는 국소적인 부분 치료를 시행할 수 있다.

References

1. Duplechain JK, Rubin MG, Kim K. Novel post-treatment care after ablative and fractional CO2 laser resurfacing. J Cosmet Laser Ther. 2014; 16(2):77–82
2. El-Domyati M, Abd-El-Raheem T, Abdel-Wahab H, et al. Fractional versus ablative erbium: yttrium-aluminum-garnet laser resurfacing for facial rejuvenation: an objective evaluation. J Am Acad Dermatol. 2013; 68(1):103–112
3. Griffin D, Brelsford M, O'Reilly E, Stroup SP, Shumaker P. Ablative Fractional Laser Resurfacing: A Promising Adjunct to Surgical Reconstruction. Mil Med. 2016; 181(6):e616–e620
4. Burns C, Basnett A, Valentine J, Shumaker P. Ablative fractional laser resurfacing: A powerful tool to help restore form and function during international medical exchange. Lasers Surg Med. 2017; 49(5):471–474
5. Hassan KM, Benedetto AV. Facial skin rejuvenation: ablative laser resurfacing, chemical peels, or photodynamic therapy? Facts and controversies. Clin Dermatol. 2013; 31(6):737–740
6. Clementoni MT, Lavagno R, Munavalli G. A new multi-modal fractional ablative CO2 laser for wrinkle reduction and skin resurfacing. J Cosmet Laser Ther. 2012; 14(6):244–252
7. Çalıskan E, Açıkgöz G, Tunca M, Koç E, Arca E, Akar A. Treatment of lipoid proteinosis with ablative Er:YAG laser

resurfacing. Dermatol Ther (Heidelb). 2015; 28(5):291–295

8. Cohen JL, Ross EV. Combined fractional ablative and nonablative laser resurfacing treatment: a split-face comparative study. J Drugs Dermatol. 2013; 12(2):175–178
9. Rohrich RJ, Gyimesi IM, Clark P, Burns AJ. CO2 laser safety considerations in facial skin esurfacing. Plast Reconstr Surg. 1997; 100(5):1285–1290
10. Schwartz RJ, Burns AJ, Rohrich RJ, Barton FE, Jr, Byrd HS. Long-term assessment of CO2 facial laser resurfacing: aesthetic results and complications. Plast Reconstr Surg. 1999;103(2):592–601
11. Tierney EP, Hanke CW, Petersen J. Ablative fractionated CO2 laser treatment of photoaging: a clinical and histologic study. Dermatol Surg. 2012; 38(11):1777–1789
12. Cartee TV, Wasserman DI. Commentary: Ablative fractionated CO2 laser treatment of photoaging: a clinical and histologic study. Dermatol Surg. 2012; 38(11):1790–1793
13. Farshidi D, Hovenic W, Zachary C. Erbium:yttrium aluminum garnet ablative laser resurfacing for skin tightening. Dermatol Surg. 2014; 40(Suppl 12):S152–S156
14. Lee SJ, Kang JM, Chung WS, Kim YK, Kim HS. Ablative non-fractional lasers for atrophic facial acne scars: a new modality of erbium:YAG laser resurfacing in Asians. Lasers Med Sci. 2014; 29(2):615–619
15. Tao J, Champlain A, Weddington C, Moy L, Tung R. Treatment of burn scars in Fitzpatrick phototype III patients with a combination of pulsed dye laser and non-ablative fractional resurfacing 1550 nm erbium:glass/1927 nm thulium laser devices. Scars Burn Heal.2018;4:2059513118758510

17. 비박피성 레이저에서의 안전성을 최대화하는 방법 (Maximizing Safety with Nonablative Lasers)

- *E. Victor Ross, Erez Dayan, and Rod J. Rohrich* / 윤원영 역

초록

비박피성 레이저는 색소, 잔주름, 여드름 흉터, 문신, 화상 흉터, 제모 튼살 등 다양한 상태의 병변을 치료하기 위해 사용된다. 선택적 광열융해를 통해, 레이저는 각각의 흡수 파장을 기반으로 하여 주변 조직에는 영향을 주지 않으면서 특수한 조직 내 발색단에 작용할 수 있다(예: 헤모글로빈, 물, 멜라닌).

비박피성 레이저 치료의 목표이자 박피성 레이저와 대별되는 가장 큰 특징은 표피층의 손상이나 제거 없이 진피층의 콜라겐을 수복한다는 데에 있다. 비박피성 레이저들은 특히 박피성 레이저에 비해 짧은 다운타임을 가지며 대신 효과도 박피성 레이저에 비해서는 드라마틱하지 않다.

키워드: **레이저**(laser), **선택적 광열융해**(selective photothermolysis), **레이저 박피**(laser resurfacing), **비박피성 레이저**(nonablative laser), **적외선 레이저**(mid-infrared lasers), **엔디야그 레이저**(Nd, YAG laser), **큐스위치 레이저**(Q-Switched Nd, YAG laser), **다이오드 레이저**(Diode laser), **프락셀**(Fraxel), **문신 제거**(tattoo removal), **제모**(hair reduction)

요점

- 얼굴부의 미용에 쓰이는 가장 흔한 비박피성 레이저로는 다음과 같은 것들이 있다: 엔디야그, 큐스위치 엔디야그, 다이오드, 어븀글래스 프랙셔널, 가시광선과 IPL 장비들.
- 비박피성 레이저는 얇은 잔주름에 있어서 치료 효과가 다양하고 중등도의 효과를 보인다. 깊은 주름은 개선되기 어려우며, 박피성 레이저나 화학적 박피, 혹은/그리고 연조직 필러 등이 필요할 수 있다.

17.1 안전 고려사항(Safety Considerations)

- 각각의 레이저 파장에 맞는 안전 장비(예: 안전 고글)가 필요하다. 수술실에서 시술할 때에는 기관삽관용 튜브가 반드시 레이저에 안전한 것을 사용해야 하며, 가능한 한 최저의 흡입산소농도를 유지해야 한다. 치료부위 주변으로는 젖은 타월을 준비하여 열에너지를 흡수하고 화재의 위험성을 줄이도록 노력해야 한다.
- 환자의 피부에 맞는 최적의 플루언스(에너지 밀도)를 찾기 위해 치료부위 외의 다른 부위를 시험적으로 사용할 수 있다.
- 주름의 치료에 있어서 비박피성 레이저의 가시적인 치료 종료 시점을 찾기는 어렵다.
- 혈행이 많은 부위에서 치료의 종료 시점은 연한 자반, 혈관벽의 청색으로의 지속적인 변화, 혈관의 협착 등이 될 수 있다.
- 문신 제거에 있어서 치료 종료 시점은 피부의 백화현상이다.
- 저색소반(10-20%에서 발생)은 열손상으로 인한 2차적인 멜라닌세포의 파괴에 의한 것으로 여겨진다. 저색소반은 대개는 일시적이며 진행하지 않는다. 드물게는 시술 후 6-12개월 경 지연성 저색소반이 나타나는 경우도 있다.
- 비박피성 레이저에서 흉터가 발생하는 경우는 드물다. 수포가 발생할 수 있으나 국소 항생제 도포로 치료한다.

17.2 임상적 연관성(Clinical Correlations)

- 흉터: 여러 가지 다른 종류의 비박피성 레이저를 조합하여 치료하는 것이 가장 효과적이다. 예를 들면, 프랙셔널 레이저는 흉터의 유연성을 높이고 Pulsed dye laser (PDL)이나 IPL은 흉터의 홍반, 과다혈관병변이나 색소침착을 개선할 수 있다.
- 과다색소침착: 흑자는 멜라닌 색소를 발색단으로 하는 레이저를 사용하여 치료할 수 있다. 이러한 레이저 중에는 큐스위치 532 nm, 루비레이저, 알렉산드라이트 레이저 등이 포함된다. 롱펄스 레이저는 532 nm KTP 레이저부터 PDL과 IPL 등 광범위한 가시광선 장비를 두루 포함한다.
- 과다혈관병변: PDL, 532 nm KTP 레이저, 그리고 IPL이 모두 효과적이다. PDL은 자반성 혹은 비자반성 세팅에서 모두 사용할 수 있다.
- 문신 제거: 비박피성 레이저는 큰 색소 입자를 대식세포에 의한 포식작용이 일어날 수 있도록 작은 색소 입자로 파괴시킨다. 문신의 색깔에 따라 이상적인 레이저가 달라질 수 있지만, 대개 큐스위치 레이저가 적합하다. 환자들은 치료 효과가 반복적인 시술을 통해서만 얻어질 수 있다는 것을 미리 알고 있어야 한다(어떤 경우에는 10-15회차 이상의 치료를 요한다).
- 제모: 제모를 위한 레이저는 진피 유두의 멜라닌을 목표 발색단으로 하여 모낭을 파괴한다. 특이적으로, 810 nm 다이오드 레이저, 755 nm 알렉산드라이트 레이저, 1064 nm 엔디야그 레이저 등이 사용된다. 많은 환자에서 IPL도 효과를 볼 수 있다. 레이저 제모는 피부색이 옅고 모색이 짙은 경우에 가장 효과적이다.

References

1. Ang P, Barlow RJ. Nonablative laser resurfacing: a systematic review of the literature. Clin Exp Dermatol. 2002; 27(8):630–635
2. Goldberg DJ. Nonablative laser technology Radiofrequency. Aesthet Surg J. 2004;24(2):180–181
3. Hardaway CA, Ross EV. Nonablative laser skin remodeling. Dermatol Clin. 2002; 20(1):97–111, ix
4. Pozner JN, Goldberg DJ. Nonablative laser resurfacing: state of the art 2002. Aesthet Surg J. 2002; 22(5):427–434
5. Doshi SN, Alster TS. 1,450 nm long-pulsed diode laser for nonablative skin rejuvenation. Dermatol Surg. 2005; 31(9 Pt 2):1223–1226, discussion 1226
6. Karmisholt KE, Banzhaf CA, Glud M, et al. Laser treatments in early wound healing improve scar appearance: a randomized split-wound trial with nonablative fractional laser exposures vs. untreated controls. Br J Dermatol. 2018; 179(6):1307–1314
7. Narurkar VA. Nonablative fractional laser resurfacing. Dermatol Clin. 2009; 27(4):473–478, vi
8. Ross EV. Nonablative laser rejuvenation in men. Dermatol Ther. 2007; 20(6):414–429
9. Weiss RA, McDaniel DH, Geronemus RG. Review of nonablative photorejuvenation: reversal of the aging effects of the sun and environmental damage using laser and light sources. Semin Cutan Med Surg. 2003; 22(2):93–106
10. Williams EF, III, Dahiya R. Review of nonablative laser resurfacing modalities. Facial Plast Surg Clin North Am. 2004; 12(3):305–310, v
11. Naga LI, Alster TS. Laser Tattoo Removal: An Update. Am J Clin Dermatol. 2017; 18(1):59–65

18. 트라이클로로아세트산과 제스너 화학박피의 안전성
(Trichloroacetic Acid Combined with Jessner's Chemical Peel Safety)

- *Erez Dayan and Rod J. Rohrich* / 윤원영 역

초록

트라이클로로아세트산(TCA)은 다양한 목적으로 사용 가능한 약품으로, 다양한 농도에서 서로 다른 깊이의 얼굴 주름을 치료하는 데 효과적으로 사용된다. TCA는 일반적으로 30-35%의 농도로 망상진피의 상부까지 침투하는 중등도 깊이의 박피를 위해 이용된다. TCA필을 적용하기 전에 제스너 용액을 첨가하면 표피의 일부를 제거할 수 있으며, TCA가 더 깊이 침투할 수 있도록 돕는다. 이러한 조합은 더 낮은 농도의 TCA로도 같은 깊이의 박피를 유도할 수 있기 때문에 흉터 등의 부작용을 최소화한다는 측면에서 이점이 있다.

키워드: 트라이클로로아세트산(trichloroacetic acid), **TCA, 화학박피**(chemical peel), **얼굴 항노화**(facial rejuvenation), **피부박피**(skin resurfacing)

화학박피의 안전성을 극대화하기 위한 중요한 점

- 적절한 화학박피의 치료방법은, 주어진 조건을 효과적으로 치료하기 위한 침투 깊이는 물론 환자의 피부타입, 그리고 피부 두께를 기반으로 하여 결정된다. 일반적으로 화학박피는 침투 깊이에 따라 분류된다(표면박피, 중등도 박피, 심층박피)(표 18.1).
- TCA는 일반적으로 30-35%의 농도로 망상진피 상부까지 침투하는 중등도 깊이의 박피 효과를 얻기 위해 사용된다.
- TCA의 농도 외에도 박피를 위한 피부 전처치, 치료 전 피부 타입, 필 용액의 적용 방법 등 다양한 요소들이 적절한 박피효과를 획득하는데 관여한다.

표 18.1 **화학박피의 침투 깊이에 따른 분류**

Depth of penetration		Peeling agent	Conditions
표면박피	각질층에서 유두진피까지 (60 μm)	• Alpha hydroxyl acids • Beta hydroxyl acids • Jessner solution	• 약한 광노화 • 약한 여드름흉터 • 색소성병변
중등도박피	유두진피에서 상부망상진피까지 (450 μm)	• TCA 35 – 50% • TCA 35% + glycolic acid 70% • TCA 35% + Jessner's solution	• 약함–중등도의 광노화 • 광선각화증 • 잔주름 • 일광흑자 • 색소성병변
심층박피	중층망상진피에서 600 μm 까지	• Baker–Gordon • TCA >50%	• 심한 광노화 • 색소성병변 • 전암성피부종양 • 흉터

18.1 안전 고려사항(Safety Considerations)

- 주의 깊은 병력 청취와 이학적 검사가 환자가 화학박피의 적절한 후보군인지를 판별하는데 도움이 된다.

- 주저자(R.J.R)가 선호하는 치료방법은 화학박피를 시작하기 4-6주 전 모든 환자들에서 전처치를 시행하는 것이다. 전처치의 치료계획은 트레티노인(0.05-0.1%), 하이드로퀴논(2-4%), 자외선 차단제, 알파하이드록시산(4-10%) 국소 도포를 포함한다. 이와 같은 전처치는 피부의 박피에 대한 저항력을 높이고, 섬유아세포와 멜라닌세포의 활성을 조절하며, 진피층의 혈액순환을 증가시키고, 세포분열과 콜라겐 생성을 촉진하여 박피 이후의 피부 회복 기간을 3-4일 정도 앞당길 수 있다는 장점이 있다.
- 치료의 안전성과 일관성은 최적의 효과를 내기 위한 선결조건이다. 제스너 용액과 35% TCA를 함께 사용하는 화학박피 치료에 있어서는, 좌측부터 우측으로 사용할 순서에 따라 명확히 라벨링된 네 개의 유리그릇을 세팅하는 것이 안전하고 일관된 치료의 시작이 된다.
- 네 개의 유리그릇은 시술할 의사에 의해 채워져야 하며 다음의 순서를 따른다:
  1. 70% 에틸 알코올(세정제)
  2. 아세톤(탈지제)
  3. 제스너 용액(표피의 균일한 박탈을 제공함)
  4. 35% TCA 용액
- TCA 필을 적용하기 전에 제스너 용액을 사용하는 것은 표피의 부분적인 박탈을 유도하여 TCA 용액이 더 깊이까지 침투할 수 있도록 돕는다. 이러한 조합은 더 낮은 농도의 TCA로도 같은 깊이의 박피를 유도할 수 있기 때문에 흉터 등의 부작용을 최소화한다는 측면에서 이점이 있다.
- 모든 환자에서 시술 24시간 전 예방적 차원에서의 항생제 투여가 필요하다. 항바이러스제 아시클로버는 헤르페스 기왕력이 있었던 환자에서 시술 2일 전부터 시작하여 시술 후 5일까지 지속되어야 한다.

18.2 시술의 위험구역과 임상적 연관성(Danger Zones and Clinical Correlations)

- 시술의 안전구역은 진피층이 두껍고 혈행이 좋은 얼굴 중앙부(볼), 이마, 코를 포함한다. 최적의 치료효과를 위해 TCA를 여러 패스 적용할 수 있다(그림 18-1).
- 시술의 위험구역은 진피조직이 얇은 부분이나 기존의 수술(예: 얼굴거상, 목거상 등)로 인한 박리가 이루어졌던 부분들이며 목, 가슴 상부, 눈꺼풀, 그리고 눈주변부위 등을 포함한다. 이 부분을 시술할 때에는 박피의 깊이를 조절하는데 특히 주의를 기울여야 한다.

표 18.2 **화학박피의 적응증과 금기**

화학박피의 적응증	금기
표피주름 혹은 심부주름/광노화	최근 6개월 이내의 이소트레티노인 치료력
전암성 혹은 종양성 병변(예: 일광 각화증, 흑자)	털피지샘단위가 없는 얼굴피부
기저 피부 질환(예: 여드름)	감염 혹은 개방성 창상(헤르페스, 개방성 여드름 농포)
색소침착이상	최근 3–12개월 내 중등도 이상의 박피 시술력*
	최근 박리를 요하는 얼굴부의 수술 기왕력
	치료방사선에 노출된 기왕력
	Fitzpatrick 피부 타입 4,5,6 *

*: 상대적 금기

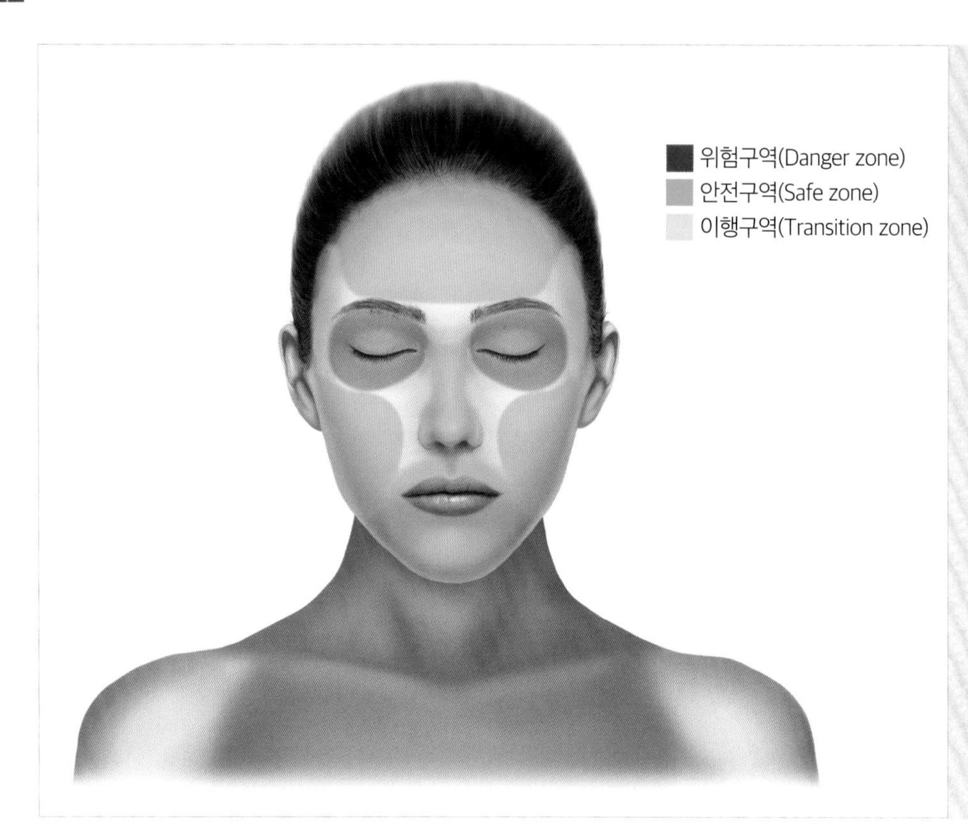

그림 18.1 진피층의 두께가 두꺼워 화학박피에 안전한 얼굴구역을 초록색으로 표시함. 위험구역(빨강)과 위험구역으로의 이행구역(노랑)은 진피의 두께가 상대적으로 얇으므로 시술에 주의를 요한다.

18.3 술기 요점(Technical Points)

동영상 18.1

- 비교적 넓고 균일한 부위가 치료 면적에 포함되게 하기 위해 세 손가락 기법을 사용한다(동영상 18.1).
- 눈가와 이마 주변의 잔주름을 치료하기 위해 TCA가 도포된 면봉 어플리케이터를 사용한다. 이 부위를 시술할 때는 피부를 팽팽하게 당겨 필 성분이 주름의 가장 바닥부위까지 닿도록 한다. 면봉 어플리케이터의 반대쪽 끝인 나무 재질의 부분은 더 깊은 주름의 선택적 필 도포에 사용된다.
- 박피를 시행하는 부분의 경계(특징적으로 아래턱뼈의 경계부)는 약하게 페더링하여 자연스럽고 경계선이 남지 않는 이행부위가 되도록 해야 한다. 이 부분은 색깔의 변화를 지속적으로 재평가하여 박피의 깊이나 효과를 판단하게 된다.

References

1. Herbig K, Trussler AP, Khosla RK, Rohrich RJ. Combination Jessner's solution and trichloroacetic acid chemical peel: technique and outcomes. Plast Reconstr Surg. 2009; 124(3):955–964
2. Pannucci CJ, Reavey PL, Kaweski S, et al. A randomized controlled trial of skin care protocols for facial resurfacing: lessons learned from the Plastic Surgery Educational Foundation's Skin Products Assessment Research study. Plast Reconstr Surg. 2011; 127(3):1334–1342
3. Johnson JB, Ichinose H, Obagi ZE, Laub DR. Obagi's modified trichloroacetic acid (TCA)-controlled variable-depth peel: a study of clinical signs correlating with histological findings. Ann Plast Surg. 1996; 36(3):225–237
4. O'Connor AA, et al. Chemical peels: A review of current practice. Australas J Dermatol. 2017

19. 고주파를 사용하는 장비에서 안전성을 최대화하는 방법 (Maximizing Safety with Radiofrequency-Based Devices)

- *Erez Dayan and Rod J. Rohrich* / 윤원영 역

초록

고주파 에너지를 내부로 혹은 외부로 전달하는 방법은 그동안 주름, 군턱, 피부 처짐, 모세혈관 확장증과 그 외에 노화와 관련된 피부 변화의 치료에 있어서 성공적으로 사용되어 왔다. 또한 고주파는 피부밑조직을 타겟으로 하여 진피밑지방조직의 리모델링과 윤곽성형에도 사용되었다. 고주파 장비는 음극과 양극으로 대전된 전극을 사용하여 전기 경로 내의 조직을 분극화하기 위해 교류 전류를 생성하고 열을 발생시킨다. 이러한 고주파 술기의 안전하고 지속적인 사용은 (1) 환자의 피부와 연부조직의 해부학, (2) 고주파 장비의 특징, (3) 에너지/조직 간 상호작용 에 대한 이해를 토대로 한다. 이번 장에서는, 고주파 술기의 이용과 적응증, 금기와 해부학적 위험구역을 아우르는 내용을 개략적으로 살펴보고자 한다.

키워드: 얼굴윤곽성형(facial contouring), **피부탄력 강화**(skin tightening), **고주파**(radiofrequency), **미세침 고주파**(microneedle radiofrequency), **카테터 기반 고주파**(catheter based radiofrequency)

요점

- 고주파는 얼굴부 항노화에 있어서 피부 처짐을 감소시키는데 안전하고 효과적인 방법으로 특히 주목받고 있다. 일차 치료방법으로 선택하거나 얼굴거상이나 목거상 수술 시행 후 재발하는 처짐을 이차적으로 교정하는 데에도 사용한다(그림 19.1).
- 고주파처럼 열에너지를 발생시키는 장비들은 55-60도의 온도에서 콜라겐의 변성을 일으켜 분자수준의 변화로 연부조직에 효과를 나타낸다. 이는 새로운 콜라겐의 합성과 엘라스틴 합성, 신생 혈관 생성 및 진피하 지방조직의 리모델링으로 이어지며 이러한 변화는 시술 후 4-8주에 거쳐 나타나게 된다(동영상 19.1).
- 고주파의 에너지는 단극성, 양극성, 혹은 다극성 장비의 형태로 전달될 수 있다. 이 외에도 변이된 형태의 고주파 전달 방법으로는 프랙셔널(분획성), sublative, 혹은 다른 술기과의 병합(레이저, 빛, 전자기에너지)된 형태가 있다.
- 고주파는 모든 피부 타입의 환자군에서 안전하게 사용할 수 있으며, 특히 피부 처짐의 정도가 경미하고 좋은 피부 탄력도를 보이는 환자에서 최상의 효과를 볼 수 있다.
- 고주파는 자주 지방흡입 수술과 병행하여 사용된다. 고주파가 먼저 작용하여 망상 섬유구획(fibroseptal network)의 탄력을 강화시키고 피부를 탄탄하게 만들며, 이어지는 지방흡입이 피부밑지방량을 감소시킨다.

동영상 19.1

19.1 안전 고려사항(Safety Considerations)

- 선택적 광열융해를 보이는 레이저와는 달리, 고주파의 열반응은 선택적이지 않다. 그러므로 고주파는 멜라닌세포의 손상이나 색소 침착에 대한 우려 없이 모든 Fitzpatrick 피부 타입에 적용될 수 있다. 그러나 고온 손상에 대해서는 주의를 기울여야 한다.
- 열반응은 장비의 절연 상태에 따라 바늘 끝에서만 일어날 수도 있고 캐뉼라 전체를 통해 일어날 수도 있다.
- 최신 장비는 자체적 냉각 기술(냉각 스프레이), 미리 정해진 타겟 온도에 도달하면 에너지를 차폐하는 기능이 있는 내부/외부의 온도 감지 센서, 장비 외부의 근적외선 피부 온도 감지 카메라, 측면과 말단의 에너지 타격을 피하기 위해 코팅된 캐뉼라 등의 안전설비를 포함하고 있다.

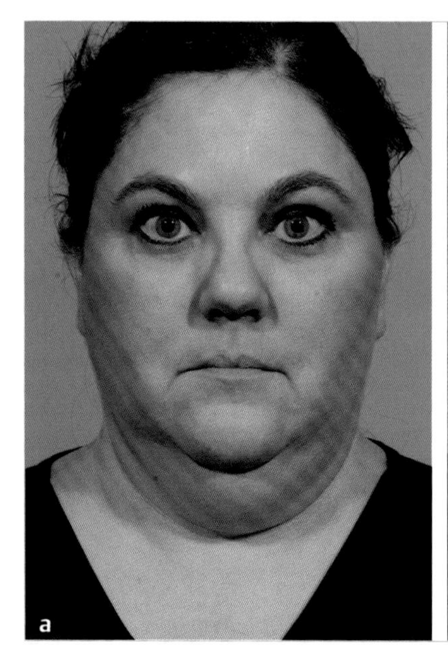

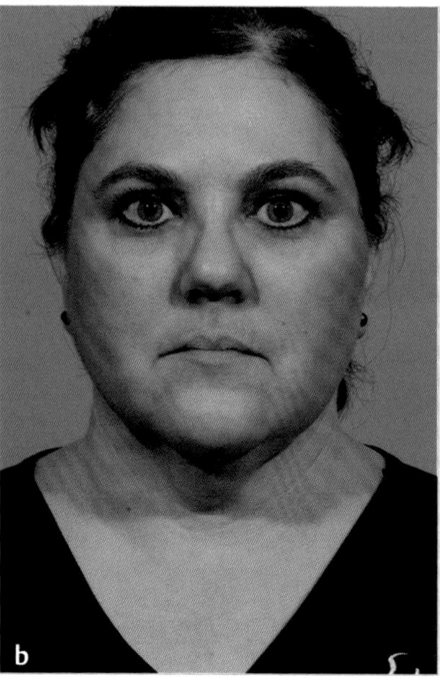

그림 19.1 (a) 시술 전, (b) 시술 후 목과 군턱의 고주파와 지방흡입 수술을 병행한 결과

- 효율적인 열에너지 전달을 허용하면서도 화상/전층 피부 손상을 방지하기 위해서는 순차적으로 열에너지를 증가시키는 체계적인 접근 방식을 적용해야 한다.
- 캐뉼라 기반의 장비들에서는, 열에너지가 심부에서부터 얕은 부위로 점진적으로 전달된다. 그러므로 시술자는 한 부위에 너무 많은 패스가 중첩되지 않도록 조심해야 한다. 타겟 온도에 도달한 이후에는 국소적인 부분에 1분에서 3분 이상으로 머무르지 않는 것을 추천한다.

19.2 관련해부학(Pertinent Anatomy)

19.2.1 치료구역(Treatment Zones) (그림 19.2)

1. 얼굴 하부 1/3과 목
2. 목 중앙부
3. 목 측면부
4. 군턱

19.2.2 치료하지 않는 구역(Nontreatment Zones) (그림 19.2)

1. 얼굴 중앙부와 상부
2. 마리오네트 라인
3. 이마
4. 입가 / 눈가 부분

19.2.3 아래턱모서리신경 해부학(Marginal Mandibular Nerve Anatomy)

- 얼굴신경의 아래턱모서리 가지는 넓은목근과 입꼬리내림근의 아래로 주행하여 아랫입술과 턱의 근육들을 관장(지배)한다(그림 19.3).
- 얼굴신경의 아래턱모서리 가지는 얼굴동맥보다 얕게, 얼굴정맥의 앞쪽으로 주행한다.

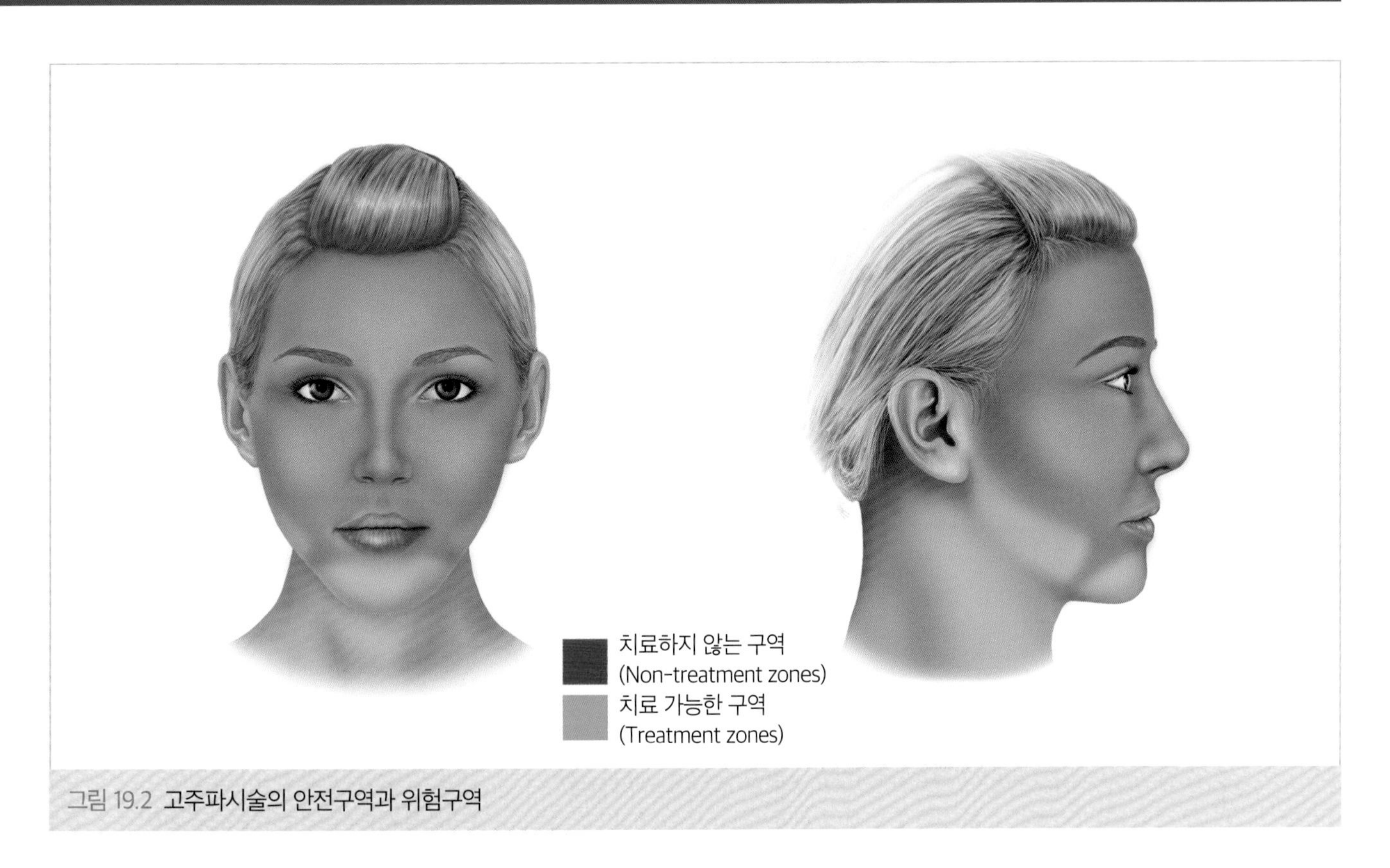

그림 19.2 고주파시술의 안전구역과 위험구역

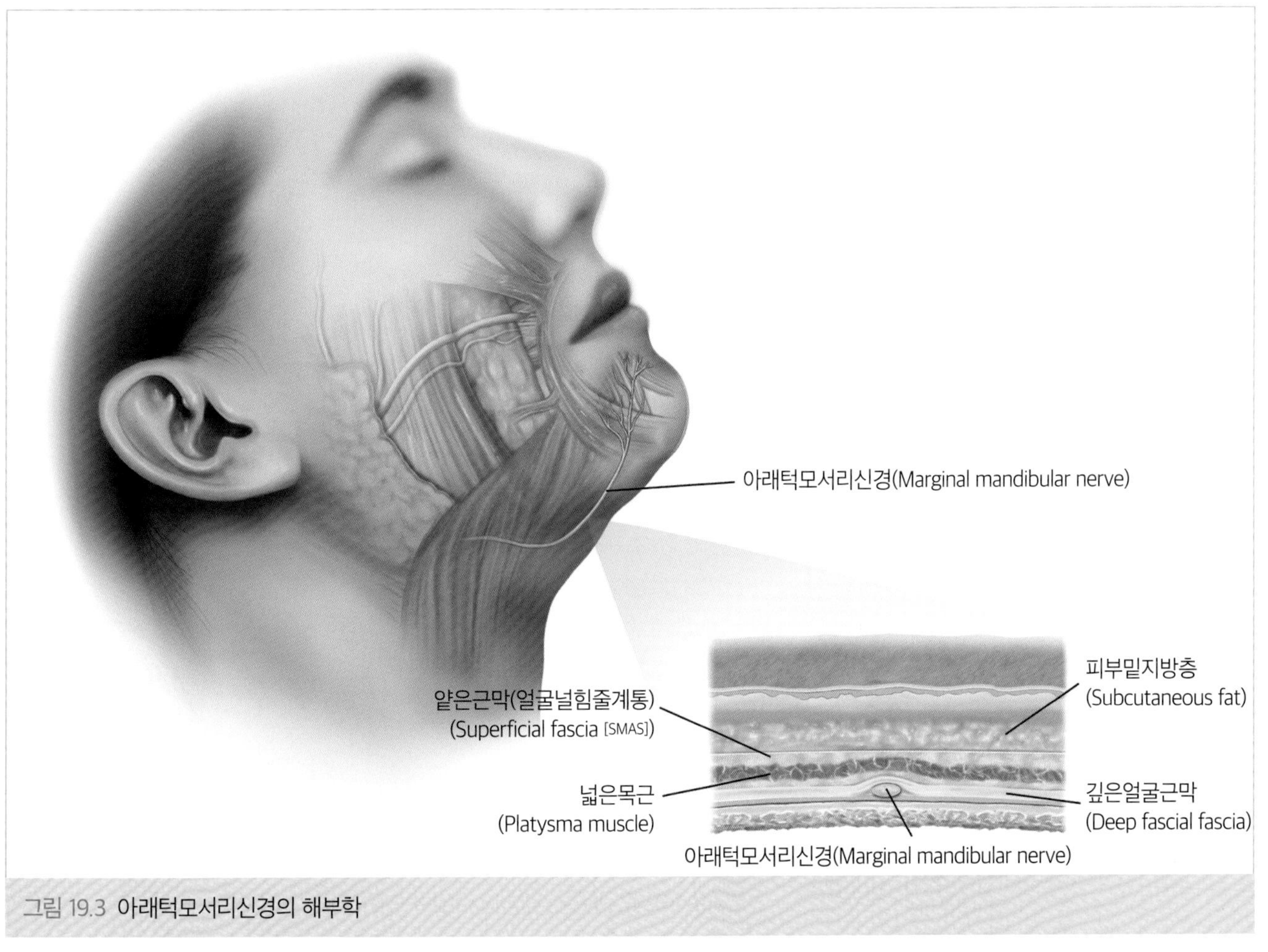

그림 19.3 아래턱모서리신경의 해부학

- 고주파 캐뉼라 삽입을 위한 위치 선정은 아래턱모서리신경(아래턱 중앙, 입꼬리 2 cm 뒤쪽, 얼굴널힘줄계통[SMAS] 아래)과 턱끝신경(아래턱 중앙 제2소구치 하방 얼굴널힘줄계통[SMAS] 전방) 가장 얕은 부분에서부터 떨어져서, 방사형의 움직임을 허용하도록 디자인되어야 한다.

19.2.4 턱끝신경(Mental Nerve)

- 아래이틀신경(inferior alveolar nerve - 제 5번 뇌신경)의 가지로서 앞턱과 아랫입술, 그리고 그 사이에 있는 잇몸의 감각을 담당한다.
- 턱끝신경은 아래턱의 턱끝구멍에서 나와 입꼬리내림근의 아래로 주행하여 3개의 가지를 낸다(턱의 피부와 아랫입술의 피부와 점막을 지배함).

19.3 술기 요점(Technical Points)

- 부주의로 인해 가장 쉽게 손상받는 것은 얕은 감각신경들과 아래턱모서리신경인데, 이 신경들이 군턱과 아래턱뼈 경계의 연조직이 처진 부위와 가까이에 위치하기 때문이다.
- 고주파 단자(probe)는 항상 피부밑층에 위치해야 하며, 넓은목근이나 얼굴널힘줄계통의 아래로 위치해서는 안된다.
- 방사형의 움직임이 필요하며 고주파 에너지는 캐뉼라를 빼는 운동 시에만 적용되도록 해야 한다.
- 삽입점의 1 cm 전방에서 에너지 적용을 멈추어야 단자가 몸 쪽으로 움직일 때 반복적으로 에너지가 적용되는 것을 막을 수 있다.
- 투메슨트 용액을 주사하는 것은 넓은목근/얼굴널힘줄계통 층 상부의 수력분리(hydrodissection)를 허용하여 부주의하게 캐뉼라가 넓은목근 아래쪽으로 위치하는 실수를 피할 수 있게 해준다.

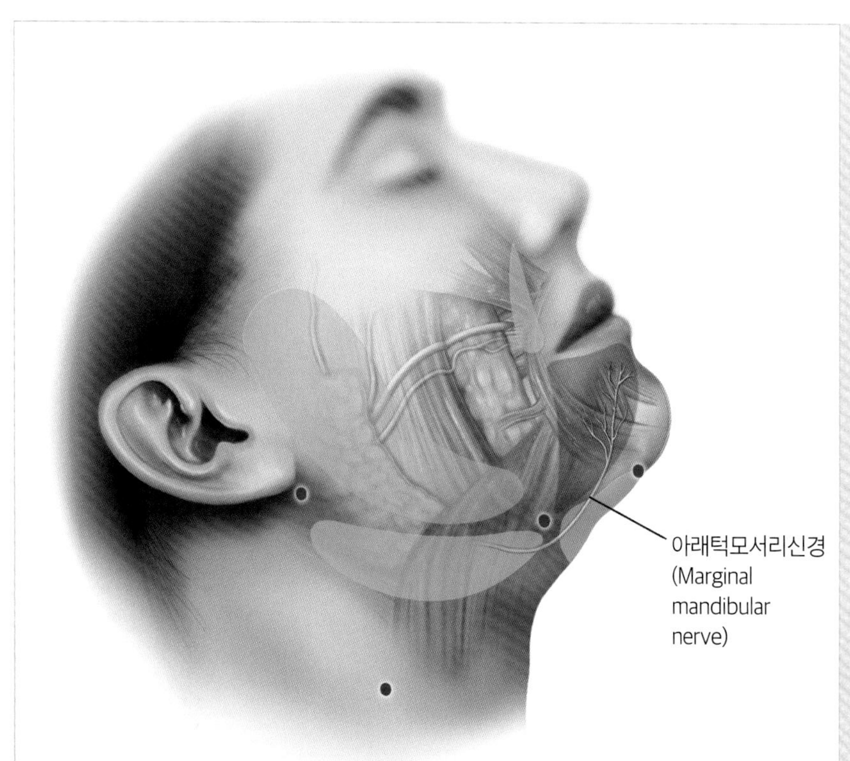

그림 19.4 아래턱모서리신경과 턱끝신경의 손상을 막기 위한 적절한 기구 삽입(port) 위치 선정

References

1. Blugerman G, Schavelzon D, Paul MD. A safety and feasibility study of a novel radiofrequency-assisted liposuction technique. Plast Reconstr Surg. 2010; 125(3):998–1006
2. Chia CT, Theodorou SJ, Hoyos AE, Pitman GH. Radiofrequency-Assisted Liposuction Compared with Aggressive Superficial, Subdermal Liposuction of the Arms: A Bilateral Quantitative Comparison. Plast Reconstr Surg Glob Open. 2015; 3(7):e459
3. Gentile RD, Kinney BM, Sadick NS. Radiofrequency Technology in Face and Neck Rejuvenation. Facial Plast Surg Clin North Am. 2018; 26(2):123–134
4. Sadick N, Rothaus KO. Aesthetic Applications of Radiofrequency Devices. Clin Plast Surg. 2016; 43(3):557–565
5. Swanson E. Does Radiofrequency Assistance Improve Skin Contraction after Liposuction? Plast Reconstr Surg Glob Open. 2015; 3(10):e545
6. Kao HK, Li Q, Flynn B, et al. Collagen synthesis modulated in wounds treated by pulsed radiofrequency energy. Plast Reconstr Surg. 2013; 131(4):490e–498e
7. Levy AS, Grant RT, Rothaus KO. Radiofrequency Physics for Minimally Invasive Aesthetic Surgery. Clin Plast Surg. 2016; 43(3):551–556
8. Li Q, Kao H, Matros E, Peng C, Murphy GF, Guo L. Pulsed radiofrequency energy accelerates wound healing in diabetic mice. Plast Reconstr Surg. 2011; 127(6):2255–2262
9. Pritzker RN, Robinson DM. Updates in noninvasive and minimally invasive skin tightening. Semin Cutan Med Surg. 2014; 33(4):182–187
10. Chen B, Kao HK, Dong Z, Jiang Z, Guo L. Complementary Effects of Negative-Pressure Wound Therapy and Pulsed Radiofrequency Energy on Cutaneous Wound Healing in Diabetic Mice. Plast Reconstr Surg. 2017; 139(1):105–117
11. Theodorou S, Chia C. Radiofrequency-assisted Liposuction for Arm Contouring: Technique under Local Anesthesia. Plast Reconstr Surg Glob Open. 2013; 1(5):e37
12. Keramidas E, Rodopoulou S. Radiofrequency-assisted Liposuction for Neck and Lower Face Adipodermal Remodeling and Contouring. Plast Reconstr Surg Glob Open. 2016; 4(8):e850
13. Balagopal PG, George NA, Sebastian P. Anatomic variations of the marginal mandibular nerve. Indian J Surg Oncol. 2012; 3(1):8–11
14. Betz D, Fane K. Nerve Block, Mental. In: StatPearls. 2018: Treasure Island (FL)

20. 냉각지방분해술의 안전성을 최대화하는 방법 (Maximizing Safety with Cryolipolysis)

- *Erez Dayan and Rod J. Rohrich* / 윤원영 역

초록

냉각지방분해술(Cryolipolysis)은 국소적인 지방조직 과잉에 있어 가장 인기있는 비침습적 치료방법이다. FDA는 2010년에서 2014년 사이에 옆구리, 배, 그리고 허벅지의 지방 축적을 감소시키는데 있어 냉각지방분해술의 적용을 승인했다. 이 때부터 냉각지방분해술은 비침습적인 신체 윤곽 성형에 있어 시장을 선도하는 장비로 부상하였다.

냉각지방분해술은 조절된 조직 온도 하강을 통해 지방 세포를 선택적으로 제거함으로써 효과를 나타낸다. 조직을 정상 온도보다는 낮으나 어는 점보다는 높은 온도에 노출시키는 것은 지방 세포의 세포자멸사를 유도하며, 주변 조직과 비교했을 때 지방세포가 냉각 과정에 민감하다는 특징을 이용한다.

키워드: 냉각지방분해술(cryolipolysis), **비침습적 체형 성형**(noninvasive body contouring), **지방세포 세포자멸사**(adipocyte apoptosis), **지질영양이상증**(lipodystrophy)

요점

- 냉각지방분해술은 지질이 풍부한 조직이 주변의 수분을 많이 포함하는 조직보다 냉각 손상을 더 잘 받는다는 특징에 바탕을 두고 있다(그림 20.1).
- 냉각지방분해술은 조절 냉각 방식을 통해 조직의 온도를 영하 11도에서 5도 사이로 유지하는데 관여한다.
- 냉각지방분해술은 지방세포만을 타겟으로 하며 피부, 신경, 혈관이나 근육에는 손상을 주지 않는다.
- 이 술기는 장단기적으로 안전한 것으로 간주된다. 이 방법은 혈중 콜레스테롤, 중성지방, 저밀도지단백, 고밀도지단백, 간기능효소(AST/ALT, 빌리루빈), 알부민이나 혈당에 영향을 미치지 않는 것으로 알려졌다.
- 냉각지방분해술의 정확한 기전은 아직 완벽하게 밝혀지지 않았다. 이를 설명하기 위한 몇 가지 이론들은 세포 부종으로 인한 세포자멸사, 감소된 Na-K-ATPase 활성, 젖산 농도의 증가, 미토콘드리아의 자유라디칼 방출 등을 제시하고 있다. 궁극적으로 일련의 염증 반응 과정을 통한 지방세포의 사멸과 탐식세포에 의한 제거가 3개월 내에 일어나게 된다.
- 합병증은 드물며 특징적으로 치료 수 주 내에 저절로 좋아진다. 부작용으로는 홍반, 멍, 부종, 감각과민, 통증 등이 있다. 영구적인 궤양이나 흉터, 이상감각, 혈종, 물집, 출혈, 색소침착이나 색소탈락, 감염 등은 보고되지 않았다.
- 냉각지방분해술 이후 발생한 역설적인 지방의 과다증식이 드물게 증례로 보고되었다(1:20000).

20.1 안전 고려사항(Safety Considerations)

- 이상적인 적응증은 환자가 적은 양의 국소적인 지방 제거를 원하는 경우이다. 과다한 지방조직이나 피부조직을 가진 환자들은 적절한 상담의 과정을 거쳐야 하며, 이들 중 대부분은 지방흡입 수술이나 절제를 필요로 하는 수술이 더 필요할 수 있다.
- 냉각지방분해술의 금기는 저체온으로 인해 발생할 수 있는 한랭글로불린혈증, 한랭두드러기, 발작성 한랭헤모글로빈뇨증 등이 있다.
- 냉각지방분해술은 심한 정맥류나, 피부질환, 혹은 표피병변이 있는 경우에는 사용할 수 없다.

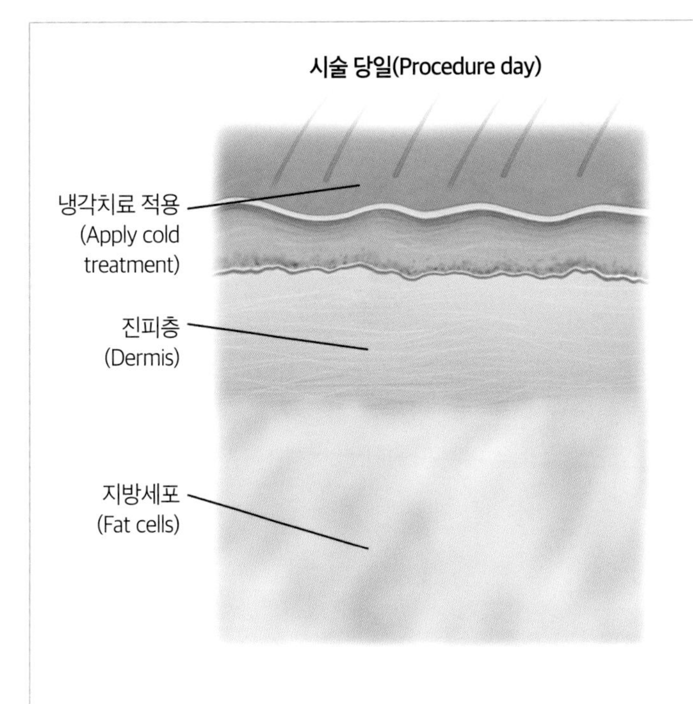

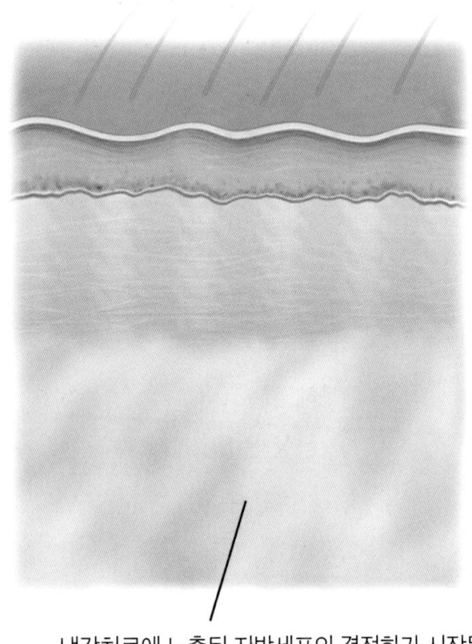

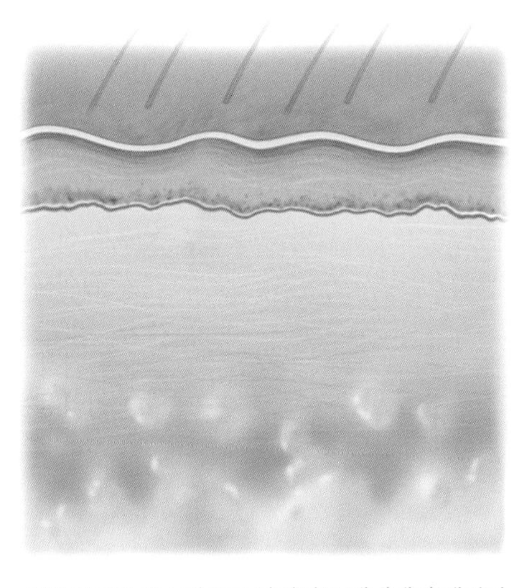

그림 20.1 냉각지방분해술이 지방 조직에 미치는 영향

20.2 임상적 연관성(Clinical Correlations)

- 냉각지방분해술은 안전하고 효과적으로 피부밑지방을 감소시키는 것으로 밝혀졌으며 FDA에서 옆구리, 배, 허벅지, 이중턱, 등, 브라라인, 엉덩이 아래부분과 팔에서의 사용을 승인하였다.
- 치료 효과를 극대화하기 위한 프로토콜은 아직 개발되지 않았다. 환자들은 원하는 결과를 얻기 위

해서는 다회의 치료가 필요할 수 있음을 알고 있어야 한다.

- 반복적인 치료가 추가적인 지방의 감소를 가져올 수 있다. 그러나, 개선되는 정도는 첫번째 시술보다 드라마틱하지 않다. 추가적인 치료의 개선 효과는 해부학적 위치와도 관련이 있다(예: 복부의 반복적 치료는 옆구리와 비교했을 때 더 나은 효과를 보였다).
- 시술 후 시술부위 연부조직을 마사지하는 것은 냉각지방분해술의 효과를 임상적으로 또한 조직학적으로도 향상시키는 것으로 나타났다.

References

1. Kilmer SL, Burns AJ, Zelickson BD. Safety and efficacy of cryolipolysis for non-invasive reduction of submental fat. Lasers Surg Med. 2016; 48(1):3–13
2. Leal Silva H, Carmona Hernandez E, Grijalva Vazquez M, Leal Delgado S, Perez Blanco A. Noninvasive submental fat reduction using colder cryolipolysis. J Cosmet Dermatol. 2017;16(4):460–465
3. Lee SJ, Jang HW, Kim H, Suh DH, Ryu HJ. Non-invasive cryolipolysis to reduce subcutaneous fat in the arms. J Cosmet Laser Ther. 2016; 18(3):126–129
4. Meyer PF, da Silva RM, Oliveira G, et al. Effects of Cryolipolysis on Abdominal Adiposity. Case Rep Dermatol Med. 2016; 2016:6052194
5. Li MK, Mazur C, DaSilva D, Canfield D, McDaniel DH. Use of 3-Dimensional Imaging in Submental Fat Reduction After Cryolipolysis. Dermatol Surg. 2018; 44(6):889–892
6. Wanitphakdeedecha R, Sathaworawong A, Manuskiatti W. The efficacy of cryolipolysis treatment on arms and inner thighs. Lasers Med Sci. 2015; 30(8):2165–2169
7. Bernstein EF. Long-term efficacy follow-up on two cryolipolysis case studies: 6 and 9 years post-treatment. J Cosmet Dermatol. 2016; 15(4):561–564
8. Ingargiola MJ, Motakef S, Chung MT, Vasconez HC, Sasaki GH. Cryolipolysis for fat reduction and body contouring: safety and efficacy of current treatment paradigms. Plast Reconstr Surg. 2015; 135(6):1581–1590
9. Jeong SY, Kwon TR, Seok J, Park KY, Kim BJ. Non-invasive tumescent cryolipolysis using a new 4D handpiece: a comparative study with a porcine model. Skin Res Technol. 2017; 23(1):79–87
10. Jones IT, Vanaman Wilson MJ, Guiha I, Wu DC, Goldman MP. A split-body study evaluating the efficacy of a conformable surface cryolipolysis applicator for the treatment of male pseudogynecomastia. Lasers Surg Med. 2018
11. Ho D, Jagdeo J. A Systematic Review of Paradoxical Adipose Hyperplasia (PAH) Post-Cryolipolysis. J Drugs Dermatol. 2017; 16(1):62–67
12. Karcher C, Katz B, Sadick N. Paradoxical Hyperplasia Post Cryolipolysis and Management. Dermatol Surg. 2017; 43(3):467–470
13. Keaney TC, Naga LI. Men at risk for paradoxical adipose hyperplasia after cryolipolysis. J Cosmet Dermatol. 2016; 15(4):575–577
14. Kelly E, Rodriguez-Feliz J, Kelly ME. Paradoxical Adipose Hyperplasia after Cryolipolysis: A Report on Incidence and Common Factors Identified in 510 Patients. Plast Reconstr Surg. 2016; 137(3):639e–640e
15. Kelly ME, Rodríguez-Feliz J, Torres C, Kelly E. Treatment of Paradoxical Adipose Hyperplasia following Cryolipolysis: A Single-Center Experience. Plast Reconstr Surg. 2018;142(1):17e–22e
16. Sasaki GH. Reply: Cryolipolysis for Fat Reduction and Body Contouring: Safety and Efficacy of Current Treatment Paradigms. Plast Reconstr Surg. 2016; 137(3):640e–641e
17. Carruthers JD, Humphrey S, Rivers JK. Cryolipolysis for Reduction of Arm Fat: Safety and Efficacy of a Prototype CoolCup Applicator With Flat Contour. Dermatol Surg. 2017;43(7):940–949

21. 마이크로니들링의 안전성을 최대화하는 방법
(Maximizing Safety with Microneedling)

- *Erez Dayan, David Dwayne Weir, Rod J. Rohrich, and E. Victor Ross* / 윤원영 역

초록

마이크로니들링은 1990년대 초반부터 사용되어 왔으며 처음에는 흉터의 치료를 위해 도입되었다. 이때부터 마이크로니들링(한때는 콜라겐 유도 치료라고 불림)은 피부 항노화를 위한 최소 침습적인 시술로 인기를 끌었다. 미세침은 진피층을 투과하여 피부밑 콜라겐, 엘라스틴과 모세혈관의 생성과 재구성을 유도한다. 마이크로니들링의 미세침은 미크론 단위로 사용되며, 바늘의 길이는 0.5 mm에서 1.5 mm범위이다. 마이크로니들링은 micropore를 통한 경피적인 약물 전달을 증가시켜 다른 약물과 병합하여 치료할 때 상승효과를 볼 수 있으며, 그 중 가장 유명한 것은 PRP (혈소판풍부혈장)이다.

키워드: 마이크로니들링(microneedling), **경피적 콜라겐 유도**(percutaneous collagen induction), **얼굴부 항노화**(facial rejuventation), **혈소판풍부혈장**(platelet rich plasma)

요점

- 마이크로니들링은 미세침이 진피를 투과하여 염증과 치유의 연쇄반응을 개시하며, 이로 인해 성장인자(FGF, TGF, PDF)의 농도 변화를 유도하여 섬유아세포의 활성과 콜라겐 생성, 엘라스틴 조직, 그리고 혈관 생성을 일으킨다.
- 마이크로니들링 후 1주일 안에, 파이브로넥틴의 망상 지지체가 생성되며, 여기에 콜라겐이 조직되어 결과적으로는 피부 탄력이 증대된다.
- 마이크로니들링은 여드름 흉터, 일반 흉터, 과색소침착, 탈모, 다한증 등의 치료에 성공적으로 이용되어 왔으며 약물전달방식의 하나로도 사용되어 왔다.
- 마이크로니들링 장비들은 다양한 방식의 니들 배열(예: 문신 장비, 롤러, 전자동 방식)과 재료(유리, 실리콘, 금속, 생분해성 고분자)로 만들어진다. 가장 흔히 사용되는 마이크로니들링 방법은 롤러 타입과 전자동 방식이다.

21.1 안전 고려사항(Safety Considerations)

- 현재까지 시중에 나와있는 마이크로니들링 장비 중 FDA의 승인을 받은 것은 한 가지 뿐이다[스킨펜(벨루스메디컬)].
- FDA의 승인을 받은 마이크로니들링의 적응증은 얼굴부의 위축성 반흔 뿐이다(눈확둘레 안쪽은 제외).
- 스킨펜은 얼굴, 목, 몸에 사용 가능하며 오프라벨로 눈확둘레 안쪽에도 사용 가능하다. 실제 임상에서는 다양한 마이크로니들링 장비가 사용되고 있으나, 세침의 질과 안전성 면에서 많은 차이가 있다. 스킨펜은 품질 관리 연구와 일회용 세침의 안전성과 품질을 확인하는 데이터를 제공한 첫 번째 장비이다.
- 바늘과 체액의 교차 감염은 주의 깊게 관리되어야 한다. 가장 이상적으로는 마이크로니들링 장비는 소독 봉인되어 있으며 세침은 1회용 유닛으로 사용하고 분리 폐기할 수 있어야 한다. PRP와 병행하여 시술할 때는, 혈장을 체계적으로 분리하고 실수로 타 환자와 섞이지 않도록 세심한 주의를 기울

여야 한다.

- 전문적으로 복합 조제된 마취제 뿐만 아니라 처방전 없이 살 수 있는 국소 도포 마취제를 포함한 다양한 방법의 마취가 환자의 통증을 줄이기 위해 사용된다. 공인된 의료인의 직접 감독 하에, 복합적인 국소 진통제가 조심스럽게 사용될 수 있다. 임상에서 여러 부위의 마이크로니들링 치료가 필요한 경우에는 국소마취제를 여러 단계로 나누어 적용하여 리도카인 독성을 줄인다.
- 육아종 증례가 보고된 바 있으며, 특히 멸균되지 않은 시약을 마이크로니들링과 병용했을 때에 발생하였다. 이상적으로는 진피층 도달을 목표로 제조된 멸균 제품만을 마이크로니들링을 이용하여 전달해야 한다.

동영상 21.1

- 세침의 길이는 장비에 따라 0.25 mm에서 3 mm까지 다양하다. 치료할 부위의 해부학적인 이해가 세침의 깊이를 정하는데 필수적이다. 화학박피나 레이저의 안전성과 마찬가지로, 얼굴부의 특정부위들은 더 긴 바늘로 침투하여 치료할 수 있으며, 주의를 기울여야 하는 부위들은 더 짧은 세침을 사용해야 한다(그림 21.1)(동영상 21.1).
- 긴 길이의 세침을 이용하는 마이크로니들링 장비들은(1.5-3.0 mm) 더욱 주의를 기울여서 사용해야 하며, 피부가 얇은 환자에서는 3 mm 이상의 길이가 감각 신경의 손상을 가져올 수 있으므로 주의해야 한다.

21.2 안전구역(Safe Zones)

- 피부밑지방이 풍부하고 진피층이 두꺼운 부위는 대개 치료의 안전구역으로 분류된다. 이는 광대부위(zygomatic region), 볼부위(buccal region), 입가(perioral region), 턱끝부위(mental region), 귀밑샘-깨물근부위(parotid-masseteric region)를 포함한다.

21.3 이행구역(Transitional Zones)

- 이행구역은 피부밑지방과 진피층이 더 얇은 특징을 가진다. 이행구역으로는 관자부위(temporal

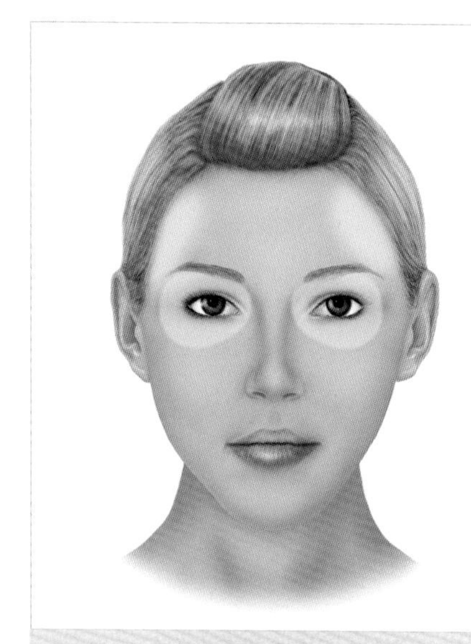

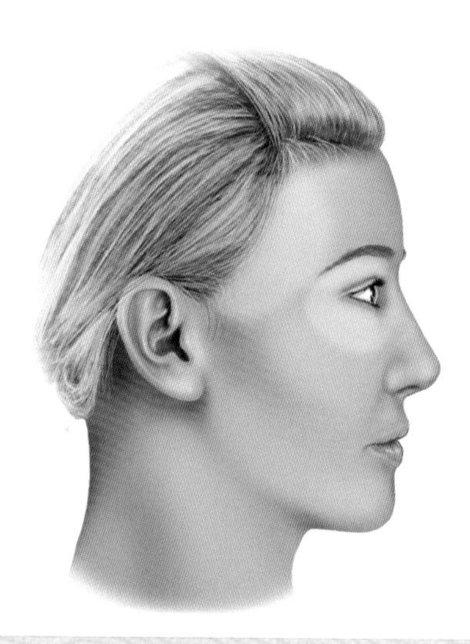

짧은 바늘 사용 가능한 구역
(More superficial treatment zone)
긴 바늘 사용 가능한 구역
(Moderate to deep treatment)

그림 21.1 마이크로니들링의 깊이

region), 눈확아래부위(infraorbital region), 목부위, 그리고 이마부위(frontal region)가 있다.

21.4 위험구역(Danger Zones)

- 피부 조직의 구조에 기초한 위험구역은 눈확 안쪽과 입가를 포함하는 부위다. 0.25 mm 깊이의 보존적인 치료가 권장된다.

21.5 임상적 연관성(Clinical Correlations)

- 마이크로니들링은 모든 피부 타입에 적용 가능하다.
- 표준적인 마이크로니들링은 열 발생을 일으키지 않으므로 화상이나 흉터, 색소의 변화등에 대한 위험성이 없이 치료가 가능하다.

21.6 술기 요점(Technical Points)

- 부위에 따라 서로 다른 세 가지의 운동방향이 적용된다: 수직, 수평, 원형
- 피부와 수직방향으로 바늘이 위치해야 한다.
- 장비가 스스로 치료하게 해야 한다: 불필요한 압력을 가하거나 장비를 피부 위를 지나가게 끌어서는 안 된다.

References

1. Ablon G. Safety and Effectiveness of an Automated Microneedling Device in Improving the Signs of Aging Skin. J Clin Aesthet Dermatol. 2018; 11(8):29–34
2. Duncan DI. Microneedling with Biologicals: Advantages and Limitations. Facial Plast Surg Clin North Am. 2018; 26(4):447–454
3. Food and Drug Administration, HHS. Medical Devices; General and Plastic Surgery Devices; Classification of the Microneedling Device for Aesthetic Use. Final order. Fed Regist. 2018;83(111):26575–26577
4. Mazzella C, Cantelli M, Nappa P, Annunziata MC, Delfino M, Fabbrocini G. Confocal microscopy can assess the efficacy of combined microneedling and skinbooster for striae rubrae. J Cosmet Laser Ther. 2018; • • • :1–4
5. Zduńska K, Kołodziejczak A, Rotsztejn H. Is skin microneedling a good alternative method of various skin defects removal. Dermatol Ther (Heidelb). 2018; 31(6):e12714
6. Al Qarqaz F, Al-Yousef A. Skin microneedling for acne scars associated with pigmentation in patients with dark skin. J Cosmet Dermatol. 2018; 17(3):390–395
7. Badran KW, Nabili V. Lasers, Microneedling, and Platelet-Rich Plasma for Skin Rejuvenation and Repair. Facial Plast Surg Clin North Am. 2018; 26(4):455–468
8. Sezgin B, Özmen S. Fat grafting to the face with adjunctive microneedling: a simple technique with high patient satisfaction. Turk J Med Sci. 2018; 48(3):592–601
9. Schmitt L, Marquardt Y, Amann P, et al. Comprehensive molecular characterization of microneedling therapy in a human three-dimensional skin model. PLoS One. 2018;13(9):e0204318
10. Soliman M, Mohsen Soliman M, El-Tawdy A, Shorbagy HS. Efficacy of fractional carbon dioxide laser versus microneedling in the treatment of striae distensae. J Cosmet Laser Ther. 2018; • • • :1–8

Index

I

J

K

L

M

N

O

P

Q

R

S

T

U

V

W

Z